LE CHANT DES SORCIÈRES

Le Lit d'Aliénor, 2002
Le Bal des Louves, 2003
   * *La Chambre maudite*
   ** *La Vengeance d'Isabeau*
Lady Pirate, 2005
   * *Les Valets du roi*
   ** *La Parade des ombres*
La Rivière des âmes, 2007
Le Chant des sorcières, tomes 1 et 2, 2008

Les Tréteaux de l'enfance, 2004, Elytis

Mireille Calmel

Le Chant des sorcières

tome 3

roman

XO
EDITIONS

© XO Éditions, 2009
ISBN : 978-2-84563-399-5

À la mémoire de
Anne Denis, artiste peintre, exceptionnelle.
Nelly Caiazzo, la maman de ma vaillante…

1.

De maussade qu'il avait été ces jours derniers, le printemps confinait à l'été en cette matinée du 3 juin 1484. Philippine de Sassenage fut saisie par la clarté éblouissante d'un franc soleil qui vint agacer ses yeux sous ses paupières closes.

— Allons debout, damoiselle Hélène. Le cortège est annoncé, la heurta la voix nasillarde de la servante qui venait sans ménagement d'écarter les tentures. Votre matinel est prêt. Il ne faut pas traîner ou vous ne verrez pas le prince passer, insista la jouvencelle.

Paré d'une excitation toute juvénile, son timbre montait dans les aigus, rendant plus détestables encore sa disgrâce et sa maladresse. Celle que ses parents avaient eu la mauvaise idée de prénommer Bonnemine quatorze ans plus tôt ne venait-elle pas, en pénétrant dans la chambre, de se prendre les pieds dans le tapis, manquant de verser son plateau d'argent chargé de vaisselle, d'un bouillon clair, d'un œuf coque et de cerises? Il eût fallu que Philippine soit sourde pour n'être pas tirée du doux rêve qui la tenait alors et d'où elle peinait à sortir.

Elle s'en arracha pourtant. La réalité serait plus lumineuse encore dans quelques heures, juste là, sous ce balcon en encorbellement qui surplombait la grand-place de Romans-sur-Isère.

Philippine se redressa contre son oreiller, les yeux plissés pour se garder d'un rayon ambré dans lequel dansaient de fines particules de poussière. Bonnemine achevait de dresser la table devant la large porte-fenêtre, pour le petit déjeuner.

— Quelle gourde ! se lamenta silencieusement Philippine en la voyant écraser l'œuf du dos d'une petite cuillère dans l'espoir de le décoquiller.

Se déversant le long du coquetier de faïence, le jaune crevé et mêlé de fins morceaux de coquille ruissela, épais, sur les parois, se perdant à moitié. La jouvencelle n'en parut pas incommodée. Fière de son exploit, elle se retourna avec l'inconscience de son incompétence. Et pis encore, de la sottise avec laquelle elle était née. Non, décidément Philippine ne s'y faisait pas. Algonde lui manquait.

— Partout la clameur enfle. C'est qu'on dit le prince Djem exceptionnellement beau et raffiné. Irez-vous le visiter ? Il logera dans la maison de Berton de Bocsozel, notre gouverneur, qui, hélas pour lui, se trouve à Paris en ces fêtes de la Pentecôte et….

— Je sais tout cela, la faucha Philippine, accompagnant la sécheresse de son ton d'un mouvement du poignet.

La servante afficha une moue boudeuse mais servile.

— Mon mantel de chambre, exigea la damoiselle de Sassenage sans s'en inquiéter.

La servante le lui présenta en détournant les yeux pendant que Philippine repoussait les draps pour s'arracher du lit.

— Laisse-moi à présent. Je te sonnerai lorsque je serai décidée à m'habiller.

— Ne tardez…

— Suffit ! asséna Philippine d'un ton n'admettant pas la réplique.

Baissant le nez, Bonnemine s'effaça en trottinant et ferma la lourde porte cloutée.

Restée seule enfin, Philippine s'étira gracieusement avant de s'attabler. Tordant la bouche de dégoût devant son œuf massacré, elle le repoussa et trempa ses mouillettes dans le bouillon de poule. Tandis qu'elle les mâchonnait sans plaisir, son regard se porta vers la croisée. La fenêtre en vis-à-vis de la sienne de l'autre côté de la grand-place était barrée de volets. C'était, lui avait appris Bonnemine la veille en se louant à son service, la maison de Pierre Coste, l'officier de la Monnaie de la ville. Un homme libidineux qui cachait derrière ces persiennes ajourées une vie dissolue. Curieuse de nature, Philippine se demanda à quoi il ressemblait et s'il pouvait la voir.

Ensuite de quoi, reprise par l'activité qui régnait plus bas, elle se laissa avaler par les derniers préparatifs des festivités. Partout on s'activait sur le sol nivelé. Traînant là des ballots de paille pour séparer l'espace des joutes de celui des enclos, plantant ici barrières et piquets, plus loin des étendards aux couleurs de la ville. Contre l'abbaye, à droite, profitant de la fraîcheur des murs, on achevait d'adosser les gradins tendus au ciel de toiles colorées, comme chaque fois que Romans, du fait de sa position centrale en Dauphiné, s'accordait à festoyer. À plusieurs reprises dans l'année, dans ce champ clos au cœur de la ville, on donnait des drames religieux et des tournois.

Philippine se rappelait avoir assisté à quelques-uns, enfant, du temps de sa défunte mère, Jeanne de Commiers. L'endroit qu'elle retrouvait après une si longue absence n'avait pas changé. Pas davantage cette maison qu'un ami de son père leur prêtait. Pourtant, la demeure lui avait semblé vide et triste lorsqu'elle s'était installée la veille au soir dans cette chambre qu'occupait autrefois sa mère.

Son attention se porta soudain vers le parvis de l'église collégiale. La bure nouée d'une corde à sa taille

11

bedonnante, un clerc gesticulait au sol, visiblement furieux qu'on ait barré le portail de planches et d'outils en attente d'être montés sur les échafaudages. Cassé en deux au-dessus d'une des rambardes de sécurité, cramoisi, le maître d'œuvre lui donnait une réplique que Philippine aurait apprécié d'entendre tant les passants et les ouvriers en avaient le sourire aux lèvres. S'il ne lui avait fallu écarter la table pour ouvrir la croisée et s'avancer sur le balcon, elle l'aurait fait sans hésiter. Tant pis.

Elle détourna son regard, jaugea l'imposant espace qui s'ouvrait sur trois cents pieds de long et cent de large, qu'hôtels particuliers et maisons bourgeoises bordaient sur ses deux autres côtés. Bientôt, se rendant avec son escorte à la demeure qu'on lui avait attribuée, Djem tra-verserait la place de part en part. Il lèverait les yeux vers chacune de ces façades pour saluer ces bonnes gens de Romans qui l'acclameraient. Mais Philippine savait que ce serait elle et elle seule dans la foule qu'il chercherait. Elle ferma un instant les yeux, prise du vertige que le manque de lui provoquait. Cinq jours, cinq jours seulement qu'elle l'avait quitté, et elle en mourait. Elle l'aimait. Follement. Inconsidérément. Autant sans doute qu'il l'aimait.

On toqua à la porte.

Elle chassa l'image de leur dernier baiser dans la forêt, lorsqu'elle était venue lui apprendre qu'à Sassenage où elle devait se rendre, Algonde demanderait l'aide de la sorcière. Privé de l'élixir contenu dans le flacon pyramidal de verre bleu que Mounia lui avait volé, Djem se sentait vulnérable. Algonde était donc partie, quelques heures à peine après son mariage discret avec Mathieu, pour offi-ciellement assister à celui de sa mère et de maître Janisse.

Afin de ne plus penser à l'absent, Philippine s'était acti-vée à sa garde-robe pour le tournoi, rejoignant en cela l'excitation de ses jeunes sœurs et de Sidonie qui, depuis le retour du baron Jacques, avait recouvré le sourire. Ce tourbillon joyeux l'avait emportée. À présent, le temps lui durait.

On insista derrière le battant.

— Entrez, se résigna Philippine, certaine de voir reparaître Bonnemine.

À sa place s'avança un laquais sec comme un coup de trique, porteur d'un billet cacheté sur un petit plateau d'argent.

Surprise, elle l'ouvrit sans attendre. L'écriture était fine, aérée. Élégante. Féminine, jugea Philippine avant de le parcourir.

Votre voisine depuis hier, je fais antichambre ce matin devant votre porte. Il me faut vous parler de toute urgence.

La signature, *Marie de Dreux*, ne lui évoqua rien.

Le laquais demeurait immobile dans sa livrée.

— La dame qui vous a remis ce billet, où se tient-elle?

— Au bas de l'escalier, où dame Sidonie l'a autorisée à patienter, répondit l'homme, stylé.

Philippine se mordit la lèvre. Pouvait-elle s'accorder le temps de la recevoir? Dans cette tenue négligée? Elle fouilla de nouveau ses souvenirs. Non, décidément, le nom de Marie de Dreux n'en éveillait aucun. De toute urgence, relut-elle. Avant l'arrivée de Djem? Elle en trembla. Cette femme savait-elle quelque chose? Sur eux? Sur un éventuel complot contre lui? Il lui fallait savoir. Sans attendre en effet.

— Faites-la monter, décida-t-elle en repoussant la table.

Blonde, des yeux d'un bleu translucide dans un teint parfait d'albâtre, Marie de Dreux possédait cette grâce angélique des statues d'église qui évoqua à Philippine une image familière, sans qu'elle pût se remémorer l'endroit où elles s'étaient de toute évidence rencontrées.

— Pardon de vous déranger en cette heure matinale, damoiselle Philippine, mais vous sachant ma voisine, je ne pouvais manquer de venir vous entretenir en privé.

— Prenez un siège, l'invita courtoisement Philippine, se donnant ainsi quelques secondes supplémentaires de réflexion avant que de la froisser.

Marie choisit le tabouret recouvert de coutil damassé, lui laissant le faudesteuil tendu de velours marine.

— Ma tenue laisse à désirer et je m'en excuse. Votre impatience…

La paume de Marie s'envola dans un geste aérien.

— Point de cela entre nous. Tous ces matins à Saint-Just dans la pénombre du dortoir des moniales à s'habiller en silence l'une devant l'autre m'ont appris à me défier de ces futilités.

Saint-Just-de-Claix. Sœur Marie. Elle était novice lorsque Philippine avait quitté l'abbaye. Un franc sourire illumina les traits jusque-là inquiets de la damoiselle de Sassenage.

— Je vous croyais destinée à embrasser les ordres et je vous retrouve ici, si transformée que, je l'avoue piteusement, j'ai eu du mal à vous reconnaître.

Un petit rire clair franchit la barrière des lèvres finement ourlées de Marie.

— À dire vrai, je m'en doutais.

Les souvenirs affluaient à présent. Un peu plus jeune qu'elle, Marie avait été admise à Saint-Just six mois avant le départ de Philippine. Éteinte alors entre les murs du couvent qu'elle arpentait d'un pas traînant, elle rayonnait à présent. Philippine se pencha pour lui prendre les mains, rattrapée par un élan de sympathie.

— Allons, racontez-moi ce qui exigeait tant de célérité.

— Vous souvenez-vous de Laurent de Beaumont, seigneur de Saint-Quentin, qui se battit pour vous sous les murs mêmes de l'abbaye ?

— Parfaitement. Il m'écrit encore de temps en temps une flamme que je ne partage pas.

L'œil de Marie se fit douloureux. Visiblement Laurent de Beaumont ne lui était pas indifférent. Philippine s'en voulut aussitôt.

14

— Je vous ai blessée, pardonnez-moi.

Redressant son buste qui s'était voûté l'instant d'avant, Marie soupira.

— Vous n'en êtes pas responsable. Vous l'avez dit. Il vous aime, vous ne l'aimez pas. Après votre départ précipité de Saint-Just, c'est moi qui, vous succédant auprès de sœur Albrante, me suis occupée de lui et de messire de Montoison à l'hospice.

— Je vois, assura Philippine en lui rendant ses doigts qu'elle porta sagement à hauteur des genoux, sur le taffetas soyeux d'une robe perlée de fleurettes multicolores.

— Je l'ai aimé dès le premier jour où il franchit les portes de Saint-Just. Mais c'est vous qu'il remarqua la première. Vous qu'il accompagna sous les frondaisons des vergers, persuadé que vous vous accordiez à sa flamme.

— J'ai été bien punie de mon égarement. Je le suis encore, Marie, mais je conçois que vous m'en vouliez ce jourd'hui.

— Oh! mais je ne vous en veux pas, s'écria la jouvencelle, rouge de honte d'avoir pu le laisser croire.

Philippine ne douta pas de sa sincérité. Tout lui revenait à présent de cette damoiselle si discrète et effacée, si charitable et empathique, qui dardait sur elle de grands yeux contrits.

— J'ai besoin de votre aide, Philippine, souffla-t-elle, le fard plus accentué encore.

Philippine hocha la tête, le sourire engageant.

— Je vous écoute.

— Puis-je en ce cas vous parler en toute franchise et sans crainte de jugement? s'inquiéta encore Marie.

— Sans crainte. Mais de grâce, appelez-moi Hélène ainsi que mes proches le font désormais.

— Ce sera avec bonheur, affirma Marie en rosissant de plaisir avant de poursuivre. Comme je vous l'ai dit, jusqu'à son départ, j'ai veillé sur lui, espérant qu'il me remarque et se console de votre rejet. Il l'a fait. Mais pas comme je l'espérais, hélas. Il m'a…

Elle déglutit et, craignant ce pire auquel elle-même avait été confrontée, Philippine la couva d'un air compatissant.

— Poursuivez, Marie…

Elle était blanche.

— Si messire de Montoison ne s'était pas éveillé à ce moment-là… ma vertu…

Elle se mit à trembler mais redressa le menton, comme il convient lorsqu'on expie chaque jour avec dignité le poids de ses péchés.

— Sœur Albrante a compris quel tourment de chair j'avais approché et ce feu qui me rongeait encore. Il n'avait rien de sacré, en vérité. Seuls mes parents tenaient à me voir moniale. Comme vous, chère Hélène, je rêvais d'amour, comme vous je m'y suis brûlée. Sœur Albrante a été parfaite. Il m'a suffi de répéter les arguments qu'elle m'avait donnés pour convaincre la mère supérieure et mes parents de mon manque de vocation à la vie religieuse. Je suis donc rentrée chez moi, ici, à Romans. Mon père y est drapier.

— Et Laurent de Beaumont ?

— Là est mon châtiment. Je n'ai pu l'oublier. Je l'aurais dû, car à l'instant de lui signifier que sœur Albrante exigeait son départ, il ne me cacha rien de l'amour qu'il éprouvait pour vous, de sa rivalité prononcée avec le sire de Montoison et du fait qu'il ne renoncerait jamais.

— Après vous avoir forcée ? s'étrangla Philippine.

Marie baissa la tête, honteuse.

— Force-t-on nos penchants lorsqu'ils sont si fortement troublés ? De le voir si pressant, je le croyais guéri et prêt à m'épouser.

— Quel goujat ! Je n'en reviens pas de tant de cruauté ! glapit Philippine en bondissant de son siège.

Elle se mit à arpenter la pièce avec l'envie d'étrangler ce bonimenteur. Et dire qu'elle l'avait cru meilleur que Montoison !

— Vous pouvez compter sur moi pour lui donner une bonne leçon ! assura-t-elle en se plantant devant la malheureuse, livide.

Marie se pressait les mains l'une dans l'autre, les yeux brouillés.

— À dire vrai, Hélène, ce n'est pas exactement ce que je souhaiterais.

Philippine resta stupéfaite devant son air ravagé.

— Non ?

— Non.

— Ne me dites pas que vous l'aimez encore...

— Contre toute raison.

Philippine se laissa choir dans le faudesteuil, ahurie.

— Il ne vous mérite pas !

Marie haussa les épaules. Un triste sourire creusa une jolie fossette à sa joue droite.

— Ça, je le sais. Mais je n'y peux rien. Il m'a fait une promesse à l'instant de partir. De revenir à moi s'il pouvait se détacher de vous.

— Mais ce serait folie que de vous donner à cet homme comme le lot de consolation qu'il espérerait, protesta Philippine.

Les yeux de Marie étincelèrent. Une nouvelle fois, Philippine l'avait blessée. Elle se radoucit.

— Ne croyez pas que je me rengorge, Marie, au contraire, je voudrais vous sauver. Je suis moi-même victime de son concurrent qui par un chantage odieux me force aux épousailles.

— Philibert de Montoison ?

— Lui-même.

Marie se dressa, si tourmentée soudain qu'elle blessa la paume de ses mains du piquant de ses ongles.

— Laurent ne s'est inscrit à ces joutes que pour l'envoyer mordre la poussière et, je l'ai deviné, l'occire sous le prétexte d'un accident. Il ne songe qu'à sa revanche depuis une année, il me l'a confié dans les lettres que je lui arrache en réponse aux miennes.

Bouleversée, Marie hoqueta.

— Je crains le pire, Hélène. Qu'il meure pour vous et devant moi. Cette idée me torture tant que je n'en dors plus. Voici pourquoi je suis venue. Je vous en prie, aidez-moi à l'empêcher.

Dans un élan spontané, Philippine vint la serrer dans ses bras pour la rassurer.

— Cessez de trembler, mon amie. Laurent de Beaumont sera votre époux, je m'y engage, affirma-t-elle, tout en se disant que l'entreprise serait loin d'être aisée.

2.

Djem bouillait d'impatience sous un soleil de plomb.
Laissant Pizançon derrière eux, ils venaient de déboucher
sur le pont de pierre qui reliait le hameau à la ville de
Romans. Il se tendit sur ses étriers pour mieux embrasser
la scène du regard. Une foule compacte se pressait aux
abords du péage, devant la tour fortifiée, se collant aux
murs humides de la maison du pontonnier pour n'être pas
bousculée par ceux, pour la plupart marchands ou drapiers, qui passaient dans l'autre sens à pied, en litière ou en
char à bœuf. Dans l'Isère, en contrebas du talus, des
enfants nus s'éclaboussaient à grand renfort de rires, indifférents aux menaces des pêcheurs qui désespéraient de
voir chabots, chevesnes ou ablettes se prendre à leur ligne.

— N'ayez crainte, cette fois encore les manants nous
feront place, le rassura le grand prieur d'Auvergne, Guy de
Blanchefort, qui chevauchait à ses côtés.

Djem hocha la tête. Depuis qu'ils avaient rejoint la
grand-route du Dauphiné, on se garait à leur passage pour
mieux détailler cette procession bigarrée qui, à la magnificence des Turcs, opposait la rigueur de l'habit des
Hospitaliers de l'ordre de Saint-Jean-de-Jérusalem.

Frappée par le marteau de son automate de fer, et couvrant à peine le brouhaha, la cloche de la tour Jacquemart

sonna midi. Cela faisait près d'une heure déjà qu'ils avaient franchi cette porte ouverte dans la seconde enceinte. Quoi qu'en dise Blanchefort, ils se traînaient. Djem dut se faire violence pour ne pas éperonner son cheval et forcer le passage.

— Romans est une des plus belles villes du Dauphiné, son cœur même en réalité. Vous vous y plairez, Djem. Depuis une quinzaine d'années, sa draperie gagne en notoriété. Je ne serais pas surpris qu'elle s'exporte bientôt au-delà de nos frontières, ajouta Blanchefort tandis qu'au-devant d'eux, effrayée autant qu'intriguée par les cimeterres pendus aux ceintures des accanguis et par leur teint basané sous le turban, la foule s'écartait prudemment.

Djem ne répondit pas. Son esprit caracolait au-delà de ce gué, vers elle, la damoiselle de Sassenage qu'il se plaisait à aimer chaque jour davantage.

— Seriez-vous souffrant, mon ami ? Je vous trouve étonnamment silencieux depuis que nous avons quitté Rochechinard.

Cette fois Djem se tourna vers le visage – soucieux sous sa barbe brune veinée discrètement de blanc – du grand prieur d'Auvergne. Il n'aimait pas avoir à lui mentir. Avait-il d'autre choix pourtant ?

— Rien qui doive vous inquiéter, Guy. Voyez… dit-il en ouvrant sa main vers son avant-garde. L'idée de ce tournoi les réjouit tous, du plus proche de mes compagnons au plus servile de mes esclaves. Tous. Mais celui qui en eût tiré la plus démonstrative des excitations n'est plus à mes côtés.

— Je vois. Pardonnez-moi de n'y avoir pas songé, s'excusa, contrit, le grand prieur.

Un sourire gaillard illumina les traits de Djem :

— Le cœur des Turcs est ainsi fait, mon ami, il n'oublie jamais. Accordez-moi la nostalgie de Houchang comme une ode à sa mémoire. Dans quelques heures, pris dans l'engouement de cette ville et des notables qui me viendront visiter, croyez-moi, je serai plus léger.

— En ce cas, il ne faut plus tarder...

Détachant son cheval de celui de son prisonnier, Guy de Blanchefort dépassa les accanguis et s'en fut glisser un mot à Philibert de Montoison lequel, avec ses hommes, tenait la tête du cortège.

Bouillant de la même impatience que le prince ottoman, le chevalier de Montoison s'accorda aussitôt aux vœux du grand prieur. Abandonnant les siens, il piqua sa monture pour la mettre au trot, provoquant dans la foule un sursaut de terreur. Des imprécations fusèrent, quelques jurons aussi, isolés. Pour la plupart, impressionnés par l'ordre monastique, les voyageurs se contentèrent de s'effacer vitement afin de ne pas faire obstruction à l'un de ses représentants. Forçant la place, Philibert de Montoison atteignit le péage.

Adossé à la tour-portière sous la protection d'une poignée de soldats aux couleurs de la ville, leur pique à la main, le percepteur de l'octroi était occupé à recompter la monnaie d'un petit homme joufflu et bedonnant, dont l'habit dénotait davantage la bourgeoisie que l'attitude la noblesse.

— Le compte y est, cette fois ! accorda ce dernier, amenant des soupirs satisfaits derrière lui.

Visiblement, il avait retardé le passage des suivants. Pendant qu'un autre prenait sa place pour acquitter ses droits, il se retourna pour héler ses porteurs, ne les trouva point, chercha des yeux, puis, les voyant qui se garaient sur le bas-côté au risque de passer par-dessus bord et de rejoindre l'Isère, il les apostropha avec morgue.

— Holà ! maroufles ! ne vous avais-je pas demandé de piétiner ?

— Et moi de s'écarter, le toisa Philibert de Montoison, les deux mains en appui sur le pommeau de sa selle.

L'homme gonfla le torse, écarta les bras, coinça ses doigts de chaque côté de ses hanches dans sa ceinture, pour gagner en volume ce qu'il perdait en pouces, et leva le menton d'un air de défi.

— Et de quel droit, messire ?

On s'esclaffa sur le pont. Mais Philibert n'était pas d'humeur à rire.

Déjà, les gardes s'approchaient pour y mettre bon ordre. L'incident risquait de dégénérer s'il ne le réglait lui-même, amenant une perte de temps quand il voulait en gagner.

Il s'avança au pas jusqu'à ce personnage grotesque. Lorsque son cheval lui souffla des naseaux sur le chapeau, l'inconnu fit un bond de côté, sous le rire moqueur des badauds et de la maréchaussée qui, ce voyant, s'était immobilisée.

— Sont-ce des manières de la part d'un clerc ? aboya l'homme, outré.

— Un chevalier, rectifia Philibert, qui t'ordonne de passer chemin, vite, avant que mon destrier s'en prenne à tes braies.

L'homme devint cramoisi. Battant des bras comme un moulin à vent sous un ciel de tempête, et sans bouger d'un pouce, il hoqueta :

— Ne savez-vous donc pas qui je suis ?

Cet individu avait besoin d'une leçon. Philibert de Montoison se dressa sur sa selle et apostropha la foule qui s'était resserrée en demi-cercle autour d'eux pour ne rien perdre du spectacle.

— Savez-vous qui il est ?

Une majorité de « non » fusa, désespérant le plaignant, avant qu'une voix s'élève. Celle d'une femme qui jouant des coudes se glissa en première ligne. Affublée d'un panier vide accroché à son coude replié, l'œil presque blanc, elle était sans âge dans ses vêtements rapiécés et se guidait d'un long bâton.

— Moi je te connais, Conan de Dreux.

— Ah! ah! s'enorgueillit-il en toisant de nouveau Philibert de Montoison.

— Tu es un de ces drapiers qui s'enrichissent sur l'ouvrage des petites travailleuses comme moi et les renvoie à leur misère lorsque leurs yeux sont fatigués, le faucha la voix rancunière de la vieille.

Montoison éclata de rire.

— Eh bien voilà, Conan de Dreux, je sais donc qui tu es! Un joli maître en vérité. Écarte-toi de mon chemin, et tout autant vous autres. Un prince est à vos portes et on l'attend pour les festivités.

Un murmure passa dans les rangs, détournant vers l'arrière tout l'intérêt qu'on avait pris à l'altercation. Sans plus s'occuper du marchand dont la rancœur explosait sur son faciès de corbeau, Philibert de Montoison s'avança jusqu'à la table derrière laquelle le percepteur de l'octroi avait suivi la scène d'un œil égal. Il décrocha une bourse rebondie à sa ceinture et la jeta sur le plateau de bois.

— Voici ton tribut. Compte-le si tu veux, mais tu peux m'en croire sur parole, il est plus généreux que tu n'en demanderais.

— Vous pouvez passer, assura l'homme chauve et édenté, le respect à fleur de sourire.

Montoison se retourna en direction de l'entrée du pont. Relayant ses ordres de bouche à oreille, tous dégageaient la place en se tassant contre les parapets de pierre, pour laisser passer le cortège. Coinçant majeur et pouce entre ses autres doigts il siffla par deux fois le signal convenu pour hâter la marche.

— Tu es encore là, toi? vociféra-t-il à l'intention du sieur de Dreux qui, frappé de rancœur, était demeuré statufié quand d'autres s'empressaient, leur péage acquitté, de franchir la porte avant d'être bloqués.

— Je ne passerai pas à pied! trépigna-t-il.

Montoison fit signe aux porteurs qu'ils pouvaient approcher.

— Évite de croiser mon chemin à l'avenir ou, par tous les saints du paradis, je jure de te ficeler dans tes draps avant de te botter les fesses, tout nanti sois-tu, lui promit Montoison tandis que l'homme se ruait dans la litière.

Il n'entendit pas ce qu'on lui répondit. Déjà il tournait bride pour rejoindre ses hommes.

Prenant la course, autant que le poids de la voiture le leur permettait, les deux valets se hâtèrent d'emporter Conan de Dreux.

Excédé par l'incident dont il se sentait la victime outragée, le drapier Conan de Dreux ne cessa de houspiller ses porteurs depuis la fenêtre de la litière qu'une fois celle-ci immobilisée dans la cour intérieure de sa demeure. Cette bâtisse, qui passait pour une des plus belles de la ville après celle du gouverneur, faisait la fierté du marchand et posait sa riche condition depuis qu'il exportait ses marchandises en Orient. Il avait même réussi l'exploit de vendre aux Turcs par l'entremise du comptoir génois de l'île de Lesbos, au prix d'un voyage qu'il racontait comme homérique et qui lui avait valu d'être respecté de ses pairs comme de sa maisonnée. Bien sûr, il en avait rajouté, fort du prestige qui retombait sur tout aventurier. Attaque de pirates envoyés par le fond, monstre marin qui s'était dressé pour les détourner de leur route, sans compter les tempêtes qui semblaient s'être succédé pour menacer sa précieuse cargaison de draps, mais aussi d'épices au retour.

La vérité était tout autre. Conan de Dreux avait eu de la chance. Une chance insolente, qui, le ramenant à bon port, les cales du navire aussi chargées qu'à l'aller, lui avait permis d'augmenter ses bénéfices et de s'offrir cette demeure aussi luxueuse qu'un palais.

Outre donc cette vaste cour intérieure, elle était construite en encorbellement sur deux étages et comportait quatorze pièces. Les plus belles s'ouvraient sur un balcon ouvragé, face à la cour mais aussi du côté de la grand-place vers laquelle le cortège princier se hâtait.

Déposé devant sa porte, Conan de Dreux se rua dans la bâtisse, la gorge sèche, rouge de chaleur et de colère. Il avait de bonnes raisons de l'être. Non seulement il avait été ridiculisé, mais il s'était fait remarquer de la plus méchante des manières par un de ces hospitaliers qu'il aurait dû plus sûrement séduire, s'il voulait approcher le prince Djem.

— Vous voici bien essoufflé, père, le cueillit la voix cristalline de sa fille.

La jeune Marie venait à l'instant de quitter Philippine de Sassenage et de rentrer, rassurée de l'aide que sa voisine avait promis de lui apporter.

Conan de Dreux s'adoucit devant son minois rieur et délicat. Ses poings serrés se détendirent tandis qu'elle s'approchait. Deux épouses successives l'avaient laissé sans héritier. La troisième lui avait finalement donné un fils, puis Marie, avant de se découvrir impropre à procréer de nouveau. Si heureux qu'il ait pu être en négoce, Conan de Dreux jouait de malchance avec sa lignée. Il avait envoyé Marie au couvent de Saint-Just-de-Claix sur les vœux de sa mère alors que l'aîné, Baptiste, partait pour Nice négocier la vente de draps. Arrivé là-bas, il y avait contracté la mort noire et n'avait eu que le temps de leur dépêcher un billet pour le leur annoncer, avant de s'éteindre dans sa dix-septième année. Depuis, le drapier s'était enfermé dans une morgue hautaine et une cupidité sans égale pour grandir en pouvoir et en richesse, comme si seule une ambition démesurée pouvait compenser son malheur. Lorsque Marie était revenue de Saint-Just, sa douleur s'était apaisée. Rieuse, chantonnant sans cesse, sa fille était un rayon de soleil dans la maison. Même sa mère, inconsolable comme lui de la mort de Baptiste, avait recouvré un peu de gaieté.

Lui gardant le bras qu'elle avait enroulé autour du sien, Conan dépassa le hall d'entrée qui faisait face à un double escalier de marbre et se dirigea vers la grande salle d'apparat, dans laquelle il s'enorgueillissait de recevoir toute la noblesse de la contrée.

— N'y a-t-il donc aucun domestique dans cette maison ? Je meurs de soif, grogna-t-il.

— Asseyez-vous, mon père, je vais quérir un laquais. Les premières feuilles de verveine ont été ramassées ce matin. La tisane a été mise à infuser à la cave pour la garder bien fraîche. En voulez-vous un verre pour vous désaltérer ?

Tant de sollicitude émut le drapier qui s'abandonna au faudesteuil vers lequel elle l'avait entraîné. Celui qui l'épouserait serait bien inspiré, songea-t-il en lui coulant un regard de biais.

— Va, ma fille, va… accepta-t-il avec reconnaissance.

Marie vouait une sincère affection à son père, d'autant plus qu'à l'inverse de sa mère il n'avait émis aucune objection à la voir revenir chez eux lorsque la grande abbesse de Saint-Just leur avait signifié que, leur fille n'éprouvant aucune vocation monacale, elle se refusait à la contraindre de rester.

Marie l'avait trouvé aigri avec tous, sauf avec elle. Lors, se libérant de sa propre tristesse eu égard à la mort de son frère, la jouvencelle s'employait chaque jour à tenter de réveiller en son père la bonhomie qu'il avait perdue. Pressée de le contenter, l'âme redevenue légère de sa complicité avec Philippine de Sassenage, elle se hâta vers la cuisine où elle savait trouver l'intendante de la maison.

Resté seul dans la vaste pièce aux trois fenêtres à meneaux, Conan de Dreux porta la main à sa ceinture, détacha sa besace et la soupesa comme il l'avait fait déjà lorsqu'on la lui avait remise, quelques heures plus tôt. Les écus sonnèrent en s'entrechoquant dans sa paume ouverte.

Fi des remords ! Assurément, il tenait là une bonne rente. Il lui suffisait d'oublier ses principes vieillots. Pas un seul de ses concurrents ne s'en serait embarrassé. S'il n'y avait pas eu cette déconvenue sur le pont, cela aurait même pu s'avérer facile. Très facile.

Il soupira avant de renverser sa nuque contre le rembourrage tapissé du dossier. Il allait devoir ruser. Éviter de se retrouver face à ce chevalier pour n'être pas soupçonné. Car s'il échouait…

Un frisson lui glaça l'échine au souvenir du visage taillé à la serpe du Génois qu'il avait rejoint à l'aube dans une chapelle isolée de la contrée. Dans le décharnement de ses traits pâles, ses yeux globuleux frangés de cils longs et épais avaient semblé à Conan ceux d'une mouche gigantesque. Si prompts à rouler de gauche et de droite que le drapier en avait été indisposé.

— Je n'ai pas l'habitude de traiter commerce ailleurs que chez moi, avait-il bougonné devant ce personnage inquiétant.

— En ce cas pourquoi vous être déplacé, sire Conan ? l'avait raillé l'inconnu en les isolant tous deux dans la sacristie déserte.

Conan n'avait pas relevé. Visiblement, son interlocuteur savait ses faiblesses. Le billet qu'il lui avait fait porter la veille avait éveillé sa cupidité. Finement libellé, le message lui promettait une somme mirobolante s'il acceptait, en toute discrétion, le marché pour lequel son expéditeur avait été mandaté. Conan n'en avait pas dormi de la nuit. Il n'avait pas été déçu par la bourse qu'on lui avait remise. Ses scrupules l'avaient rattrapé lorsque dans l'autre main on avait déposé un tout petit flacon ambré, au bouchon cacheté de cire.

— Qu'est-ce ?

— Du venin de scorpion.

Conan de Dreux avait failli le lâcher. Les yeux exorbités, il s'était repris, refusant le sourire narquois de son visiteur.

— Que voulez-vous donc que j'en fasse ?

— Ce pour quoi vous venez d'être payé.

— Mais enfin, c'est du poison. Je…

Il était devenu livide, comprenant soudain ce qu'on attendait de lui et qui se trouvait bien éloigné de son métier. Refusant d'entendre seulement le nom de la victime, il avait secoué la tête.

— Je ne suis pas un meurtrier.

— Mais vous êtes un commerçant, n'est-ce pas ? s'était amusé le Génois en s'adossant à l'huis, comme s'il avait voulu lui interdire le passage. Conan avait senti son cœur palpiter plus fort dans sa poitrine. Il n'était pas couard de nature, mais contre cet homme si effrayant malgré sa courtoisie, tout courage l'avait quitté. Il avait dégluti.

— Qu'est-ce à dire ?

— Que le sultan Bayezid achète un bon prix les draperies que vous lui vendez par notre intermédiaire. Mais tout commerce a ses revers. Si nous ouvrions celui-ci à la concurrence, forte dans cette ville…

— C'est du chantage ! s'était dressé Conan dans un sursaut de volonté.

— Appelez cela comme vous le voulez, sire Conan. Mais réfléchissez aux avantages que vous retireriez de notre arrangement. Outre cette fortune que je vous ai remise, la reconnaissance du sultan vous serait acquise et je ne doute pas un instant qu'il double vos commandes avant la fin de cette année.

L'œil de Conan avait pétillé avant qu'il ne le baisse, honteux de sa propre faiblesse.

— Et en quoi donc le sultan Bayezid serait-il intéressé par le succès de cette affaire ?

— En ce que c'est son frère, le prince Djem, qu'il vous faut assassiner.

Conan de Dreux avait sursauté.

— Son frère ? Mais où vais-je le trouver ?

— Pas bien loin. Il viendra à Romans pour le tournoi. Vous voyez, sire Conan. Vous seul par votre position auprès des notables pouvez rendre ce service au sultan. Que décidez-vous ? lui avait demandé encore le Génois en posant ostensiblement la paume de sa main sur le manche du poignard qu'il portait à la ceinture.

Conan n'avait pas douté un instant de le prendre en plein cœur s'il n'acceptait. Ce genre de transaction n'admettait pas de témoin.

Il avait hoché la tête. Sa vie en dépendait.

Soulageant de nouveau sa conscience avec ce constat, il s'abandonna à la torpeur qui le gagnait.

Lorsque Marie revint de la cuisine, porteuse d'un verre de verveine, elle trouva son père assoupi, la bourse aux écus d'or emprisonnée entre ses bras croisés.

3.

Passé le pont et l'église Saint-Barnard, son entrée dans la ville fut triomphale, à lui, le banni, le déchu, le prisonnier des hospitaliers. Elle ressembla à la délivrance d'une cité quand, au plus fort d'une guerre, l'allié accourt pour lever un trop long siège. Djem se sentit auréolé d'une vigueur nouvelle à entendre ces hurrahs criés des balcons, à voir ces dames secouer leurs mouchoirs avec dans l'œil un éclair de convoitise. Il se savait bel homme. À vingt-cinq ans il l'était encore assurément, malgré le manque réel d'exercice qui lui donnait un peu de ballant au ventre, malgré cette pilosité excessive qu'il contenait en boutonnant plus haut son col et plus bas ses manches. Ses épaules, bien découplées sous sa longue veste brodée de fil d'or et rehaussée de pierreries, se relevèrent avec l'orgueil trop longtemps contenu d'un conquérant. À sa taille, enroulée sur le pantalon bouffant, une large ceinture de toile garance retenait son cimeterre. La poignée en était incrustée de rubis et de diamants rappelant ses autres bijoux de cou, d'oreilles, de vêtements et de chapeau à plumes. Il maintenait sa barbe taillée en fer de lance, masquant ainsi l'arête un peu trop saillante de son menton volontaire. Mais plus que le reste, ce qui frappait dans son allure c'était la couleur peu commune de ses yeux, d'un bleu si profond et si lumineux que l'azur lui-même semblait pâle à s'y refléter.

Si on l'acclama tout le long des rues étroites, il en fut tout autant de sa suite. Ses compagnons qui le talonnaient, Nassouh le tchélébi aux côtés d'Anwar son frère de lait, puis, dans l'ordre d'apparition, son cadilecher, ses accanguis, ses janissaires trop peu nombreux depuis cette mémorable bataille qui avait vu, par la trahison de Mounia, sa garde défaite. Suivaient ses esclaves au nombre de douze et ses femmes enfin dans une litière décorée de voiles, cachées derrière les volets soigneusement fermés. Leur passage amena du mystère sur leur équipée.

Oui, ce fut une belle procession. Djem tenait les yeux levés vers les façades et son cœur tressautait chaque fois qu'il lui semblait reconnaître la silhouette de Philippine.

— Voyez donc à votre droite, nos amis de Sassenage, dit enfin Guy de Blanchefort qui chevauchait toujours à ses côtés et les repéra le premier.

Sans doute parce que Philibert de Montoison avait levé une main gantée de cuir pour répondre au salut que lui avait adressé Louis, planté sur son balcon.

Djem suivit la ligne des balustres. Accorda un signe de tête au baron Jacques et à son épouse Sidonie, un autre à Louis et François, avant de se liquéfier devant la beauté de Philippine qui avait posé ses mains fines sur le bois pour s'approcher au plus près du bord et mieux le regarder. Il ne devait pas s'attarder sur elle ni elle sur lui. Ils se l'étaient promis pour ne rien dévoiler de leur affection mutuelle. Mais il ne parvenait à détacher ses yeux des siens où se lisait tout le manque que ces quelques jours de séparation y avaient laissé.

— Philibert de Montoison a fait un heureux choix. N'est-elle pas merveilleuse ? s'exclama Guy de Blanchefort, qui tout à son propre éblouissement n'avait pas remarqué celui de son voisin de chevauchée.

— Si fait, mon ami. Si fait.

— Bien sûr, à vous qui les aimez brunes de peau et de cheveux, elle doit paraître fade, mais sa grâce, avouez-le, est inégalée.

— Je l'avoue.

— Voyez ses sœurs à côté. Elles lui ressemblent toutes mais c'est en elle que la beauté s'est concentrée.

— Je les vois.

Déjà ils les avaient dépassées, et Djem se sentit plus orphelin de terre qu'il ne l'avait été ces mois derniers. Luttant pour ne pas se retourner, il continua de parader, le sourire accroché aux lèvres, mais le cœur déchiré.

*

Philippine resta longuement à la fenêtre, tant qu'elle put apercevoir les plumes de son chapeau. Près d'elle, rassemblées sur le balcon de sa chambre puisque la leur n'en comportait pas, ses sœurs ne tarissaient pas de commentaires.

— Je l'imaginais plus grand, s'étonna Isabelle qui avait, la première, agité son mouchoir.

— Moi je savais qu'il était de la taille de Louis, François me l'avait dit, mais je ne m'attendais pas à le voir si beau. N'est-ce pas qu'il est beau, Hélène ?

— Il l'est, assurément.

— Dans cette voiture qui passe là, ne sont-ce point ses femmes ?

— Si, si…

Elle n'avait pas l'esprit à leur babillage. Les abandonnant enfin, elle rentra dans sa chambre. Djem était là, tout proche. Pourquoi son cœur alors pesait-il si lourd ? Était-ce le poids de cet interdit qui endeuillait leur amour ? ou seulement le manque ? Ce manque de lui qui lui tenaillait les entrailles nuit et jour, et qui grandissait après chaque entrevue. Elle n'avait plus le goût de rien. Ni de manger, ni de festoyer. Elle ne vivait plus que pour ces minutes en sa compagnie, ne respirait plus que de son souffle parfumé. Jamais elle n'eût imaginé pouvoir aimer avec autant de force.

Prétextant une migraine, elle renvoya ses sœurs et demanda à n'être pas dérangée. Elle tira elle-même les rideaux de son lit et s'allongea dans la semi-pénombre tandis qu'un vent chaud continuait d'envahir la chambre par la porte-fenêtre encore ouverte. De loin en loin, la clameur persistait sur le passage de Djem.

Refusant d'afficher des yeux gonflés, Philippine emprisonna les larmes qui venaient sous ses paupières refermées. Idiote, se fustigea-t-elle. Durant huit jours, tu seras à ses côtés, assise sur l'échafaud, le regard tourné vers les lices. Le vent te portera son parfum de musc et le vertige te viendra plus sûrement de sa proximité que des joutes. Pas besoin alors de retenir ton émotion, elle paraîtra légitime à tous, tant tes compagnes elles-mêmes seront troublées. Et puis il y a les nuitées. Il donnera réception dans cette maison que le gouverneur lui a prêtée. Tu y paraîtras, et peut-être à la faveur de quelque hasard serez-vous seuls deux, trois minutes pour échanger un baiser ? Elle plaqua les mains sur sa bouche. Elle avait aimé ceux d'Algonde. Ceux de Djem la transportaient. Elle ne touchait plus terre. Quelle folie douce la tenait ? Si seulement elle avait quelqu'un, là, pour se confier.

À cet instant, la voix de Sidonie franchit la tenture.

— On te prétend souffrante, est-ce vrai ?

Philippine ouvrit les yeux. Le rideau s'écarta et sa cousine s'assit sur la courtepointe, le visage inquiet. Avant que Philippine ait pu la rassurer, Sidonie lui touchait le front.

— Tu es brûlante de fièvre. Une insolation sans doute. Malgré la coiffe, c'est curieux.

La baronne soupira avant d'ajouter :

— Je crains que tu ne puisses nous accompagner tantôt pour présenter nos hommages au prince Djem.

Philippine se dressa comme si une verge l'avait fouettée.

— Cela va déjà mieux, cousine, je vous l'assure.

Sidonie connaissait trop les tourments du cœur pour ne pas en reconnaître un. Préoccupée des siens, elle avait négligé la jouvencelle. À présent que Jacques lui avait pardonné et l'avait même assurée de la sauver des griffes de Marthe, à présent qu'ils dupaient l'un et l'autre cette dernière par leur réconciliation, elle devait reprendre sa place de marâtre.

— Soit, accorda-t-elle à la jouvencelle, dont l'œil semblait la supplier, toi seule es juge. Bonnemine te portera une collation dans ta chambre. Tu auras ainsi tout le temps de te reposer. Il serait dommage que tu ne puisses revoir le prince Djem.

À la seule évocation de son nom, le regard de Philippine s'était baissé. Ainsi donc elle ne s'était pas trompée, songea Sidonie. Comment avait-elle pu oublier la confidence de la damoiselle à peine revenue des violences que le sire de Montoison lui avait infligées sous le gros hêtre ?

Compréhensive, elle lui souleva le menton d'un doigt recourbé.

— Mes conseils n'ont servi à rien. Tu n'as pu te guérir de l'aimer, n'est-ce pas ?

Les larmes contenues de Philippine passèrent la bordure de ses longs cils. Elle se jeta dans les bras de Sidonie et se mit à sangloter.

— Allons, allons, ce n'est pas si grave, ma douce. Ce le serait si cet amour n'était pas partagé, mais à la fébrilité qui tenait son visage lorsqu'il l'a levé vers nos fenêtres, je comprends à présent que c'était toi qu'il cherchait et non la chaleur de notre amitié.

Philippine renifla.

— Mais il est musulman et vous aviez dit…

— Qu'il était d'une race qu'une chrétienne ne peut épouser. Je m'en souviens.

Elle lui caressa les épaules avec tendresse.

— Il se convertira s'il te veut.

Rassurée par la voix tranquille de Sidonie, Philippine se dégagea de son étreinte et un pâle sourire revint égayer ses traits.

— Vous oubliez qu'il est prisonnier, objecta-t-elle encore.

Sidonie replaça une mèche qui s'était détachée de sa coiffe derrière le lobe de son oreille.

— Je n'oublie rien, Hélène. Et surtout pas les manigances du sire de Montoison et de ton frère. Ton père les connaît lui aussi et veille désormais pour les empêcher.

Philippine baissa de nouveau les yeux. Coupable d'avoir tu la vérité à ceux qui pouvaient l'aider.

— Je vous demande pardon. Ce fardeau était bien lourd, mais je craignais tant que Louis ne le devine…

— Nul ne songe à te le reprocher.

— Pas même mon père ?

Sidonie l'embrassa au front.

— Il ne souhaite que ton bonheur, Hélène. Et il tient le prince Djem en grande estime. Laisse-moi lui parler. Si les hospitaliers rechignent à cet hymen, peut-être pourrait-il intervenir auprès de notre roi. Charles n'a pas oublié celui qui fut le chambellan de son père. Je suis sûre qu'il aurait à cœur de favoriser ce projet.

Rayonnante, Philippine se jeta de nouveau dans ses bras.

— Je ne veux pas d'autre époux, Sidonie. Dites-le à mon père. À lui seul.

— Je le lui dirai. Mais jusqu'à ce que cela s'avère envisageable, gardez l'un et l'autre la plus grande discrétion. Et toi, ma toute belle, la plus éclatante des vertus, souligna Sidonie.

L'après-midi venu, les yeux tamponnés de mélisse, divine dans une robe vert pâle rebrodée de fleurs d'or,

Philippine vint s'agenouiller avec les siens devant le prince qui tenait cour dans la somptueuse salle d'apparat de la demeure du gouverneur. Tout ce que la ville comptait de gens de qualité et le Dauphiné de noblesse avait tenu à y paraître. Louise de Clermont et Antoine de Montchenu, pour le mariage desquels le tournoi avait été organisé, aux premières loges.

On festoya gaiement jusqu'à l'aube. Égayé du chant des troubadours, des acrobaties des saltimbanques, et de quelques pas de danse que violes, hautbois et mandores dispensaient dans l'air tiède. La dernière fois que Djem avait reçu pareil accueil, c'était à Rhodes, lorsqu'il était venu quérir l'aide des hospitaliers. Son orgueil en fut glorifié, son bonheur complet de sentir que Philippine, attablée non loin de lui, le partageait. La damoiselle de Sassenage ne put l'approcher en aparté que quelques secondes, le temps d'être troublée par la caresse de son parfum musqué.

Elle s'endormit dans ses effluves en rêvant de ce jour où, caracolant côte à côte, libres et riants, ils jouiraient de cet amour immense qu'ils partageaient en secret.

Si elle avait su que le père de sa nouvelle amie, Marie de Dreux, avait été obligé de surseoir à ses sinistres projets en voyant qu'un goûteur avait été assigné au prince, sans doute aurait-elle eu le bonheur moins léger.

4.

Mathieu tressauta en percevant un crissement de feuilles en contrebas. L'aube pointait derrière la crête des montagnes du Vercors. Serrant à pleine main le braquemart, prêt à toute éventualité, il parcourut d'un mouvement de tête la butte, légèrement à l'écart de la route, sur laquelle ils s'étaient isolés pour passer la nuit. Elle était déserte. Un rongeur, sans doute. Pourtant il se sentait en alerte. Les brigands qui l'avaient recueilli quelques mois plus tôt avaient leurs quartiers dans les parages. Il n'avait aucune envie de les affronter.

Au déclin du jour, quand l'essieu de leur carriole s'était brisé dans une ornière profonde, ils n'étaient plus qu'à une vingtaine de lieues de Sassenage. Algonde avait bien proposé de poursuivre à pied, mais cela aurait été folie. Surtout avec Elora. Lors, accompagné de Janisse qui s'était rangé à son avis, Mathieu avait cherché un refuge dans les environs immédiats. Ils n'avaient pas été longs à rapatrier Algonde, Gersende et la petiote à l'abri de gros blocs de rochers qui formaient voûte et dominaient route et forêt. Le bœuf détaché de la charrette avait été parqué à leurs côtés.

Allumer du feu aurait permis d'éloigner les loups, mais attiré les malandrins. Ils s'en étaient abstenus d'un commun accord. Janisse avait pris le premier tour de garde. Mathieu terminait le second. On ne pouvait soupçonner leur présence tels qu'ils s'étaient embusqués, mais du temps de son appartenance à la bande, il avait tendu quelques pièges aux voyageurs, et cette malencontreuse ornière n'était pas le fruit du hasard. Il n'avait pas assez plu ces temps derniers pour la générer et il ne se souvenait pas l'avoir remarquée à l'aller.

Un autre crissement. Rapproché, lui sembla-t-il. Son cœur se mit à palpiter plus vite. Un coup d'œil en arrière. Janisse, la bouche ouverte, ronflait bruyamment près du bœuf qui mâchonnait une herbe rase et sèche. Endormies, Algonde et sa mère, face à face, offraient un écrin à Elora qui babillait.

Il frotta ses mains moites l'une dans l'autre avant de nouveau d'assurer la poignée de la courte épée dans sa paume. Sa nervosité n'était pas calmée. Dans moins d'une heure, le jour levé, ils seraient assurés de reprendre leur route. Certes, tout risque d'attaque ne serait pas écarté, mais à l'allure pauvrette de leur équipage, il était vraisemblable qu'on les laisse passer chemin.

Mathieu dressa l'oreille. Était-ce son seul souffle ou un chuchotement ennemi que le vent lui portait ? Cette fois il se leva, armé bien plus de son courage que du fil de cette lame, dont il savait que contre une bande armée elle aurait peu de prétention. Abandonnant les siens à l'abri de la roche, il s'avança de quelques pas. Droit en direction du bruit. En avoir le cœur net. Se souvenant du signal que s'adressaient les malandrins qu'il avait côtoyés, il siffla. Deux coups stridents. Puis un autre, reproduisant le cri d'une linotte, suivi de trois autres encore, saccadés. S'il s'agissait d'eux, il était sauvé. Dans le cas contraire… Il attendit, aux abois. Deux trilles lui répondirent. Il baissa sa garde. L'instant d'après, un gourdin sur l'épaule, son ancien camarade de jeu de Sassenage, le bandit Villon, sortait de l'ombre des rochers, à moins d'une toise. Refusant d'exposer les siens, Mathieu alla au-devant des six silhouettes qui se découpaient à présent sous le manteau des étoiles. Certain d'avoir été reconnu.

— Quelques minutes de plus et on fondait sur toi, le sermonna une rouquine délurée aux allures garçonnes en lui ouvrant les bras.

Il s'y laissa étreindre avec chaleur.

— Heureux de te revoir Celma… Tadam… Grogniar… Briseur… La Malice… les salua-t-il tour à tour en passant d'accolade en bras.

Il s'attarda dans ceux massifs et noueux de Villon.

— Content de te revoir, mon frère, lui servit le bandit.

Mathieu s'écarta, accusa un pas en arrière pour mieux se gorger à travers eux de ce quotidien qui l'avait obsédé ces mois derniers. Celui des chemins froids, des embuscades à fleur de rosée, des fuites éperdues, du sang répandu. Les sourires écornés étaient restés les mêmes qu'en son souvenir. Les surnoms de ces hommes et femmes rendus à la sauvagerie des montagnes chantaient dans son cœur la complainte solitaire de son âme blessée. Près d'eux il avait recouvré son souffle, quand il était coupé par la douleur d'avoir perdu Algonde. Réchauffé au feu de leurs camps, il s'était laissé cajoler par les mains expertes de Celma, épuisé de chair et de meurtre pour en goûter l'ivresse et se guérir de l'envie de vengeance. Il aurait pu s'y perdre. Rester l'un d'eux. C'est le rire des orphelins se pourchassant comme leur père avant eux, une arme de bois à la main, qui lui avait rappelé la potence. Et le goût fariné du bon pain qu'il n'enfournait plus.

— C'est ta carriole en bas ? demanda Briseur.

Un colosse qui avait acquis ce vocable en décalottant le crâne de ses victimes d'un seul coup de masse.

Mathieu hocha la tête.

L'essieu brisé. Une de tes ornières, je présume ?

La Malice vers lequel il s'était tourné éclata de rire.

— Joli travail non?

— J'en conviens, puisque me voilà.

— Seul ou avec des soldats?

Le regard durci par cette éventualité, Villon attendait une réponse.

— Baisse ta garde. Je n'ai qu'une parole et je te l'ai donnée.

Ils se relâchèrent. Tonique dans ses vêtements d'homme, Celma lui entoura le cou de ses bras.

— Ainsi donc je te manquais, mon joli cœur?

— Ce fut longtemps le cas.

Elle fouilla son regard à la faveur de la clarté lunaire avant de s'écarter, un sourire de dépit aux lèvres.

— Tu ne nous reviens pas, n'est-ce pas?

Tous braquèrent leurs yeux sur lui, certains déjà qu'il ne tiendrait pas sa promesse de grossir leurs rangs. Mathieu planta son regard émeraude dans ceux, déçus, de Villon.

— Je rentre de la Bâtie avec dame Gersende et maître Janisse.

L'évocation du lieu, attaché à la potence, les fit frémir.

— Le baron Jacques? s'enquit Grogniar qui passait pour le plus rancunier de la bande.

Le panetier secoua la tête. Comment lui expliquer, à lui qu'il avait tant assuré de sa vengeance, une cruche de vin à la main, des nuits durant?

— Algonde m'a donné une petiote. Elles dorment toutes deux à l'ombre des rochers.

Celma accusa le coup. Grogniar dodelina de la tête. Villon secoua la sienne. Pour eux il était perdu.

— Tu l'as mariée? demanda La Malice, pragmatique.

— Sois pas bête. Bien sûr qu'il est épousé! et qu'il meurt de trouille dans ses braies à l'idée qu'on les embroche! Pas vrai, Mathieu, que tu te pisses aux brailles? se moqua aigrement Tadam resté jusque-là silencieux.

Eux aussi se connaissaient depuis le berceau. Leurs mères étaient cousines. Ils les avaient perdues en même temps à l'âge de cinq ans. Tadam avait eu moins de chance que lui. Son père charretier était tombé en embuscade. Tadam avait été emmené et élevé au campement. Il avait tout oublié dans le sang, y compris son prénom de baptême, pour ne garder que le souvenir des jupons de sa mère adoptive, une putain que tous appelaient la Dame, par esprit de dérision.

Refusant d'entendre sa déception derrière la pique, Mathieu posa la main sur l'épaule de Villon.

— Algonde ne sait rien. Nous laisseras-tu aller notre chemin ? S'il faut te payer tribut, garde bœuf et charrette. Je veux recouvrer la paix.

— J'ai besoin d'hommes, pas de charrues…

— Et moi j'ai besoin d'elle. Tu le sais mieux que quiconque.

— Ton braquemart, décida Villon.

Mathieu recula d'un pas.

— Je n'aurai plus rien pour défendre notre équipage si d'autres nous attaquent.

Le visage du meneur se durcit.

— C'est ton problème. Le nôtre est d'occire par les chemins et ta lame nous ira bien. Si tu la veux reprendre un jour, elle t'attendra à ma ceinture. Donne.

Mathieu déglutit. Face à lui, le groupe se resserrait autour de son chef. Ni menaçants, ni complices. Solidaires d'un même choix de vie.

Il obtempéra. Le plat de la lame accrocha un rayon de lune, miroita un instant. Les doigts de Villon rejoignirent ceux de Mathieu sur l'arestuel pour prendre le relais. Il y était prêt lorsque la lumière grandit sur le tranchant, les surprenant tous deux.

— Qu'est-ce que…

Villon n'acheva pas sa phrase. Comme Mathieu, la main soudain brûlée par cette lueur bleue qui prenait l'épée tout entière, il la lâcha. Sous leur regard ahuri, loin de tomber, le braquemart auréolé de lumière demeurait suspendu dans l'air à hauteur de leur taille. Villon fit un bond de côté, rattrapé de superstition. Mathieu, saisi, fixait l'arme qui, animée à présent, se soulevait jusqu'à leur front, pointe vers la terre.

Derrière Villon, les autres avaient reculé prudemment. Mathieu reconnaissait bien cette lumière, mais il douta qu'Elora puisse la générer de si loin. Elle était trop petiote pour posséder pareil pouvoir. Présine ? Quoi qu'il en soit, perdant brusquement tout contrôle, la lame se ficha, droit dans une anfractuosité de rocher qui affleurait le tertre. Villon déglutit.

— Qui donc te protège, le Mathieu de Sassenage ? Dieu ou le diable ?

Mathieu ne trouva rien à répondre et Villon céda.

— Reprends ta lame. Dans ces conditions je te la laisse.

Courbé au-dessus du roc, Mathieu tenta de l'arracher. Il n'y parvint pas. Il s'arc-bouta plus massivement. Rien ne bougea. C'était comme si l'ensemble ne formait plus qu'un seul bloc. Il s'écarta à son tour, un sourire dépité aux lèvres.

— Il semble qu'on ne veuille pas que nous nous battions pour elle.

— Un jour viendra, Mathieu, où c'est ensemble, Villon et toi, que vous la reprendrez à la pierre. Ce jour-là il pleuvra du sang autour de toi, prédit Celma d'une voix monocorde.

Les autres se signèrent aussitôt. Bien qu'habitués aux visions de leur compagne, héritière des secrets de sorcellerie de sa mère, ils éprouvaient toujours la même crainte à la voir possédée. Mathieu avait assisté à ses transes plus d'une fois. Elles rythmaient les décisions d'attaque de grands convois. Si Celma les déclarait victorieux après avoir jeté ses runes, alors ils s'élançaient le cœur vaillant.

Si elle se mettait à pleurer, ils abandonnaient, certains de perdre l'un d'entre eux. Villon hocha la tête, respectueux de son pouvoir.

— Ce qui doit être sera. Rentre chez toi, Mathieu.

— Je repasserai en sens inverse dans quelques jours.

— Grand bien te fasse, lui adressa-t-il en guise d'adieu avant de tourner les talons.

Les autres lui emboîtèrent le pas, silencieux et graves. Seule Celma, revenue à la réalité, se retourna une dernière fois à mi-chemin du couvert des arbres. Son sourire était triste, pourtant elle agita le bras.

Mathieu les regarda s'enfoncer dans les bois, tenta une nouvelle fois par acquit de conscience de récupérer sa lame, y renonça, puis s'en retourna à sa garde.

Avalé par les frondaisons, Villon avait immobilisé son pas. Son amitié pour Mathieu était sincère. Il comprenait son choix, le respectait, mais avait apprécié sa présence. Du temps qu'il était resté au camp, le fardeau de cette communauté de cent hommes, femmes et enfants lui avait semblé moins lourd. Le bandit ne s'expliquait pas pourquoi. Celma lui posa chaleureusement la main sur l'épaule.

— Patience, Villon. Ce qui fait son bonheur aujourd'hui sera son malheur demain. Il aura besoin de nous. Désespérément.

Le bandit recouvrit les doigts aux ongles sales des siens, rongés à demi, et les serra.

— Nous serons là, affirma-t-il. Oui. Toi et moi nous serons là.

*

« Je vous déclare unis par les liens sacrés du mariage… »

Cette phrase emplissait les rêves d'Algonde avec d'autant plus d'écho qu'elle était amplifiée par les voûtes de la petite chapelle. Le père Mancier avait, de bonne grâce, accepté la discrétion de l'hymen et l'heure incongrue de sa célébration. On dormait encore au château lorsque Algonde avait quitté sa chambre en catimini, sa mère et Philippine sur ses talons. Mathieu et le baron Jacques se trouvaient déjà là, affairés près du curé, lorsqu'elle avait passé le seuil. Choisissant parmi ses toilettes une robe moirée bordée de garance, elle l'avait adoptée pour la cérémonie sans regrets. Le temps n'était pas aux fioritures. Tromper Marthe lui suffisait. Ils en étaient convenus tous ensemble. Ne rien dire. Ne rien montrer pour ne pas attirer sur Mathieu un quelconque danger de représailles. C'était la meilleure solution. Du coup, pas de justification à donner aux courtisans de Philippine pour lesquels le veuvage officiel d'Algonde était suffisant. Tous y trouvaient leur compte.

Gersende avait laissé échapper quelques larmes d'émotion que Janisse, moins discret, avait bruyamment reprises en se mouchant. Philippine s'était troublée durant l'échange des serments, imaginant déjà les siens avec Djem. Le baron, satisfait de réparer ce qu'il avait désuni, s'était empressé de parapher le registre en qualité de témoin. Cela avait été court, sobrement égayé de candélabres allumés et d'un bouquet d'églantines, mais suffisant au cœur des épousés qui attendaient depuis toujours que leur amour soit consacré.

Au sortir de la chapelle, chacun avait retrouvé sa chambre. Il n'était pas question pour Mathieu de dormir auprès d'Algonde, si l'on voulait préserver le secret.

Le lendemain, rendant visite à Claude, son petit frère, que Sidonie choyait, Philippine s'était ostensiblement désolée de voir qu'Algonde refusait Mathieu. Elle avait annoncé qu'elle escomptait la renvoyer à Sassenage le temps des épousailles de sa mère, dans l'espoir de lui en réveiller l'envie. Marthe, présente, n'avait pas même sourcillé. Imaginait-elle ces humains trop stupides pour la duper ?

Algonde n'y croyait guère, mais jusqu'à preuve du contraire, elle s'était rangée à cette possibilité.

D'autant qu'elle avait eu une longue discussion avec le baron Jacques, sitôt que tous s'étant éparpillés, la petite chapelle était redevenue déserte. Pour garantir la confidentialité de leurs propos, le père Mancier avait refermé sur eux les lourdes portes de la pièce.

— J'ai besoin de savoir ce que tu sais, Algonde, lui avait posément dit Jacques de Sassenage en lui prenant les mains.

Elle s'y était résolue en l'écoutant raconter ce qui s'était passé. La résurrection de Jeanne, l'altercation avec Marthe dans son bureau, son alliance avec Aymar de Grolée. Jacques de Sassenage avait choisi de lui accorder sa confiance. Elle ne pouvait en retour se dérober. Elle s'était livrée. Comme à Mathieu. Au fil de son aveu, les épaules du baron s'étaient alourdies de cette révélation dont il était pourtant loin d'imaginer l'enjeu réel.

Lorsqu'elle s'était tue, il était resté de longues minutes à réfléchir dans le silence et l'odeur de l'encens avant de tourner vers elle un visage déterminé.

— Magie ou pas, c'est ensemble que nous vaincrons. Puisque telle doit être sa destinée, je vais favoriser les échanges entre ma fille et ce prince. Et m'effacer devant cette démone le temps que les jeux soient faits. Plus grandes alors seront ma vengeance et la tienne, Algonde.

La main sur le cœur, il s'était agenouillé devant elle.

— Je suis à vos ordres, damoiselle.

— Mes ordres ? s'était étranglée Algonde devant cette incongruité.

— Il n'est pas de roi en cette terre qui ne ferait de même devant une fée.

— Une fée... avait répété Algonde avant d'admettre qu'elle l'était devenue, à part entière, grâce à l'élixir des Anciens.

Elle lui avait tendu la main pour le relever.

Deux jours plus tard, sous le regard atone de Marthe, elle prenait place sur la charrette aux côtés des siens et, tandis que Philippine se préparait à quitter la Bâtie pour Romans, elle empruntait la route de Sassenage avec pour mission de ramener ce même philtre pour Djem. Il n'en serait rien, Algonde le savait, mais il était grand temps pour elle de revoir Présine et d'aviser.

Ce matin du 5 juin, elle s'éveilla avec un sentiment de liberté au cœur. Marthe était loin et Mathieu tout près.

— Je n'osais bouger, la cueillit la voix de sa mère, la tête sur son coude replié, à quelques pouces d'elle.

Algonde lui sourit avec tendresse. Janisse ronflait encore dans un désespérant bruit de glotte. Elora agita les bras entre elles, les yeux grands ouverts, le sourire aux oreilles.

— Cette petiote est de bonne composition. Je n'ai pu en dire autant de toi, qui braillais dès qu'approchait l'heure de la tétée.

Algonde rit à cette évocation avant de se redresser pour prendre l'enfançon sur ses genoux. À peine eut-elle écarté la toile de son corsage qu'Elora se jeta sur son mamelon. Gersende s'assit à son tour, cala son dos à la roche, près de sa fille. L'aube se levait devant elles, embrasant le ciel de sanglantes vapeurs. Algonde chercha Mathieu du regard, le trouva assoupi, tassé sur lui-même. Visiblement, la nuit avait été paisible.

Embrumées de sommeil encore, elles s'abandonnèrent toutes deux au spectacle du soleil qui montait à l'horizon, puis un soupir rattrapa Gersende.

Algonde tourna la tête vers elle.

— Je pense à cette pauvre Fanette, lui avoua sa mère.

Un voile de tristesse étreignit le cœur d'Algonde. En fin de journée, ils seraient au château. Lors, il faudrait bien lui dire la vérité. Algonde savait qu'elle ne leur pardonnerait pas. Fanette aimait Mathieu au moins autant qu'elle. Ils lui briseraient le cœur.

Refusant de s'y attarder davantage, Gersende prit appui sur une aspérité pour se mettre debout.

— Allons, dit-elle, il ne faut pas s'attrister avant l'heure. La faim me tenaille moi aussi.

D'un pas décidé, elle s'en fut secouer l'épaule de Janisse.

— Debout mon promis. L'heure est au matinel.

Alors qu'il se dressait, claquant de la langue avec sa légendaire gourmandise, elle fouillait la besace qui ne le quittait pas pour y prendre la miche de pain et le morceau de lard fumé destinés à leur repas.

5.

Laurent de Beaumont, seigneur de Saint-Quentin, parvint en la grand-place de Romans, fier de son titre de page du tout jeune roi Charles de France, à l'heure où, accompagnant le cortège du prince Djem, Philippine s'y promenait. Comme tous, elle le vit s'avancer sur l'esplanade réservée, ignorant les barrières. Il était à cheval, ils allaient à pied. Marie de Dreux, qu'elle avait avec plaisir acceptée à ses côtés, manqua s'évanouir en le voyant descendre de son destrier. Philibert de Montoison, lui, tordit le nez et se laissa avaler par les notables jusqu'à coller Philippine.

Pour une fois, songea celle-ci, c'était une bonne idée.

Tandis que Djem gagnait les échafauds, accompagné du baron de Clermont, de Jacques de Sassenage, des seigneurs de Chaste et d'Uriage, tous juges de ces lices, pressée par Marie, Philippine demeura en arrière afin que Laurent de Beaumont puisse les remarquer.

Débarrassé de son destrier par un garde, ce dernier embrassa l'espace des joutes d'un regard de conquérant. Un instant fleuri du bonheur d'apercevoir Philippine tournée dans sa direction, son visage se ferma en découvrant son escorte. Marie de Dreux. Philibert de Montoison. Il ne douta pas un instant que l'une avait avoué leur correspondance et que l'autre était déjà sur les rangs. Il s'avança pourtant. Homme d'honneur avant tout, il s'était donné le temps de ces joutes pour emporter le cœur de Philippine. Faute de quoi il épouserait la jolie Marie après avoir fauché son rival.

— Quel bonheur de vous revoir enfin, gentes damoiselles, s'exclama-t-il avec déférence.

Il s'inclina en ôtant son chapeau piqué d'une plume blanche.

— Je ne peux en dire autant, messire. De quel culot faites-vous preuve pour pénétrer ce champ, interdit encore aux cavaliers ?

Laurent de Beaumont toisa Philibert de Montoison, qui venait de le cingler, d'un mépris appuyé.

— L'amour se rit des barrières. Et les gardes plient devant le sceau du roi.

— Fi ! vous vous auréolez d'un éclat usurpé, monsieur ! se moqua Philibert qui, s'il l'avait pu, lui aurait sur l'instant sauté au collet.

Non, décidément, sa face de mignon et son air de coq ne lui avaient pas manqué !

Philippine éclata d'un rire clair.

— Allons, je vois que l'entente règne toujours entre vous ! Suffit, mon cher Philibert.

Elle répondit au salut du page du roi.

— Vos lettres vous disaient en bonne santé. Je constate avec plaisir que vous avez en plus recouvré l'impertinence.

— Indomptée devant tant de beauté.

Marie de Dreux baissa les yeux, blessée. S'en agaçant, Philippine décida de lui donner une leçon. Plus tôt les choses seraient dites, plus vite ces loups cesseraient de vouloir s'égorger.

— Je ne vous présente pas Marie, je sais à quel point elle vous est chère...

Le sire de Montoison qui l'ignorait se gobergea.

— C'est donc son foulard que vous attacherez à votre bras ?

Laurent de Beaumont se garda de répondre. Il ne voulait combattre que pour Philippine mais c'eût été muflerie que de l'avouer.

Il leur offrit une révérence.

— Permettez que je me retire, damoiselles. L'heure est venue de gagner les écuries. Je vous invite à me suivre, messire, à moins que vous n'ayez déjà déclaré forfait eu égard à votre grand âge ?

De fait, ils avaient vingt années d'écart.

— Partez devant, je saurai où vous trouver, grinça Philibert de Montoison en serrant les poings.

Un sourire aux lèvres, Laurent de Beaumont tourna les talons. Marie était livide. Elle joignit ses mains en prière devant l'hospitalier.

— Ne me l'abîmez pas, chevalier. Je vois dans vos yeux qu'il vous chauffe le sang, mais…

— Reprenez-vous Marie, la faucha sèchement Philippine. Si différend il y a, ce dont je doute, il se réglera sur ce champ, devant tous, n'est-ce pas, Philibert ?

Le sire de Montoison s'inclina devant Marie.

— Soyez sans crainte. Je ne voudrais pas vous priver d'un homme tel que lui.

Il se garda d'ajouter que le père de la damoiselle, en lequel il avait eu la détestable surprise de retrouver le drapier du péage, aurait le gendre qu'il méritait, empli de morgue et de suffisance.

Les laissant rejoindre les juges qui déjà avaient pris place sous une envolée de trompettes, il se hâta lui aussi vers les enclos.

Un roulement de tambour répondant aux notes enjouées leur donna le temps de s'installer. Philippine entre son père et Sidonie, Marie de Dreux entre ses parents que le baron de Clermont avait voulu inviter. Le drapier, ridicule dans ses vêtements rebrodés à outrance, paraissait tombé dans un pot de peinture dorée. Le verbe fort, il égratigna l'oreille de Philippine en reprochant à sa fille d'avoir préféré cette robe trop sobre à celle, éclatante, qu'il lui destinait. Fort heureusement, pour distraire la demoiselle de Sassenage de ce grossier personnage, il y avait Djem. Au devant d'elle, une marche plus bas, occupé à glisser quelques mots au sire de Clermont. Son cœur s'arrêta un instant de battre, un long frémissement lui chatouilla la colonne vertébrale et elle dut détourner le regard pour ne pas en rougir de la tête aux pieds.

Déjà, précédé d'un nouvel envol de notes, un héraut d'armes relayé par d'autres, de loin en loin, pour que tous entendent, venait délivrer son message.

« Oyez ! oyez ! gentes dames et beaux seigneurs ! En ce jour de juin, le troisième avant la Pentecôte, le prince Djem fait savoir aux chevaliers qu'il dotera le vainqueur de ce tournoi d'un présent inestimable. Ledit vainqueur le viendra recevoir des mains de l'aimable Hélène de Sassenage. »

Philippine laissa échapper un petit cri de surprise. Djem s'était retourné à l'annonce et lui offrit un élégant signe de tête auquel elle répondit par réflexe. Montant les marches pour la rejoindre, un accanguis vint s'incliner devant elle et ouvrit sous les yeux des Sassenage un coffret ouvragé. De nouveau, elle eut le souffle coupé. À côté de petits diamants d'une pureté sans égale, deux autres, d'un bleu translucide et admirablement taillés, auraient eu peine à tenir dans le creux de sa paume.

— Je reconnais bien là la générosité du prince. C'est un présent royal, se troubla Jacques de Sassenage.

De part et d'autre on se penchait pour l'apercevoir, mais Philippine referma la boîte.

— Dis à ton maître que je serai garant de la beauté de ces pierres, aussi éclatante que celle de ma fille à qui il les a confiées, déclara Jacques de Sassenage au Turc qui les avait apportées.

Lorsqu'il fut parti, Jacques se pencha vers elle.

— Nul doute qu'il te tient en grande estime, ma fille… J'en suis heureux, lui glissa-t-il en aparté.

Philippine ne releva pas mais son cœur palpita plus vite. De toute évidence, Sidonie lui avait tout raconté.

Un nouveau roulement de tambour. Les cous se tendirent en direction des enclos. Les chevaliers parurent les uns derrière les autres, habillés d'armure et de leur cimier, appelés par ordre alphabétique. Quatre-vingt-quatre en tout parmi lesquels, outre Philibert de Montoison et Laurent de Beaumont, se trouvaient Aymar de Grolée, un des plus âgés mais invaincu lors des dernières joutes, Louis, le frère de Philippine, Philippe de La Tour-Sassenage, le père de Sidonie, Guillaume de Viennois, seigneur d'Ambel ou encore ce Pierre Coste, officier de la Monnaie de Romans dont les fenêtres étaient en vis-à-vis avec celle de Philippine. Reprise de curiosité en repensant à la peinture que lui en avait faite Bonnemine, elle le dévisagea lorsqu'il vint immobiliser son cheval devant leur tribune, le heaume relevé. Malgré quelques pattes d'oie qui trahissaient sa trentaine, il restait agréable de figure, l'œil vif et gourmand. Il l'enveloppa avec convoitise. Loin de lui répondre, elle détourna la tête, jugeant finalement qu'il manquait d'éclat. Tous défilèrent sans qu'elle en voie un seul capable par sa prestance d'atténuer celle de Djem. Pas même Jacques de Montbel, qui fut tellement frappé de sa beauté que ses yeux s'exorbitèrent, et qui fit dire à Sidonie :

— Parions, veux-tu, que celui-ci festoiera avec nous ce soir sans te quitter d'une semelle…

Jacques de Sassenage rajouta, amusé :

— Le comte d'Entremont est un bon parti, d'une loyauté et d'une droiture sans égales et, palsambleu !

désormais éperdument amoureux de toi. Dommage que tu sois promise, ma fille…

De fait, subjugué, il demeurait en place et il fallut l'intervention des hérauts pour qu'il poursuive son chemin.

Aux côtés de Sidonie, les sœurs Sassenage tentaient de demeurer droites et posées telles que celle-ci le leur avait recommandé et à l'exemple de leur aînée, mais une exclamation leur échappait parfois, modulée aussitôt de leurs doigts gantés plaqués sur leur bouche rose.

Lorsque tous les chevaliers furent en ligne face aux juges, un cavalier aux couleurs du baron de Clermont leur présenta un chapeau renversé, pour que le sort désigne s'ils seraient tenants ou assaillants. Vint le tour de Philibert de Montoison et de Laurent de Beaumont. Quand le héraut annonça qu'ils s'opposeraient, Marie de Dreux glissa sur son siège, vidée de son sang.

*

Harassés, fourbus. Janisse n'avait plus de salive et encore moins de mots pour se lamenter lorsqu'ils franchirent le corps de garde du château de Sassenage à la nuit tombée. On ne les attendait pas, mais en quelques minutes et bien avant qu'ils ne soient dans la cour intérieure, l'annonce de leur retour et surtout de la présence d'Algonde avait circulé. Tous sortirent de leurs maisons, Jean le panetier le premier, inquiet de la rumeur qui les disait à pied. Sitôt qu'il eut vu son bœuf et entendu que sa carriole attendait réparation au coin de la route, il s'abandonna au bonheur de les retrouver. Algonde vola de bras en bras. Janisse trouva la force de quémander le boire et le manger à ses marmitons qu'il serra sur son cœur tel un père. Le rire roula comme une eau vive. Et malgré l'heure tardive, quelqu'un proposa une veillée pour fêter l'événement.

Mathieu, lui, ne resta pas longtemps à ces effusions. Comme ses parents, Fanette était sur le seuil. Il l'avait vue, le premier sans doute. Leurs regards s'étaient accrochés. La présence d'Elora se passait de commentaires, mais il ne voulut pas se dérober. D'un pas lourd bien que décidé, abandonnant les honneurs, il se faufila parmi les gens du château pour atteindre la masure du forgeron.

Fanette y était rentrée.

— Bien le bonsoir, garçon, l'accueillit le Jeannot sans rancune.

Malgré le chagrin de sa fille, il avait trop côtoyé Algonde et Mathieu pour n'être pas content de leurs retrouvailles.

— Je n'ai plus le braquemart. Il m'a été volé à la Bâtie, lui annonça ce dernier.

Le Jeannot haussa les épaules.

— Te voilà marié ?

Mathieu hocha la tête.

— Alors tu n'as rien perdu qui m'appartenait.

— Je peux voir Fanette ?

— Si elle y consent...

Le jouvenceau passa l'huis. Trouva la mère qui le faucha d'un regard noir. Sans commentaire. Avant de hurler :

— Montre-toi, ma fille. Qu'il voie la peine qu'il te fait.

Mathieu demeura debout dans la pièce aux meubles parfumés par la cire qu'on venait de passer. Il en restait toujours un peu sur le chiffon après l'avoir utilisé sur ceux, splendides, des maîtres. Jamais Sidonie ne leur avait reproché de finir de l'user. Il patienta quelques longues minutes. Lui faisant sentir son mépris, Cunégonde s'était remise à l'ouvrage. Il allait repartir lorsque la tenture se souleva. Fanette avait pris le temps de se tamponner les yeux. Cernés et rouges encore, ils brillaient mais trouvèrent la force de se fixer sur lui sans ciller.

— Je suis heureuse que tu sois rentré sain et sauf, Mathieu.

— Je dois te parler. M'accorderas-tu un moment ?

— Puis-je sortir, mère ?

— C'est toi qui vois, répondit celle-ci sans lever le nez.

Fanette gagna la porte, l'ouvrit. La cour était déserte, mais des rires fusaient de l'autre côté du donjon, près de la paneterie. Un pipeau égrenait quelques notes dans l'air frais de la soirée. Résolument elle s'engagea de l'autre côté, vers la fauconnerie, comme ce soir-là où Mathieu l'avait pourchassée. Où ils avaient discuté. Il la suivit à distance. Sur le seuil de la forge, ni le Jeannot ni ses fils ne l'empêchèrent d'aller.

Fanette s'adossa au mur et le laissa venir. Sa douleur était sans nom mais, fille de courage, elle n'était pas de celles qui cèdent devant l'adversité. Il se planta devant elle, les mots en berne.

— J'ai pardonné… À cause de la petiote, ne sut-il que dire, oubliant soudain tout ce qu'il avait préparé.

— Tu le savais ? Tu le savais qu'elle portait ton petit ?

— Je l'ai appris là-bas. Je te demande pardon, Fanette.

Elle haussa les épaules.

— De quoi ? Tu ne m'as pas menti. À l'instant où tu es parti, j'ai su que je te perdais. Tu te souviens de ce que je t'ai dit l'autre nuit ? Que je préférais te voir balancer à la potence qu'auprès d'elle…

Il ne trouva rien à répondre.

— C'était vrai. Ça l'est encore. Je te souhaite d'être heureux Mathieu, tant que tu le pourras. Parce que je te connais, mieux peut-être que toi-même, et que je l'ai vue ta bécaroïlle, là, à l'instant. Elle a pris des allures de dame à la Bâtie. Toi tu as encore les mains crottées. Un jour viendra où j'aurai ma revanche…

Il recula, effrayé par son fiel. Par sa lucidité.

— Tais-toi.

Les yeux rétrécis par la douleur, elle ricana.

— Je vais l'attendre, Mathieu, crois-moi. Dans le seul endroit où je sais que tu retourneras.

Il sursauta. Oserait-elle quitter cette vie ? Rejoindre celle des brigands ? Car il le savait, c'était de leur repaire que Fanette parlait. Trop de fois elle lui avait demandé de raconter son séjour là-bas. Il s'en voulut d'avoir évoqué Villon, leur camarade d'hier.

— Ne fais pas cette folie, Fanette, tu serais perdue. Je n'en vaux pas la peine, crois-moi.

— Je te crois, le glaça-t-elle. Mais pour mon malheur je t'aime. Et à l'inverse de toi, je ne pardonne pas. Cours la rejoindre, mon beau Mathieu. Et profite bien d'elle. La prochaine fois que tu me verras, j'aurai peut-être un poignard à la main et je serai sur toi. Ou sur elle, si tu n'es pas là.

Au milieu des siens, dans les parfums retrouvés du château de son enfance, Algonde tendit son hanap à la tablée qui s'était improvisée sous les étoiles devant la paneterie. Courant en cuisine, les commis avaient rempli les paniers de charcuterie, Jean rompu sa dernière fournée.

— Que Dieu vous garde tels que je viens de vous retrouver, lança Algonde à la cantonade.

Pourquoi les jours avaient-ils perdu de cette saveur ? de cette couleur ? Pourquoi avait-elle grandi ? glissé dans le Furon ? épousé son destin ? Comme elle se sentait bien soudain d'être chez elle, loin de Marthe. Recouvrerait-elle un jour l'insouciance des banquets, la légèreté des pipeaux ? Mathieu parut, l'air triste. Tous l'avaient vu partir chez la Fanette. Tous se doutaient de ce qu'ils avaient échangé. Algonde se promit d'aller voir la jouvencelle le lendemain, non qu'elle possédât le pouvoir d'alléger sa peine, mais elle voulait qu'elle sache à quel point elle la comprenait.

Ce soir, elle avait soif de vie. Trop faim de bonheur à croquer. Mathieu se glissa sur le banc entre son père et son frère et trinqua à son tour à la petite Elora qui dormait dans la maison du panetier, juste à côté. Il espérait qu'au matin, Fanette aurait changé d'idée.

On festoya jusqu'à l'aube à Sassenage et de même à Romans. Lorsque tous furent endormis, une jeune fille quitta sa famille, un maigre balluchon sur l'épaule, épuisée de larmes, un homme versa du venin dans une cruche d'hydromel.

Tous deux étaient nés sous le signe du scorpion. Ils avaient en commun le même destin, mais à l'heure où les coqs chantaient, saluant leur fuite, ils ne le savaient pas.

6.

S'il était une chose à laquelle Djem avait pris goût, c'était ce verre d'hydromel épicé à merveille, bu avant de sombrer dans les bras de Morphée, que le grand prieur d'Auvergne avait plaisir à lui envoyer. Protégé par la langue du goûteur, quelle que fût l'heure du coucher dans cette bonne ville de Romans où l'on célébrait sa présence, Djem avait perdu la crainte du danger. Il ne songeait plus qu'à se régaler les yeux de ceux de Philippine, du jeu des acrobates, des danseurs et autres jongleurs de massues ; et le palais, des mets plus raffinés les uns que les autres servis à satiété.

Dans cette demeure somptueuse, située à la sortie de la ville, où il recevait en maître, Djem regoûtait à la vie, ses fidèles Nassouh et Anwar à ses côtés.

Ce dernier justement venait de l'accompagner jusqu'à sa couche. Une aube empourprée dansait par les carreaux de la croisée et Djem, tout au bonheur de ces festivités qui redonnaient du lustre à sa morne existence, avait un peu forcé sur le vin d'épices. Il n'était pas ivre, mais la tête lui tournait.

— Me voilà bon, mon frère, pour une méchante migraine au lever, ricana-t-il en s'asseyant lourdement sur le bord de son lit.

— Bah ! la compagnie d'Hélène la chassera, prophétisa Anwar, qui, de même, s'était laissé gagner le cœur par la joliesse de sa sœur cadette, Isabelle.

Djem s'abandonna les bras en croix sur l'édredon cousu de damiers et de fleurs.

— Je voudrais que ces jours n'en finissent pas. Retrouver Rochechinard sera un calvaire.

Anwar s'installa à ses côtés, le dos calé aux volumineux oreillers, un sourire léger aux lèvres.

— Allons donc ! Jacques de Sassenage te l'a laissé entendre. Il est désormais ton allié. Il plaidera ton infortune auprès du roi de France, j'en suis persuadé. Si le monarque entraîne l'Occident derrière lui dans une nouvelle croisade, alors les portes d'Istanbul trembleront, comme par le passé Constantinople.

Djem poussa un long soupir. La nostalgie tenait encore Nassouh et Anwar. Ni l'un ni l'autre n'avaient renoncé à le voir régner.

— Que me serait un royaume sans elle, mon frère ?

— Qui parle de la laisser ? Ta mère est bien chrétienne. Convaincs ta belle de t'accompagner. Qui a vu l'azur s'embraser sur le massif des Dardanelles est pris par ce pays à jamais, Zizim. Les parures de l'Orient seront somptueuses à ses yeux, les senteurs plus musquées. Elle tombera en pâmoison devant la Corne d'Or et devant Topkapi plus encore. Fais-la tienne, mon frère. Mais pas ici. Il n'y a rien ici à part elle qui soit digne de ce que tu es.

Djem ferma un instant les yeux.

— Tu dis vrai, je l'entends. Mais son père me la laissera-t-il emmener ?

— Il s'incline devant le prince que tu restes. Pourquoi refuserait-il le sultan que tu serais ?

— Je ne sais, Anwar, je ne sais.

Il s'étira, un bâillement au bord des lèvres.

— Il sera temps d'y penser plus tard. Pour l'heure, rien n'est joué. Les hospitaliers ne renonceront pas sans batailler à la rançon que Bayezid leur verse. Avant de reconquérir Istanbul, c'est ici, contre le grand prieur, que commencerait ma guerre.

— Et il est devenu ton ami, c'est vrai, lui accorda Anwar. Le resterait-il s'il savait que tu veux prendre Hélène à son protégé ?

— Je ne veux rien qu'elle ne consente. L'amour n'a pas de maître. Guy de Blanchefort est un homme juste et bon. Je ne doute pas que le moment venu il s'accorde à mes projets.

Anwar secoua la tête, sceptique.

— Je ne veux pas te gâter l'espoir, Zizim, ni enlever au grand prieur les qualités que tu lui prêtes, mais si j'étais toi, je m'en méfierais…

Djem tourna vers lui son visage altéré de fatigue et de vin.

— Ainsi en a-t-il toujours été. Ainsi en sera-t-il toujours, mon frère.

Leurs avant-bras se nouèrent, comme du temps où, jeunes garçons, ils s'attardaient ensemble aux portes de la nuit, complices, alors que leurs mères respectives les cherchaient. Nourris au même sein, ils ne s'étaient jamais quittés. Ce geste-là retenait un peu de leur enfance et de leurs échanges secrets.

— Veux-tu de ton hydromel ? demanda Anwar avant de quitter la chambre, rattrapé lui aussi par le sommeil.

Djem hésita un instant puis secoua la tête.

— La nausée me tient. Ce serait le gâter.

Anwar se leva, fit quelques pas en direction de l'huis, avant de s'en revenir vers la table de nuit sur laquelle la carafe avait été posée. Agacée depuis le début des festivités par un courant d'air, la gorge lui brûlait. Tandis qu'un léger ronflement entraînait déjà Djem vers des limbes douceureux, il se servit un verre et le porta en bouche, heureux de contempler le prince dans cet abandon, comme

s'ils étaient encore là-bas, à Brousse, au sortir d'une bac-
chanale de jeunes loups.

Lorsque son cœur se serra, il eut le temps de la surprise.
Pas celui de comprendre. Réveillant Djem en sursaut, il
s'affala sur lui, les yeux grands ouverts. Foudroyé.

*

— Fanette a disparu.

Algonde sauta du lit à pieds joints. Mathieu y dormait
encore, le souffle régulier. Elle se frotta les yeux de ses
poings avant de les darder sur sa mère qui, lui ayant donné
les clefs de la chambre maudite pour qu'elle puisse profiter enfin de sa nuit d'épousée, venait d'en forcer le seuil,
effarée.

— Comment, disparue ?

— Comme on peut l'être. Elle a quitté le château. C'est
sa mère qui est venue m'avertir. Elle se ronge les sangs,
persuadée que Mathieu en est responsable.

— Qu'en dit le Jeannot ?

— Il s'est mis à sa recherche, assisté de ses fils et
d'autres de bonne volonté.

— Je descends, décida Algonde.

Avant même que sa mère soit sortie pour la laisser
s'habiller, elle secouait son époux vivement aux épaules.
Mathieu se retourna sur le dos, la vit penchée au-dessus de
lui et emprisonna sa taille de ses bras.

— Ma bécaroïlle, chanta-t-il, du sommeil encore plein
les yeux et la bouche.

Algonde se cabra.

— Fanette est partie.

— Ah, fit-il en tordant la bouche.

Il laissa retomber ses bras.

Le cœur d'Algonde se serra.

— Tu sais où elle se trouve, n'est-ce pas ?

Il gratta sa barbe, négligée depuis leur départ de la
Bâtie. L'avouer, c'était raconter à Algonde son alliance

avec les brigands. Il n'avait pu s'y résoudre malgré ce qu'elle lui avait elle-même avoué. Il était des crimes dont le sang ne pouvait se laver. Comme personne n'avait remarqué qu'il avait repris la route au matin sans le braquemart, il n'avait pas été obligé de mentir.

— Réponds, Mathieu, insista Algonde.

La froideur comminatoire de son regard le blessa.

— Même si je te le disais, tu n'y pourrais rien changer, Algonde. Pour tous elle est perdue, et moi aussi si ses parents la retrouvaient.

Un doute dans l'esprit d'Algonde. Un frisson le long de son dos. Elle se concentra sur la jouvencelle. Le visage noirci de poussière que des larmes avaient collée, les cheveux défaits, Fanette avait attaché son balluchon à sa ceinture et grimpait un raidillon rocailleux en s'aidant des racines.

— Les hauts bois de Sassenage. Elle aborde les hauts bois de Sassenage, murmura Algonde.

Mathieu blêmit.

— Co… Co… Comment… bégaya-t-il.

Dardant sur lui de grands yeux douloureux, elle ne le laissa pas finir.

— Elle rejoint le campement de Villon, n'est-ce pas ?

De saisissement, Mathieu resta la bouche ouverte. Cela suffit à Algonde. Elle sauta à bas du lit.

— Oui, elle les rejoint. Dan s l'idée qu'un jour tu feras de même. Je ne peux pas la laisser croire ça, Mathieu. Je ne peux pas la laisser devenir leur putain.

Pendant qu'elle passait une robe à la hâte, il s'ébroua.

— Tu savais. Tu as toujours su… Et malgré ça…

Elle se planta devant lui, attendrie de sa honte tout autant que de son impuissance.

— Mes pouvoirs sont plus grands que tu n'imagines. Mais je n'ai pas le temps de t'en donner le détail. Habille-toi. Il faut la rejoindre.

— Elle a bien trop d'avance sur nous, objecta-t-il.

Rattrapée par cette évidence, Algonde laissa retomber ses bras. Elle demeura pensive quelques secondes puis enfila ses souliers.

— Par le Furon. Mélusine m'aidera.

— Non, cria-t-il. Non.

En quelques enjambées, il fut devant elle et lui prit les bras. Le sang avait quitté son visage sous l'effet de la peur que cette perspective lui inspirait.

— Prenons les chevaux, supplia-t-il. Je ne veux pas que tu retournes là-bas. Jamais. Promets-le-moi, Algonde. Promets-le-moi.

Ils s'affrontèrent un instant du regard, bouleversés tous deux à l'idée de se perdre encore. Algonde céda.

— Je te le promets. Habille-toi. Je partirai devant. Rejoins le groupe que dirige le Jeannot. Ça te disculpera. Ne t'inquiète pas. Je la ramènerai.

Il l'étreignit avec force dans ses bras.

— Son cœur n'est que vengeance. Méfie-toi.

*

Bonnemine sanglotait en pénétrant dans la chambre de Philippine, écrasée par une nuit trop courte et festive.

— Levez-vous, damoiselle, c'est grand malheur, oui grand malheur !

Philippine ouvrit un œil vitreux et glacial.

— C'est toi qui seras en grand malheur si tu ne cesses sur-le-champ de piailler.

La chambrière s'écarta aussitôt, davantage par la nécessité de moucher son nez violacé que par véritable crainte. Un détestable bruit de trompette couina dans la pénombre, suivi d'un trottinement en direction de la porte-fenêtre. Philippine soupira en recevant les rayons du soleil en pleine figure. Non, décidément, elle ne se rendormirait pas.

— Grand malheur. Oh oui ! Il était si beau, si plaisant…

Philippine s'adossa à ses oreillers. La migraine la tenait de trop peu de sommeil et la litanie de cette sotte lui donnait des envies de meurtre. Les réfrénant devant l'ampleur de son chagrin, Philippine la fixa durement, avant de retrouver en elle un reste de compassion.

— Que t'arrive-t-il donc ?

— À moi, rien, damoiselle. Oh non ! C'est à ce pauvre prince.

Le sang de Philippine se figea. Aux abois soudain, elle attendit que Bonnemine ait fini de se moucher une nouvelle fois.

— Djem ? C'est du prince Djem que tu parles ?

— Et de qui d'autre ?

— Je l'ai quitté à l'aube et il riait autant que moi, lui assura la damoiselle.

— À l'aube peut-être, renifla Bonnemine en se signant, mais ce matin…

Fouettée d'inquiétude, Philippine s'arracha du lit pour la saisir méchamment au-dessus des coudes.

— Quoi ce matin ? Vas-tu me dire ce qu'il y a, oui, ou faut-il que je te batte ?

Surprise par sa soudaine véhémence, Bonnemine fondit plus encore en larmes.

— Il est empoisonné, voilà. Empoisonné, vous dis-je, un si grand et noble prince ! C'est pas justi…

Sa phrase se perdit dans les cheveux de Philippine qui venait de s'évanouir, vaincue de désespoir.

*

Djem l'était aussi au chevet de son frère de lait. Nassouh à ses côtés avait le chagrin discret. Seul un tressautement à son œil gauche trahissait la violence intérieure de sa déchirure.

Annoncé par un laquais dans la chambre de Djem, devenue funéraire, Guy de Blanchefort s'approcha du lit où Anwar était resté couché. La carafe empoisonnée avait disparu du chevet, emportée par un des apothicaires de la ville envoyé quérir en toute hâte. Il n'avait pu que constater la mort par empoisonnement. Le goûteur, sommé de s'expliquer, avait avoué s'être absenté un moment pour déféquer. Le prince festoyait encore avec ses compagnons, le sire de Montoison et Louis de Sassenage. Nul doute qu'on avait profité de cette absence pour agir. Qui? Là restait la question. Le prévôt, réveillé de même, venait d'ouvrir enquête, mais personne n'avait rien remarqué. Lorsqu'il avait vu remonter le prince vers ses appartements, son esclave s'était rendu en cuisine. Le carafon préparé par l'échanson s'y trouvait sur un plateau. Il était bouché. Le goûteur était introuvable et l'homme s'était empressé de grimper l'escalier pour ne pas démériter auprès de son maître. Blanchefort avait obtenu de Djem, dont la première réaction avait été de lui trancher la gorge qu'il attende. On avait besoin de son témoignage et du détail de ses souvenirs pour confondre le meurtrier. Djem avait ravalé sa vengeance. Il n'avait voulu voir personne, se cloîtrant entre les murs de sa chambre où Anwar était resté. La porte fermée, et le prince invisible à son matinel, la rumeur s'était propagée, répandant une information tronquée que le prévôt s'était gardé de rectifier, offrant ainsi au coupable la joie de son forfait. Il serait plus facile à appâter, avait-il affirmé à Guy de Blanchefort.

Pour l'heure, le grand prieur se rapprocha du prince, assis dans l'ombre des rideaux qu'on avait rabattus devant la croisée. Les yeux fermés sur sa peine, il priait à mi-voix dans sa langue.

— Pardonnez-moi de vous déranger, Zizim…

Djem leva la tête. Le teint gris, les yeux veinés de rouge, les traits tirés, il était l'ombre de lui-même. Harassé de fatigue et de chagrin.

— Vous ne me dérangez pas, grand prieur. Aucun ami ne trouble le repos des âmes pures. Parlez.

— La rumeur a gagné la ville. Jacques de Sassenage est à vos portes, défait. Je ne l'ai vu encore mais je ne le crois pas du rang de vos ennemis. Dois-je lui dire la vérité à votre sujet ?

Djem fronça les sourcils. Loin des supputations du prévôt, il ne comprit pas la déférence de Guy de Blanchefort.

— De quoi me parlez-vous ?

Le grand prieur le lui expliqua en quelques mots et Djem pâlit plus encore. Si le baron le croyait mort, Philippine aussi. Il ne pouvait la laisser plus longtemps dans l'erreur et le désespoir. Prenant appui sur les accoudoirs du fauteuil, il se releva avec toute l'énergie qui lui restait.

— Je le veux voir seul à seul, exigea-t-il avec une telle autorité désespérée que Blanchefort, s'il s'en étonna, ne trouva rien à lui objecter.

*

Algonde avançait aussi vite que le lui permettait la végétation, les cuisses enserrant sa jument, à la garçonne, pour mieux s'accorder au dénivellement du terrain et à l'étroitesse des passages que lui concédait la forêt. Mathieu lui avait indiqué sommairement le parcours pour parvenir au campement des brigands. Il savait que Fanette avancerait, elle, à l'aveuglette, en appelant lorsqu'elle s'approcherait des combes où sa voix porterait. Algonde voulait la rejoindre avant ce point de non-retour.

Elle sentait qu'elle se rapprochait. Un morceau de ruban accroché à une branche basse, un autre de toile, laissé à des ronces. Il lui fallut une bonne heure avant de l'apercevoir qui, dans la trouée d'un bouquet de chênes, se battait contre les fougères pour avancer.

— Fanette !

La jouvencelle se retourna, surprise. Saisie un instant de voir Algonde débouler, elle se reprit aussitôt. Comprit-elle qu'on voulait la ramener ? Ou craignit-elle quelque méchanceté? Bondissant soudain au-dessus des herbes, elle se mit à courir. Algonde sauta à terre et sans se poser d'autre question s'élança derrière elle.

Le visage battu par les feuilles des branches basses, les mollets écorchés, elle la talonnait, le souffle de plus en plus court. Algonde ne tarda pas à réduire la distance qui les séparait. Lorsqu'un arbre mort barra le chemin de Fanette, l'obligeant à marquer l'arrêt pour sauter par-dessus l'obstacle, Algonde se ramassa sur elle-même et tomba sur la jouvencelle comme un fauve sur sa proie. Elles roulèrent à terre, la coiffe à quelques pouces du tronc.

— Ne me laisseras-tu donc jamais en paix? beugla Fanette, le cul par terre, avant d'essuyer d'un poing rageur sa lèvre qu'un morceau de bois saillant venait d'entamer.

— On n'abandonne pas une amie, répliqua Algonde en s'asseyant à son tour.

Hirsutes et enlaidies du sang qui perlait de leurs écorchures, elles avaient l'une et l'autre triste mine.

Le regard de Fanette fulminait.

— Parle pour toi. Je te hais.

Les battements du cœur d'Algonde se calmaient.

— On se connaît depuis l'enfance. Je n'y peux rien si Mathieu m'a aimée.

— Il ne fallait pas revenir! me donner à espérer!

Algonde haussa les épaules.

— La jalousie te masque la vérité, Fanette. Tu l'as bien vu, que ses sentiments n'avaient pas changé. Autrefois tu les respectais.

— J'étais innocente, alors. Je n'avais pas goûté à ses baisers.

Algonde se releva et lui tendit la main.

— Rentrons. Le village entier te recherche, tes parents se tournent les sangs. Tu ne peux pas disparaître comme ça. Finir dans le lit de ces brigands, passant de l'un à l'autre comme une catin. Ça ne te ressemble pas.

Fanette se mit à ricaner.

— Tu crois me connaître, mais tu ne sais rien de moi, la bécaroïlle. Non, vraiment, rien.

Endormie par le souvenir de la jouvencelle réservée qu'elle avait été, Algonde ne le vit pas venir. Le poignard tombé de sa manche dans sa main. Lorsque Fanette bondit sur elle, Algonde fut prise de court. Elle bascula en arrière, la rouquine couchée sur elle. Le temps qu'elle la repousse, la lame s'enfonçait profondément entre ses côtes. Algonde poussa un petit cri de surprise et de douleur.

— Meurs, meurs, la bécaroïlle, meurs et je serai vengée, se mit à rire Fanette, en retirant sa dague pour la poignarder encore, en plein cœur.

La seconde suivante, sa démente hilarité était tuée net. Surgissant de la plaie, un tourbillon de lumière bleutée la souleva du corps qu'elle chevauchait et la rejeta avec violence. Au lieu d'être emportée par la camarde, Algonde s'assit à même le sol carminé, prise d'une toux violente. Les yeux exorbités, elle expectora ce caillot de sang qui l'empêchait de respirer, consciente que le pouvoir des Anciens en elle l'avait sauvée.

Fanette se signa devant ce miracle. Était-il d'esprit divin ou diabolique? Elle n'en avait aucune idée mais fut certaine qu'Algonde ne lui pardonnerait pas d'avoir essayé de la tuer. Terrorisée à l'idée de possibles représailles, elle recula jusqu'à se fondre aux fougères hautes. À quelques pas de là, le cheval d'Algonde folâtrait. Fanette courut jusqu'à lui. Bien qu'elle ne soit jamais montée, elle trouva la force de se hisser et de se coucher sur son encolure avant de le talonner.

Lorsqu'elle parvint à la combe, elle se laissa choir à terre, moulue et hébétée encore de ce qui venait d'arriver. Ses mains, son visage et son corps tout entier puaient le sang caillé. Elle se mit à trembler de la tête aux pieds.

C'est ainsi que, revenant de chasser, Villon la trouva, assise au bord de la falaise, les jambes battant le vide, prête à s'y jeter si Algonde reparaissait.

7.

— Là, regardez ! hurla-t-on sur la gauche des échafauds.

Aussitôt, dans un même élan tous les visages se tournèrent vers ce doigt d'enfant tendu. Les quarante chevaliers entraient sur la grand-place de Romans par les rues alentour et dans un bel ensemble : les tenants, guidés par le fils du baron de Clermont, le sommet du heaume garni de plumes blanches, écharpe et écu bleus à trois fleurs d'or représentant le roi de France, les assaillants, Antoine de Montchenu en tête, aux couleurs de Djem, plumes et écu bigarrés.

Cet hommage décidé avant que ne se joue le drame était voué à la mémoire d'Anwar, enterré la veille. Les tambours s'étant tus, un long silence accompagna le martèlement des chevaux au pas sur l'esplanade. Les étendards claquaient sous le souffle chaud de cette matinée du 6 juin 1484. Debout, face à ces combattants de pacotille qui venaient abaisser leur lance devant lui, Djem sentit son cœur se serrer. Il eût pu les vaincre tous tant sa rage était grande, son chagrin inconsolable. Oui, tous. Ce simulacre de combat qu'il s'était réjoui de présider lui laissait au cœur l'envie d'une vraie bataille, sanglante et acharnée. Il leva pourtant le bras, pour donner le signal d'ouverture des joutes. Les trompettes s'envolèrent ainsi que ces cent colombes, lâchées d'un coup, qui froissèrent l'azur de leurs ailes blanches. Djem perçut à côté de lui la douleur de Nassouh. Ils n'étaient plus que deux à présent pour préserver la mémoire de leur triste épopée. Son bras retomba. Les chevaliers se retirèrent. La vie revint dans les tribunes. Djem se rassit. Il était au spectacle. Il était LE spectacle. Un sourire gaillard accroché à ses mâchoires, si fortement tétanisées d'effort qu'elles lui faisaient mal, il regarda droit devant lui les barrières s'ouvrir et deux fois six hommes, face à face, se menacer de la lance.

S'il l'avait pu sans donner plaisir au meurtrier d'Anwar, dissimulé dans la multitude, Djem aurait hurlé.

Philippine avait du mal à se concentrer sur ces hommes qui, emportés par le galop, tentaient de se désarçonner. À ses côtés, Isabelle faisait montre d'une apathie morbide. Il avait suffi d'une soirée pour que sa cadette s'éprenne d'Anwar comme elle de Djem. Sa gaieté envolée, rien ne semblait vouloir la distraire. Philippine n'en avait pas le cœur non plus. Outre la désespérance dont elle sentait Djem accablé, elle craignait la menace, d'autant plus fortement que le meurtrier avait raté sa cible. Le moindre bruit inhabituel, le moindre personnage au regard détourné lui paraissait dangereux.

Elle eût préféré que Djem s'enferme dans sa chambre, à l'abri. Mais il n'avait rien voulu changer de ce qui avait été instauré à son arrivée. Sa demeure était restée festoyante. Sa table renommée. Si elle n'avait su l'importance qu'avait eue pour lui Anwar, on aurait pu croire que la mort de son compagnon l'avait laissé de marbre tant il était, dès le soir, apparu enjoué et léger.

— Je refuse de donner au coupable la joie de ma détresse, avait-il expliqué au grand prieur en faisant rouvrir ses portes.

Nassouh avait approuvé. Ils feraient face.

De fait, il y excellait.

Mais Philippine, le dominant d'une hauteur de marche, sentait son cœur se planter d'épines chaque fois que, malgré lui, les épaules de Djem s'affaissaient légèrement.

Les manches se succédèrent, voyant tantôt les tenants mordre la poussière, tantôt les assaillants. Au petit cri que poussa Marie de Dreux dans la tribune voisine, Philippine comprit que parmi les nouveaux adversaires entrés en lice se tenaient Philibert de Montoison et Laurent de Beaumont.

Lorsque ce dernier était venu, le soir de son arrivée à Romans, lui demander une danse à la faveur de la fête donnée par Djem, elle lui avait répondu qu'il lui fallait en obtenir l'autorisation de son promis, le sire de Montoison. Laurent de Beaumont avait failli tomber à la renverse.

— Comment ? Mais vous m'aviez assuré…

— C'est ainsi, mon ami. Il faudra vous en accommoder.

Philibert de Montoison, qui s'était d'autorité approprié la compagnie de la damoiselle, s'était ravi de voir qu'elle restait fidèle à son serment. Bombant le torse, il avait toisé le seigneur de Saint-Quentin d'un œil noir.

— J'ai assuré damoiselle Hélène que je ne toucherais pas un cheveu de votre petite personne. Ne me donnez pas des arguments pour m'en démettre. Disparaissez.

Furieux mais vaincu, Laurent s'était éclipsé. Le rire de Marie avait éclairé le reste de la soirée tant le jeune page s'était montré prévenant à ses côtés. Avait-il compris ? Philippine en douta dès l'instant où il baissa son heaume pour s'élancer à la course, la lance coincée sous l'aisselle et fermement maintenue en main, plus bas que ne le voulait le règlement. Il cherchait à pénétrer l'armure. De son côté, averti sans doute par son allure, le sire de Montoison avait fait de même. Le souffle court, elle attendit le choc. Il les ébranla. Les lances se rompirent sous sa violence mais aucun des deux ne tomba. Revenus aux barrières dans une envolée de poussière, ils en arrachèrent deux nouvelles à leurs râteliers. Indifférents aux autres qui, relevés par leurs écuyers ou restés en selle, quittaient la place, ils la réinvestirent d'un même élan pour s'affronter. Un instant ils furent seuls au mitan de l'esplanade, galopant à bride abattue dans un silence seulement martelé des sabots de leurs montures. De nouveau ils se heurtèrent. Plus violemment encore. On se leva d'un bond dans les tribunes, conscients soudain que se traitait là quelque différend bien éloigné des règles du jeu. Un murmure inquiet roula dans les rangs.

Pareillement fauchés, cette fois, par l'impact, ils furent propulsés en l'air et, avalés par le poids des armures, s'effondrèrent dans un bruit de ferraille. Les chevaux poursuivirent leur course. Les hommes demeurèrent au sol. On frémit dans l'assistance. Quelques damoiselles tombèrent en pâmoison. Marie, cette fois, demeura debout, le bout des doigts sur ses lèvres décolorées.

Le sourcil froncé, Djem observait les deux corps immobiles. Si seulement Philibert de Montoison pouvait ne pas se relever, pensait-il en voyant accourir les écuyers. Près des barrières, retenant leur bride, les autres jouteurs s'impatientaient.

La visière du heaume enlevée, Laurent de Beaumont fut redressé le premier. Il leva un bras pour rassurer la foule. Il fallut attendre que le sire de Montoison fasse de même pour qu'elle applaudisse à tout rompre et félicite la témérité des chevaliers aux cris de Noël! Leur hypothétique querelle était oubliée dans le frisson qu'ils leur avaient donné.

Pour autant ils n'étaient pas indemnes. Marie de Dreux le devina en voyant la main de Laurent de Beaumont se porter à ses côtes et Philibert de Montoison boiter.

Sans hésiter, elle voulut quitter sa place. Son père s'interposa.

— Où cours-tu donc ? Ne te suffit-il pas que ce jouvenceau se soit donné en spectacle ? Je t'interdis d'agir de même.

Marie tiqua. Depuis qu'ils avaient appris la mort du Turc, son père agissait de curieuse manière. Regardant sans cesse par-dessus son épaule dès lors qu'ils sortaient de la demeure, il lui avait annoncé la veille que, contrairement à ses aspirations, il avait décidé de la marier au fils d'un de ses concurrents.

— Non qu'il soit de mes amis puisqu'en affaires personne ne l'est, mais sa moralité est sans tache et seul un drapier pourra me succéder le moment venu.

Marie s'était indignée. Elle refusait ce falot boutonneux et prétentieux. Elle désirait Laurent de Beaumont qui devait venir, sitôt la fin du tournoi, demander sa main. Conan de Dreux n'avait rien voulu entendre. Alors, pour l'effrayer, sa fille lui avait affirmé qu'elle se jetterait dans l'Isère si on la mariait de force, dût-elle pour cela brûler en enfer pour l'éternité. Impressionné par sa détermination, Conan de Dreux avait semblé vaincu avant de s'ébrouer et de la couvrir d'un œil triste.

— Un drapier. Il faudra un drapier. Et vite qui plus est. Je ne veux pas que mon négoce se meure avec moi.

Depuis, quoi qu'elle dise, fasse ou geigne, il n'en démordait pas.

— Rassieds-toi ! ordonna-t-il dans le vacarme de la foule qui, excitée par l'échange précédent, acclamait à présent les jouteurs avec une flamme nouvelle.

Brûlante d'inquiétude, nourrie d'audace, Marie le toisa.

— Empêche-moi donc de passer !

Refoulant en son cœur tout le respect et l'amour qu'elle lui vouait, elle écrasa le cor qu'il portait à l'orteil gauche d'un méchant coup de talon. Surpris par la douleur, Conan de Dreux gonfla ses joues devenues rouge pivoine, releva instinctivement son genou entre ses mains croisées et s'effondra sur son siège aux côtés de son épouse, restée placide.

Alors que Marie se frayait un passage parmi les specta-teurs, sans un regard en arrière, sa mère se pencha à l'oreille du drapier, que les élancements empêchaient de réagir.

— Laisse-la épouser qui elle veut, Conan de Dreux, ou je te donne au prévôt.

La peur remontée jusqu'à ce lobe qu'elle venait de titiller de sa voix accusatrice, le drapier dégonfla ses joues et demeura le souffle court. Il tourna avec brusquerie vers elle un œil affolé.

— Quoi ? Comment ? bredouilla-t-il en la voyant satis-faite de son petit effet.

Les mains croisées sur sa robe trop sobre, face à son époux couvert de broderies et de bijoux, elle lui sourit.

— Tu parles en dormant, Conan de Dreux. Ce n'est pas bon pour ton commerce.

Repris de rougeur, par la honte cette fois, le drapier se renfonça sur son siège et, indifférent à présent au spectacle et à son cor au pied, fit en sorte qu'on ne le remarque pas.

Verser le poison avait été plus facile qu'il ne l'avait cru. Profiter de l'absence du goûteur qu'il avait vu quitter la place, se glisser discrètement à l'office, déserté à cette heure, soulever le bouchon de verre verdâtre, déverser le venin. Un jeu d'enfant. Il suffisait de ne pas penser à qui était destiné le breuvage mais plutôt au Génois et à ses manières. Car à la vérité, Conan de Dreux s'était laissé prendre par la générosité de l'homme qu'il devait abattre. Djem l'avait ravi par sa prestance, par sa gentillesse à son égard. Lorsqu'il lui avait parlé de ses draps, le prince avait aussitôt offert d'en acquérir.

— Je suis certain, maître drapier, que la finesse de leurs points n'aura d'égale que la douceur de la peau de mes femmes.

— C'est trop d'honneur, prince Djem, s'était-il empourpré.

— Non pas. Le baron de Clermont vient de m'assurer de la chose et je le sais d'un goût certain. N'avez-vous pas tissé le linge des futurs épousés?

— Si fait, si fait, sa fille Louise m'en a fait elle-même compliment.

— Alors ne soyez pas modeste, mon ami, cela ne vous sied guère, et puisque vos couleurs s'assortissent aux miennes, prenez place à mes côtés, l'avait invité Djem en riant.

Dès lors il ne l'avait plus quitté, attisant la jalousie de ses pairs et la froideur du sire de Montoison qui l'avait si fortement humilié sur le pont.

Conan de Dreux savait que son sommeil avait souffert de ses remords. Il avait fallu que le Génois paraisse quelques instants à la fête ce soir-là et, le fixant de loin d'un œil noir, passe, l'air de rien, son index sous sa gorge, pour qu'il trouve le courage de les oublier.

Lorsque la rumeur de la mort du prince avait franchi le seuil de sa maison, il n'avait pas ressenti de soulagement, juste une profonde tristesse. Le démenti l'avait laissé sans voix. Non seulement il avait échoué, mais Anwar avait passé. À présent il était triplement traqué. Par le Génois qui voudrait reprendre son dû, par le prévôt qui le voulait pendre, et par Djem qui, à la faveur d'une confidence, lui avait avoué qu'il enlèverait à la justice franque le meurtrier dès qu'il serait pris.

— Et pourquoi donc? N'avez-vous pas confiance en son jugement? avait-il eu le courage de demander.

— Je veux qu'il souffre comme je souffre moi-même. Je veux lui arracher les membres un à un puisque je suis amputé. Il souffrira mille morts pour une seule. Une seule mais qui valait toute une armée.

Malgré sa détermination à se comporter comme si de rien n'était, Conan de Dreux avait dégluti, livide.

Repoussant sa peine, Djem s'était mis à rire en le prenant aux épaules.

— Les Turcs ont la vengeance subtile, mon ami. Je conçois qu'elle vous choque. Allons, reprenez des couleurs et festoyons à la mémoire de mon frère.

Conan de Dreux avait levé son verre, se gardant de trop boire pour ne pas s'épancher. Mais depuis, il savait que ses jours étaient comptés.

— Un drapier. Oui. Un drapier serait le mieux pour enrichir mon commerce, répéta-t-il dans le tumulte.

Les chevaliers avaient tous déserté la place et le héraut annonçait que, pour départager ceux qui étaient restés en selle, le lendemain les verrait s'affronter en combats singuliers avec des épées émoussées.

Il haussa les épaules en s'arrachant de son siège, puisque l'heure était venue de le quitter. De toute manière, sa clientèle serait perdue si la vérité éclatait. Alors, somme toute, pour sauver son nom du déshonneur, le page d'un roi…

Son regard accrocha celui du prince qui, lui aussi, s'était redressé. Le Turc le salua d'un signe de tête. Il le lui renvoya, un frisson glacial le long du dos, en se demandant combien de temps il lui restait avant de mourir torturé.

8.

Ils avaient abandonné les recherches après avoir retrouvé le sac de Fanette sur la rive du petit réservoir formant les Cuves du Furon. Au grand désespoir de ses parents, les braves gens de Sassenage en avaient conclu qu'elle avait été emportée par le torrent. Suicide ? Accident ? Le prêtre du village opta pour la seconde hypothèse afin qu'une messe soit dite.

Ce matin du 7 juin, Algonde et Mathieu s'y rendirent, la tête basse et le cœur gros.

Le forgeron était venu les voir au lendemain de la triste découverte.

— Elle s'est enfuie comme tu l'as fait Mathieu, prise de chagrin et d'amertume. Sans doute avait-elle besoin de réfléchir pour mieux vous pardonner et, voulant laver ses paupières, aura glissé sur la berge. Les bordures sont traîtresses en cette saison.

Il avait dodeliné de sa tête massive, les mains pétrissant son chapel de feutre qu'il avait enlevé pour leur parler. Il en avait détaché une pour la poser sur l'épaule de Mathieu, défait et silencieux. Comme Algonde, dans cette cuisine désertée où tous deux étaient descendus prendre leur matinel, il ne savait que dire, puisque la vérité lui était interdite.

— Je t'aime bien, mon p'tiot. Toi et la bécaroïlle vous êtes faits l'un pour l'autre, c'est des choses qu'on sent. Je vous en veux pas de ce qui est arrivé. Mon épouse et mes fils par contre…

— C'est normal, le Jeannot. C'est normal.

Le forgeron avait remonté sa main pour lui tapoter la joue. Cillant pour retenir la brume de ses yeux, il les avait enveloppés tous deux d'un regard affectueux.

— Si vous voulez un conseil, tardez pas à repartir. Votre place est plus chez nous.

— Sitôt les noces de ma mère et de Janisse. Elles seront discrètes au regard de ce malheur, avait assuré Algonde, un sanglot dans la gorge.

Jeannot s'en était retourné, le pas traînant, et le matinel des jeunes épousés était demeuré dans l'écuelle. Algonde s'en voulait de s'être laissé surprendre par la violence de Fanette et, du coup, de n'avoir pu la retenir. Sa seule consolation avait été de découvrir la puissance de vie de l'élixir des Anciens en elle. Était-elle devenue immortelle ? Au vu du sang qu'elle avait perdu avant que sa blessure ne se referme spontanément, elle pouvait le croire. Elle n'en avait rien dit à Mathieu. Non loin de là se trouvait une petite source où elle avait rincé ses vêtements. Quelques traces y étaient restées qu'elle avait justifiées par une chute de cheval. L'animal s'était enfui. Elle était rentrée à pied. Bredouille dans ses recherches. C'était tout ce que l'on devait savoir. Mathieu compris. À quoi bon le culpabiliser davantage ? Il s'en voulait bien assez déjà.

Le corps de Fanette n'ayant pas été retrouvé, la messe à sa mémoire fut sobre. La prière, relayée par-delà les portes de la chapelle. Au sortir, tous s'éparpillèrent, repris par leurs tâches. Algonde et Mathieu s'écartaient à leur tour lorsque, les apercevant, l'aîné du forgeron perdit tout contrôle. Avant que son père ait rien pu empêcher, il fondit sur le panetier et lui sauta sur le dos. Ensemble, emportés par son élan, ils roulèrent à terre. Le forgeron, les bras ballants, n'osait intervenir. Cette histoire-là, c'était à eux de la régler. Entre hommes. Il se contenta de retenir son cadet qui voulait s'en mêler.

— Je vais te saigner, beugla le Bertrand qui dépassait Mathieu d'une tête.

Le jouvenceau n'avait d'autre choix que se défendre.

Ayant appris auprès des brigands le moyen de compenser son infirmité, Mathieu empoigna son assaillant par le col, releva un genou et, s'en servant de levier, donna un coup de rein pour le basculer en arrière. Puis il se releva prestement, le visage tuméfié. Les poings en avant, il attendit que le Bertrand revienne à la charge.

— Je suis pas responsable. J'aurais épousé ta sœur s'il y avait pas eu la petiote, tu le sais ! plaida-t-il.

Vrai ou pas, Algonde reçut l'argument en plein cœur.

— Veux rien savoir. Tu paieras pour ça, grommela le Bertrand en fonçant tête basse, les poings fermés.

Refoulant en elle son envie d'empêcher leur combat, Algonde recula pour leur laisser la place de s'empoigner de nouveau et de rouler dans la poussière. L'agilité de Mathieu compensant la force brutale de Bertrand, ils s'abîmèrent de longues minutes durant jusqu'à ce que ce dernier, reprenant le dessus, se mette à serrer la gorge du panetier.

Écrasé par son adversaire, Mathieu hoqueta d'étouffement. Cette fois Algonde ne pouvait rester stoïque. Elle allait se jeter entre eux lorsque la mère de Fanette s'interposa. Levant sa canne, Cunégonde l'abattit sur les fesses de son fils.

— Assez, garnement ! Un mort suffit bien à cette maisonnée.

Comme il refusait d'obéir, elle lui cingla les épaules.

— Lâche-le, j'ai dit !

À regret, Bertrand obtempéra.

— Quitte Sassenage au plus vite et n'y reviens pas, menaça-t-il Mathieu qui reprenait son souffle.

Remis debout, échevelé, griffé, gonflé et bleui de coups, Bertrand se tourna ensuite vers Algonde, l'air mauvais.

— Quant à toi, la catin du baron, viens pas traîner par chez moi ou...

Algonde blêmit sous l'injure plus que sous la menace que les badauds, rameutés par la bagarre, ne pouvaient pas ne pas avoir entendue. Mathieu tenta de se relever, mais, la glotte trop longtemps écrasée, il peinait à respirer et retomba lourdement sur le derrière. Ce fut Cunégonde, rouge soudain d'ulcération, qui de nouveau intervint. Son bâton s'écrasa sans mollice sur les reins de son fils.

— ... ou quoi ? Y a pas de vengeance qui vaille ce prix-là. Avise-toi donc de la forcer et je t'arrache le vit avant de le clouer au portillon !

Bertrand passa une main aux phalanges rougies de sang sur ses côtes. Son regard dur plia sous celui, sans concession, de sa mère.

— Il suffit, garçons. L'honneur de Fanette est lavé. Je ne veux plus en entendre parler, décréta Cunégonde en saluant tour à tour Mathieu et Algonde d'un signe de tête.

De nouveau voûtée par le chagrin, elle tourna les talons et, traversant la foule des badauds qui s'écarta sur son passage, s'en retourna chez elle, bientôt suivie par les siens.

— Je vais m'enquérir du curé, déclara Gersende en rejoignant Algonde qui s'était avancée pour juger de l'état de Mathieu.

De fait, le jouvenceau faisait peine à voir.

— Suis-je donc si mal en point ? eut-il la force de plaisanter.

Gersende lui offrit une main secourable pour l'aider à se remettre debout.

— Grand Dieu non ! C'est juste une chatouillée, bien méritée d'ailleurs. Mais il ne faudrait pas qu'il y en ait d'autres. Plus vite nous serons mariés, Janisse et moi, plus vite vous reprendrez la route. Quant à toi, Algonde, rends-toi donc chez la sorcière pour demander un onguent. Ton époux pisse le sang par l'arcade et cette nuit il me salirait les draps.

*

Marie de Dreux dansait d'un pied sur l'autre devant la tente carrée attribuée à Laurent de Beaumont, guidée jusqu'à elle par ses couleurs qui claquaient au vent. Se pressant les mains, elle était indécise. Son cœur lui hurlait de franchir le seuil, la bienséance de s'en détourner au plus vite. Autour d'elle, indifférents à son tourment mais pas à sa joliesse, les chevaliers qui s'en revenaient au camp pour se débarrasser de leur armure s'attardaient plus qu'il ne fallait sur sa silhouette gracile. Les yeux rivés sur la porte de toile rabattue et surmontée de la devise « *impavidum ferient ruinae* », elle ne s'en aperçut pas. Pas davantage du va-et-vient des écuyers chargés de morceaux de cuirasse, de seaux d'eau et de pains de cendre, pressés de toiletter leurs maîtres. Non loin, les valets d'écurie bouchonnaient les chevaux dans le joyeux vacarme qui succédait aux passes d'armes. Son père avait raison. Ce n'était pas un endroit pour une damoiselle, songea Marie, rattrapée soudain par un rire gras. Son œil, brièvement détourné, accrocha la face lunaire d'un petit hobereau qui la dévorait des yeux. À l'instant de tourner les talons, elle allongea son pas dans la terre humide creusée par les sabots et sans s'annoncer souleva la tenture.

Assis sur un tabouret, Laurent de Beaumont lui offrit ses omoplates meurtries par les bosselures de l'armure. Son écuyer achevait de tamponner ses côtes d'arnica.

— Je m'inquiétais… éprouva-t-elle le besoin de se justifier avant même que le seigneur de Saint-Quentin ait eu conscience de sa présence.

Reconnaissant sa voix, il pivota de trois quarts vers elle. L'endroit empestait le suif et la sueur en plus de l'âcre odeur médicinale. Elle refusa de s'en laisser incommoder et répondit avec chaleur au sourire dont Laurent de Beaumont la couvrit.

— Cette attention me touche, damoiselle Marie. Je vais bien… Laisse-nous, ajouta-t-il en direction de son valet. Le jouvenceau au nez droit comme une pointe de lance s'éclipsa sans attendre. Laurent se leva, torse nu au-dessus des braies.

« Détourne les yeux », se mit à marteler en elle la voix de sa conscience, tandis que son cœur accélérait. Sur la poitrine de l'homme qu'elle aimait, Marie reconnut la cicatrice infligée quelques mois plus tôt par Philibert de Montoison. Sa gorge se noua.

— Une fois encore, vous avez voulu tuer pour elle, murmura-t-elle comme un reproche pour se garder de l'émotion qui lui prit le bas-ventre à la vue du sien qui se gonflait sous le tissu.

Bouleversé d'un désir sauvage et irrépressible que venait d'exacerber la violence du combat, il ne répondit pas, franchit la distance qui les séparait et, fougueusement, l'embrassa.

La couche était étroite et austère, juste une paillasse que masquait une courtine.

Pas de moniale cette fois pour réfréner en elle la brûlure de ses sens, songea Marie entre regret et soulagement. Elle se laissa étendre sur le matelas, la gorge soulevée d'une respiration courte, les doigts dans cette chevelure coupée au carré sur les épaules rougies du frottement du métal.

— C'est terminé, Marie, je ne l'aime plus, assura-t-il en lui soulevant les jupons.

Elle frémit sous ses doigts qui remontaient ses cuisses avec impatience.

— Ce n'est pas... voulut-elle s'en défendre dans un sursaut de conscience avant de s'arquer lorsqu'ils parvinrent à leur source.

Elle se mordit la lèvre inférieure pour étouffer un gémissement. Appuyant sa caresse, Laurent se redressa légèrement pour se repaître de son abandon. Elle était belle, songea-t-il. Pas autant que Philippine, mais cette frange de cils baissée par pudeur sur ses larmes de plaisir valaient mieux que la hautaine suffisance de sa dame de cœur. Il l'oublierait. Un soubresaut ébranla la damoiselle qui écarquilla les yeux d'une bienheureuse surprise. Il n'attendit pas davantage. La délaissant pour se dénuder à son tour, il plaqua l'autre main sur sa bouche et la pénétra d'un coup de rein. Le regard de Marie se noya de douleur et de jouissance mêlées. Le ventre collé à celui de Laurent de Beaumont, elle s'accorda au va-et-vient de ses reins en elle, excitée de cette paume épaisse qui l'empêchait de hurler, sans voir qu'une main écartait la tenture.

Poussé en ce lieu par la décision de ramener définitivement son rival à la raison, Philibert de Montoison se reput de cette situation compromettante. Un sourire pervers étira ses lèvres minces. Il se vengerait de ce fat. Oui. En le cocufiant au lendemain même de ses épousailles, décida-t-il au moment où ils jouissaient l'un et l'autre dans un même embrasement. Fort de cette certitude, il tourna les talons discrètement, non sans avoir replacé dans son pantalon son vit agacé par le spectacle.

*

A peine la porte de la cabane refermée sur elle, Algonde se jeta dans les bras grands ouverts de la prétendue sorcière.

— Grand-mère, murmura-t-elle, le visage illuminé de tendresse, en pressant la fée sur son cœur.

Plus émue qu'elle ne s'y attendait elle-même par cette spontanéité, Présine la serra avant de s'écarter d'elle pour lui pincer affectueusement les joues.

— Est-ce ainsi qu'il faut taquiner ses petits-enfants pour mériter ce surnom?

Algonde plissa le nez.

— Tu peux t'en dispenser à dire vrai. Ta lumière me suffit bien.

— À la bonne heure. Je n'ai jamais été à l'aise avec ces pratiques curieuses.

Elles rirent ensemble, rattrapées par leur complicité que l'éloignement et les derniers événements avaient étonnamment renforcée. Depuis que la jouvencelle avait pour la première fois glissé dans les eaux du Furon, Présine était à ses côtés en pensée. Rien ne lui échappait. Algonde le savait.

— Outre le bonheur de te revoir et tant de choses à te raconter, j'ai besoin d'un onguent pour Mathieu. Il s'est chicorné avec le frère de Fanette qui refuse la disparition de sa sœur.

Le visage de la fée redevint grave.

— Triste histoire en vérité. Mais qui nous éclaire sur l'incidence en toi du pouvoir des Anciens.

Algonde se mordit l'intérieur de la joue.

— Je m'en veux de ne pas avoir compris à quel point Fanette souffrait. Je crois bien l'avoir humiliée davantage en me portant au-devant d'elle.

Présine la prit par les épaules pour l'entraîner vers un banc recouvert de coutil damassé, à quelques pas de son lit.

— Tu n'es pas responsable de la violence qui est en elle, Algonde. Rien ne la justifie. Songe qu'une autre à ta place serait restée pour morte dans cette forêt.

Algonde s'assit à ses côtés.

— Enfant, elle était toujours gaie, farceuse. Mathieu, Enguerrand, elle et moi étions inséparables. Comment

peut-on changer à ce point, Présine ? Mentir à ce point ?
J'ai toujours cru qu'elle était mon amie quand à la vérité
elle me haïssait.

La fée haussa les épaules.

— Chacun de nous a sa part d'ombre. Tu le sais mieux
que personne. Fanette a choisi son destin. Il recroisera le
tien, tôt ou tard. Ce jour-là, avertie, tu seras mieux à même
d'agir et qui sait, peut-être de lui rendre sa propre lumière.
Pour l'heure, il te faut l'oublier. Ton mariage avec Mathieu
ne sera pas sans conséquence à la Bâtie non plus, tu t'en
doutes. J'ignore comment réagira Plantine lorsqu'elle en
sera informée.

— Elle nous croit Elora et moi sous sa domination, et je
ne ferai rien pour la détromper jusqu'à ce que l'enfant de
la prophétie soit né.

— Bien. Cela devrait suffire à protéger Mathieu. Sois
vigilante pourtant. Elle ne reculera devant rien si, par son
pouvoir d'introspection, elle découvre que tu lui mens. Je
vais t'apprendre quelques astuces pour le contrer. M'as-tu
rapporté le flacon pyramide ?

Algonde le tira de la bourse pendue à sa ceinture.

— Avais-tu confié l'un des trois au prince Djem ?

Les sourcils de Présine se froncèrent.

— Comment l'as-tu appris ?

Tandis qu'elle se levait pour ranger la fiole et préparer
ce que la jouvencelle lui avait demandé, Algonde lui relata
le vol dont Djem avait été victime.

Le visage de Présine se ferma et Algonde mesura aussitôt la gravité de l'acte.

— Penses-tu que cette Mounia sache la vérité ?

— Des bijoux auraient bien mieux servi ses intérêts. Si
Houchang, parti à sa recherche, ne la retrouve pas, je me
lancerai moi-même sur ses traces.

— Je sais aussi pour le troisième flacon, avoua Algonde.

Présine hocha la tête, visiblement navrée.

— Je me serai volontiers dispensée de le confier à sœur Albrante mais je n'avais pas le choix. Je ne t'ai pas tout dit, Algonde. Marthe possède un autre pouvoir bien plus dangereux, celui de déposséder les êtres de leur mémoire.

Algonde frissonna.

— Comment ?

— De la manière la plus simple qui soit. Il lui suffit de piquer un de ses ongles entre les yeux de sa victime pour la laisser évidée de sa substance, de ses souvenirs, et souvent de sa vie. Jeanne de Commiers en a fait les frais.

— Le baron m'a raconté.

— Pas tout hélas. Jeanne a toujours eu des visions. J'ai compris trop tard qu'elle en avait eu une à propos de l'enfant de la prophétie. Je n'ai pu empêcher Marthe de lui nuire. J'ai donné l'élixir à sœur Albrante dans l'espoir que Jeanne survive. Mais sa mémoire n'est pas revenue. Alors j'ai décidé d'employer d'autres moyens, un moyen terrible. Jeanne avait donné le prénom de Philippine à Hélène pour la protéger. J'ai convaincu Albrante de le rendre à la jouvencelle dès qu'elle serait en âge de procréer, lui assurant que c'était là en vérité le vœu le plus cher de Jeanne.

— Mais pourquoi ? s'étrangla Algonde.

— Pour remettre Jeanne face au danger. Faire appel en elle à son instinct de mère. Je crois qu'elle sait le moyen de déjouer les plans de mes filles. Sinon, pourquoi Marthe se serait-elle acharnée sur elle ?

— C'est aussi le sentiment du baron.

Le visage de Présine se détendit.

— Allons, nous avons du temps devant nous encore et la guérison de Jeanne est en marche. Contentons-nous du bon côté des choses.

— Lequel ? s'étonna Algonde.

— Je craignais que la carte de verre ne fût perdue à jamais. Or, de toute évidence, c'est en Égypte qu'elle est cachée. Là où cette Mounia est sans doute retournée.

Sur cette certitude, elle lui tendit l'onguent destiné à soigner Mathieu.

— Va. Je vais préparer quelque chose pour le prince. Cela n'aura pas les vertus de l'élixir des Anciens, mais si le poison est commun, il aura des chances de s'en sauver.

Lorsque Algonde la quitta quelques minutes plus tard sur la promesse de revenir très vite, avec Elora cette fois, ses remords vis-à-vis de Fanette s'étaient apaisés. Elle n'avait plus au cœur que le sentiment tenace de devoir, un jour prochain, payer le mal qu'elle lui avait fait.

9.

— Je vous ai toujours estimés et respectés, vous et Janisse. La mort est une chose, la vie une autre. Mon chagrin ne doit pas l'empêcher de continuer. Festoyez, dame Gersende, je vous le demande et m'en réjouirai.

Face aux mains de Cunégonde qui avaient broyé les siennes au lendemain de la messe, l'intendante du château de Sassenage avait accepté que son mariage avec le cuisinier ait la gaieté qu'ils avaient souhaitée. Certes, ils étaient trop âgés l'un et l'autre pour accorder beaucoup d'apparat à la cérémonie, mais tout de même, on ne pouvait éviter le traditionnel banquet.

Commis avec joie en renfort aux cuisines, pendant que petite Elora gazouillait dans les bras d'une des servantes, Algonde et Mathieu s'appliquaient à suivre les conseils des marmitons. Sidonie ayant, en plus de la bénédiction de son époux, offert un coupon de soie à Gersende, les couturières piquaient et cousaient en hâte sa robe de mariée, retenant l'intendante auprès d'elles. Maître Janisse avait, lui, ressorti l'habit de son père. Boudiné à l'extrême, il n'avait pas même pu refermer les braies et avait dû rassembler ses économies pour se faire tailler et broder un nouveau bliaud. À l'exception de Cunégonde et de ses fils, tous au château participaient aux préparatifs, s'accordant à rire en petit comité, recouvrant la gravité du deuil aux abords de la forge.

La veille de la cérémonie, Jeannot se présenta devant Gersende et lui demanda l'autorisation de s'absenter avec les siens quelques jours. Il avait un frère à Grenoble qu'il n'avait pas vu depuis longtemps et estimait que lui rendre visite serait tout indiqué. Mathieu et Algonde les regardèrent fuir la place avec le même pincement de culpabilité au cœur. Sitôt pourtant qu'ils eurent franchi le corps de garde et enfilé la grand-route, tout s'allégea alentour. Un air de pipeau s'éleva dans l'air moite de ce 11 juin, gagna les hauteurs comme une invitation à la fête, et la joie de ces épousailles emporta tous les cœurs de la contrée.

— De quoi ai-je l'air ? demanda Gersende à sa fille en renvoyant une moue sceptique à son reflet dans le miroir en pied qu'elles avaient déplacé des appartements de leurs seigneuries jusque dans le donjon.

Algonde pencha la tête d'un côté, puis de l'autre afin de l'examiner sous tous ses angles et d'attiser un peu l'attente inquiète de sa mère.

— Je suis sûre que Janisse te jugera à croquer.

Gersende fronça le nez.

— Je n'émets aucun doute là-dessus. Je me fais l'effet d'une pomme d'amour, à la vérité !

De fait, les formes un peu trop généreuses de sa mère étaient relevées par l'écarlate du tissu. Algonde éclata de rire.

— Ma foi…

Gersende roula des gros yeux.

— Veux-tu bien te taire, méchante fille !

— Ne voulais-tu mon avis ?

— Pour qu'il défasse le mien, pardi !

Le rire d'Algonde roula de plus belle. Gersende le laissa l'emporter à son tour. Une larme au coin des yeux, elle poussa un profond soupir. Sa tension s'était relâchée d'un coup.

— Allons, fais-moi une jolie natte, ma bécaroïlle, et pressons-nous, j'entends les cloches qui carillonnent pour nous.

*

— Combien ? demanda Djem à l'homme qui, face à lui, les mains liées dans le dos, s'encadrait entre deux gardes. Combien mon frère t'a-t-il offert pour tes basses besognes ?

Le Génois, arrêté le matin même aux portes de la ville, ne répondit pas. Il se contenta d'un sourire hautain. La rage emporta Djem. Son poing partit et lui fracassa la pommette. S'il n'avait été retenu aux coudes, l'homme se serait renversé en arrière. Pour autant, faisant jouer sa mâchoire d'un grincement de dents, il ne baissa pas les yeux.

— Mettez-le aux fers, il sera plus loquace demain, ordonna le prévôt à ses soldats avant de se tourner vers le prince. La question aura raison de son mutisme, croyez-moi.

— Êtes-vous sûr de sa culpabilité ? hasarda Djem en retournant s'asseoir dans un des faudesteuils qui garnissaient élégamment la petite pièce où, quelques minutes auparavant, il jouait aux échecs avec Guy de Blanchefort.

Le grand tournoi s'était achevé trois jours plus tôt sans autre incident et sans qu'il fût proclamé de vainqueur, étant décidé que tous avaient combattu en l'honneur des épousailles d'Antoine de Montchenu et de Louise de Clermont. Après leur avoir remis la cassette de pierres précieuses en cadeau de mariage au nom des participants, Philippine et les siens avaient regagné la Bâtie. Djem avait obtenu du grand prieur de demeurer quelques jours à Romans. Le prévôt était sur une piste et il tenait à voir la fin de son enquête. Ce dernier opina du menton.

— Comme je vous l'ai dit, le valet qui nous a donné son signalement l'a formellement reconnu. De fait, vous l'avez pu juger vous-même, un faciès comme le sien ne passe pas inaperçu. Il s'est introduit dans la place ce soir-là, ne faisait pas partie de vos invités et ne s'est mêlé à aucune conversation. Quant à son silence, s'il ne constitue pas un aveu en lui-même, il ne tend en rien à le disculper.

Djem caressa son poing meurtri.

— Alors justice sera faite.

Le prévôt se fendit d'une révérence.

— Elle le sera, prince. Dans les termes que nous avons conclus.

Il s'effaça et Djem demeura seul un instant avant que la porte qu'il avait pris soin de refermer ne cède le passage à Philibert de Montoison. Sa vue restait détestable à Djem. Voir Philippine s'afficher à ses côtés jusqu'à laisser sous-entendre leurs fiançailles prochaines lui minait le tempérament, déjà inconsolable de la perte de son frère de lait.

— Le Génois n'est pas coupable, lui anonça froidement Philibert de Montoison qui ne l'appréciait pas davantage.

Si le chevalier, trompé par l'apparente docilité de Philippine, était à cent lieues d'imaginer leur complicité, il ruminait bien assez de rancœur à l'égard de Djem pour ne rien lui concéder.

Cette affirmation eut sur le prince l'effet d'une douche froide. Il se tétanisa sur son siège et darda sur son rival un œil noir.

— Seriez-vous, mon cher, meilleur limier que le prévôt ?

Philibert de Montoison le toisa d'un rictus ironique.

— Peut-être… S'il avait poussé son enquête jusqu'en cuisine, il aurait su que le Génois avait quitté la place depuis longtemps lorsque fut préparé votre hydromel.

Djem fronça le sourcil.

— Nous n'avons vous et moi aucune amitié l'un pour l'autre. Quel intérêt trouvez-vous à résoudre ce crime ?

— L'hostilité que j'éprouve pour un de vos protégés.

Djem se dressa. Bien que le sire de Montoison fût grand de stature, il le dominait d'une hauteur de tête.

— Ne me faites pas l'affront d'accuser l'un de mes proches sans preuve.

— Loin de moi cette idée, prince, lui concéda Philibert de Montoison. À dire vrai je songeais à ce drapier que vous prîtes en amitié un peu trop rapidement à mon goût.

L'étonnement marqua les traits de Djem.

— Maître Conan ?

— Lui-même. Je l'ai trouvé nerveux en fin de soirée.

Djem éclata d'un rire clair.

— Et cela suffit à votre clairvoyance…

Les yeux de Philibert de Montoison s'étrécirent de colère. Il eût aimé en cet instant avoir lui-même versé le poison. Il se domina pourtant.

— Ignorez-vous que ce sire commerce avec votre frère par le biais des comptoirs génois ?

Le rire de Djem mourut dans sa gorge. Son attention captée, Philibert de Montoison se rengorgea d'importance.

— Je me fais fort d'obtenir ses aveux pendant que le prévôt s'acharnera sur son prisonnier. En vain d'ailleurs. Je connais ce genre d'individu. Accuser un autre ne servirait qu'à asseoir sa complicité et à le condamner. Il ne parlera pas.

Refoulant sa rancœur, Djem le lui concéda.

— Comment comptez-vous vous y prendre ?

— Plus que tout, maître Conan aime sa fille. Cette nuit même, je la ferai enlever et conduire à l'écart de la ville. Il suffira qu'un message parvienne à son père à l'aube pour qu'il la croie prisonnière du Génois.

— Quel genre de message ?

— Dreux a échoué dans sa mission en se trompant de cible. L'argent contre Marie me semble un argument plausible.

— Je vois.

— Le grand prieur à qui j'ai confié mes conclusions m'accorde sa confiance et les pleins droits. Il ne manque que votre accord pour agir.

— Et si vous vous trompez ?

— Maître Conan viendra quérir votre aide plutôt que se rendre seul à l'endroit qu'on lui indiquera.

Djem pivota pour gagner la fenêtre. Les mains croisées dans le dos, il laissa son regard se perdre dans la rue. À cette heure de la journée, les gens la remontaient en bavardant pour se rendre à la messe, apostrophant les boutiquiers qui fermaient leurs devantures.

Contre son gré, il devait reconnaître en la défaveur du drapier le discours de Philibert de Montoison. Son cœur se pinça. Il avait pris en affection l'exubérance du bonhomme. Menterie. Il serra les mâchoires avec rage.

— Faites. Mais à une condition.

— Laquelle ?

— Je serai des vôtres pour le confondre.

— Cela va de soi, lui accorda Philibert de Montoison avec délectation avant de se retirer, doublement satisfait.

Outre le plaisir qu'il prendrait à rabattre l'orgueil de maître Conan, il en espérait un autre de sa fille. Ne pouvant demeurer plus longtemps loin du service du roi, Laurent de Beaumont était reparti la veille, juste après que ses fiançailles avec Marie eurent été proclamées. Non, songea-t-il, il n'attendrait pas leur hymen pour se venger.

*

Au château de Sassenage, en la petite chapelle, dame Gersende et maître Janisse, debout devant le curé, ému, s'accordèrent d'un « oui » massif à ses commandements. La nef était pleine et un « Hurrah ! » s'envola lorsqu'ils échangèrent un baiser, plus timide que leur tempérament ne le voulait. C'était fait, ils étaient désormais mari et femme, pour le pire et le meilleur de ce que leur vie déjà bien entamée leur réservait. Mathieu et Algonde, la gorge nouée, attendaient que le prêtre les appelle à leur tour. L'homme qui les avait vus naître avait insisté pour bénir lui aussi leurs anneaux, affirmant que ce ne serait pas pécher que de consacrer ici aussi ces épousailles dont tous se réjouissaient.

Tandis que Gersende et Janisse s'écartaient, ils s'avancèrent donc, dans leurs habits du dimanche, bien plus troublés qu'ils ne l'avaient été à la Bâtie. D'un même geste, ils tendirent leurs doigts entremêlés sous l'œil bienveillant du père Vincent.

— Ce que Dieu a uni, mes enfants, nul en ce monde ne peut le dénouer. Soyez à jamais l'un pour l'autre et l'autre pour l'un, tels que vous le fûtes jusqu'à ce jour et depuis votre enfance. Tels que le Seigneur lui-même en vous donnant la foi et la force de vaincre les épreuves vous a accompagnés déjà dans l'adversité.

- À jamais tienne, répéta Algonde en plantant son regard de mousse dans celui de son époux.

— Jusqu'à ce que la mort nous sépare, lui promit Mathieu.

L'abbé Vincent les bénit d'un signe de croix au-dessus de leurs anneaux, un franc sourire aux lèvres, avant d'écarter les bras et de se mettre à chanter.

*

Une nuit sans lune emprisonnait à présent la bonne ville de Romans, ranimant les pérégrinations des coupe-jarrets au long de ses ruelles étroites et, dans les tavernes glauques, les danses lascives des filles de joie.

Dans son lit, le front ruisselant de fièvre, maître Conan essuyait un nouveau cauchemar. Sa femme avait déserté sa couche. Refusant désormais celle d'un assassin, elle avait pris ses quartiers dans la chambre de son fils défunt et y trouvait, elle, un sommeil qui l'avait fuie depuis son trépas.

Un hibou qui avait élu domicile dans les combles battit des ailes avant de se caler, immobile et veilleur, sur une poutrelle. Marie n'entendit pas qu'on escaladait son balcon et repoussait la croisée qu'elle avait laissée entre-bâillée. Sa chambre dominant la cour intérieure, laquelle était bouclée par une lourde porte cochère, elle n'avait aucune raison de s'inquiéter. Elle rêvait de Laurent.

Lorsque la main se plaqua sur sa bouche, elle imagina que c'était la sienne qui étouffait ses sanglots de plaisir et ne reprit pas conscience de la réalité. Eût-elle ouvert les yeux que cela n'aurait rien changé. Une odeur forte lui piqua les narines. Elle sombra dans un sommeil plus lourd duquel s'effacèrent toutes choses, tristes ou gaies.

*

À Sassenage, sous le gros chêne, la table dressée avait fait honneur à la gourmandise des épousés. Se pourléchant les doigts du jus de viande, Janisse et Gersende avaient ri à gorge déployée, grisés d'amour et d'ivresse. Avec l'autorisation du baron, on avait mis en perce deux tonnelets de vin épicé et tué un cochon de lait. Il n'en restait à présent que la carcasse qui servirait à la soupe du lendemain. Les hautes flammes d'un feu cerclé par des pierres dansaient sous le manteau des étoiles au rythme des instruments et du pas des convives entraînés dans une farandole.

Le château festoyait.

La main dans la main, Mathieu et Algonde, épuisés de danse et d'émotion, se fondirent dans l'ombre comme autrefois, lorsque, lassés du jeu des grands, ils traquaient quelque coin tranquille pour les observer de loin et rire de leurs excès. Ce jourd'hui, ils avaient rejoint leur monde. L'insouciance s'en était allée. Pas leur complicité. Ils s'adossèrent l'un contre l'autre au mur d'enceinte, la lueur des flammes dans les yeux, bercés de musique, l'esprit vidé par l'hydromel.

Les yeux rivés sur le feu que cernaient les danseurs, Mathieu referma ses bras autour d'elle et nicha son menton dans son cou.

— Je t'aime, murmura-t-il à son oreille.

À cet instant, un bonheur sans faille envahit Algonde, lui donnant le sentiment illusoire qu'il ne finirait jamais.

*

Gênée dans son sommeil par un rai de lumière, Marie se retourna sur sa couche avant de saisir l'incongruité de la chose. L'astre tardant à franchir le mur clos de la demeure familiale, sa chambre n'en était baignée que fort tard dans la matinée. Craignant d'avoir dormi plus que de raison, elle se dressa en sursaut, les yeux écarquillés, avant de pousser un cri d'effroi en voyant assis sur un tabouret, dans le décor inconnu d'une chambre austère, le sire de Montoison qui l'observait. Elle ramena les draps sur sa poitrine et se mit à trembler d'incompréhension et de crainte.

— Rassurez-vous, douce Marie. Aucun mal ne vous sera fait.

Elle ne parvint pas à s'en convaincre et remonta plus haut la toile.

— Où suis-je ? Que s'est-il passé ? Que faites-vous là ? bredouilla-t-elle en parcourant d'un regard effaré les hauts murs voûtés de la pièce.

Elle ne se souvenait de rien.

Philibert de Montoison se leva et s'étira.

— La nuit fut longue à veiller votre sommeil, ma mie. Je ne pouvais pourtant prendre le risque de vous voir me fausser compagnie à votre réveil. Trop d'intérêts sont en jeu.

— De quoi parlez-vous ?

Il s'approcha du lit. Elle se poussa à l'autre bout.

— Croyez-vous que Laurent de Beaumont voudra encore de vous lorsqu'il saura que votre père est un assassin ?

Marie le foudroya d'un regard hébété.

— Mon père ? Un assassin ? Seriez-vous devenu fou, chevalier ?

— Hélas non ! ma belle. Il chevauche en ce moment même vers le piège que votre enlèvement lui a tendu. Il chevauche pour se livrer lui-même au prince Djem qui ne lui pardonnera pas d'avoir empoisonné son frère de lait. Dans quelques heures, il sera condamné.

Ahurie, Marie le laissa s'asseoir près d'elle et lui prendre la main. Philibert de Montoison la porta à ses lèvres en voyant quelques larmes franchir la barrière de ses cils.

— Bientôt vous serez libre. Le prince Djem m'a affirmé qu'il apporterait son soutien à vos épousailles, étant entendu que le crime de votre père ne saurait rejaillir sur vous ou votre mère. Et s'il le faut, je plaiderai votre cause auprès du seigneur de Saint-Quentin.

— Mais il fut votre rival, hoqueta Marie que l'horreur de ces accusations atteignait peu à peu sans qu'elle parvienne à les admettre.

— Et en tant que tel, il vous épousera ma chère, je m'en porte garant. Pour autant j'entends en être remercié en retour, là, maintenant.

Elle le fixa sans comprendre. Son monde s'écroulait autour d'elle. Philibert de Montoison savoura sa vulnérabilité.

— Crois-tu donc que je sois homme à me satisfaire de si peu ?

Comprenant soudain qu'elle allait être, elle aussi, victime de ce piège, elle voulut reprendre sa main.

— Allez-vous-en, laissez-moi, supplia-t-elle.

Il resserra plus fort sa tenaille.

— Allons, ne fais pas de manières, tu y trouveras ton content bien mieux qu'avec Beaumont, crois-moi.

Dans un réflexe, elle balança sa main libre pour le gifler. Il la bloqua et se jeta sur elle.

10.

Au lieu de la guider, les petits rires étouffés de ses damoiselles de compagnie agaçaient Philippine. Elle détestait avoir les yeux bandés lorsqu'elle jouait à colin-maillard. Enfançonne, elle s'était écrasé le nez contre un tronc de frêne en se prenant les pieds dans une de ses racines protubérantes et avait gardé la face ravagée pendant deux semaines. Elle avançait à pas comptés, les mains tendues, sous les moqueries à peine déguisées de ces oies. Cancan, cancan, cancan. Voilà leur discours permanent. Elle tournoya sur elle-même. Le jardin qui jouxtait le pavillon d'été où l'on donnait quelques farces recelait des bosquets où elles pouvaient se dandiner à l'envi en la trompant du froissement des feuilles. Par ici, par là, chuchotaient-elles pour mieux la perdre. Quelques minutes encore et sa patience serait vaincue. Elle arracherait de ses yeux le bandeau en maudissant la courte paille qui l'avait désignée. Pour punir ces idiotes, elle tomberait le masque. Montrerait le visage de tristesse qu'elle cachait derrière cette débauche de jeux, de fête. On se précipiterait pour l'interroger et elle avouerait combien Algonde et le prince Djem lui manquaient. Combien étaient vides de sens ses jours à les attendre l'un et l'autre. Voilà ce qu'elle se disait, tout en sachant pertinemment qu'elle ne pouvait pas se libérer le cœur et que c'était vers le carré de roses que les chuchotis la menaient immanquablement. Leur parfum suave s'amplifiait et avant longtemps leurs épines grifferaient sa jolie robe pivoine.

Tant pis. Ce jourd'hui encore elle subirait la victoire de ces pimbêches. Soudain elle se figea. Portée par un souffle tiède, une senteur de mousse des sous-bois aguicha sa narine gauche. Elle glissa le pied dans cette direction, le cœur trépidant, cherchant dans ses souvenirs du jardin si quelqu'une de ses compositions pouvait en être à l'origine. Un peu plus loin à senestre, il y avait ce banc de pierre sculpté de colombes. Le jardinier en grattait régulièrement les contours humides. Avait-il oublié de le nettoyer ? À moins que ce ne fût l'allée de roses trémières que bordaient les buissons de buis ? Elle hésita, huma l'air autour d'elle, tressaillit d'une respiration proche. Avança une chaussure, l'autre, et rencontra une peau douce sous ses doigts tendus. Son cœur s'accéléra dans sa poitrine. Elle en connaissait le grain, en retrouvait la fermeté. Elle prit le temps pourtant de suivre l'ovale du visage, l'arête du nez, la ligne des cils baissés, puis comme une gourmandise, certaine à présent de son fait, le galbe charnu des lèvres.

— Je suis heureuse de vous revoir parmi nous, damoiselle Algonde, s'exclama-t-elle.

Les applaudissements de ses dames de compagnie rythmèrent le rire cristallin de la jouvencelle. On lui ôta son bandeau et Algonde, pétillant de son propre bonheur à la retrouver, s'inclina avec grâce devant elle.

Quelques minutes plus tard, délaissant ces dames qui engageaient une nouvelle partie, les deux amies passaient sous un porche de vigne rouge pour gagner le pied d'un tertre rocheux piqué de touffes de valérianes et de violettes. Un bassin d'eau claire alimenté par une source habillait l'enclave de granit. Elles s'assirent sur la margelle à hauteur de genoux, isolées des regards par la frange de végétation et des oreilles indiscrètes par le clapotis de l'eau. Sur l'insistance de Philippine, Algonde se mit en devoir de lui conter son voyage.

La roche écartée en silence sur son mécanisme secret, Marthe s'arrêta net au seuil du passage qu'elle venait de franchir pour regagner le château de la Bâtie, à l'insu de ses habitants. À deux pas d'elle derrière l'écran végétal, le timbre à peine assourdi d'Algonde l'empêcha d'avancer. D'ordinaire l'endroit était désert, un peu à l'écart des jardins d'agrément et du carré des simples cultivés jalousement par l'abbé Mancier. Oublié des gens de la maisonnée, ce souterrain offrait plusieurs boyaux qui depuis des siècles avaient permis à Marthe d'aller et venir dans les lieux et d'y surveiller ses proies. Elle avait même aménagé son véritable repaire dans une des cavités de la roche. Les oubliettes de l'ancien château fort, masquées lors de la transformation de l'édifice, avaient plus d'une fois servi ses desseins ou ses expériences, retenant tel valet ou tel enfant qu'on imagina égarés et dévorés par les loups. Impossible dans l'obscurité des puits de déterminer combien des ossements qui les jonchaient étaient la résultante de son acharnement à vaincre la malédiction qui pesait sur elle. Indépendamment de la prophétie qui constituait son ultime recours, sa cruauté avait un nom, l'effroi. Son ennemi un visage, le temps qui la dévorait et accentuait sa laideur. Au point que Marthe en oubliait qu'elle avait été Plantine, pervertie jusqu'en ses ongles recourbés et noirauds par les pouvoirs pris à la Harpie cloîtrée à sa place en terre d'Aragon. Lorsque la fée d'autrefois ressurgissait en son âme abîmée, comme une étincelle sans feu, le dégoût la prenait devant l'ampleur de ses vices, l'horreur de ses actes, la monstruosité de ses traits. Les cornues, poudres, feuilles, liqueurs, macérations, excréments, emplissaient ses chaudrons, bouillaient, distillaient sur des foyers fermés qui assombrissaient les galeries d'une fumée épaisse. Tandis qu'au-dessus d'elle et loin aux alentours, grandes et petites gens vaquaient à leurs existences trop courtes, Marthe s'époumonait, crachait, sifflait, ahanait, pleurait au milieu de cet écran opaque qui voilait tous les miroirs. Ils ne reflétaient plus que sa détermination à expurger d'elle la noirceur et l'abomination. D'échec en échec pourtant, elle avait cessé de se rebeller, acceptant sa transmutation comme un mal nécessaire. Un mal qui lui donnerait le moment venu l'ascendant suffisant pour tuer Mélusine. Marthe le savait. Sa sœur avait souffert les mêmes affres. Elles eussent pu s'allier pour enrayer la malédiction que leur mère, Présine, leur avait jetée, mais Mélusine l'avait toujours tenue pour responsable, elle, Plantine, de ce qui leur était arrivé. De fait, c'était elle qui la première, en apprenant la vérité sur leur naissance, le rejet de leur père, Élinas d'Écosse, qui les avait privées toutes trois du pouvoir et de ses richesses, oui, c'était elle qui avait brandi l'étendard de l'injustice, les convainquant de venger leur orgueil bafoué. Si elle en avait alors imaginé les conséquences, jamais elle n'aurait agi ainsi. Non, jamais. Inutile depuis d'arguer de repentir. Mélusine avait été incapable de lui pardonner. Le trône des Hautes Terres ne pourrait être partagé. Et Marthe le voulait désormais. Plus que tout au monde. Autant que sa sœur. Le combat serait sans merci dès lors qu'Algonde aurait rempli le rôle qu'on lui destinait. Marthe n'avait pas d'autre choix. C'était une question de survie. Elle n'espérait en vérité qu'une seule chose dès lors qu'elle reprendrait ses traits originels. C'était de conserver cette froideur cruelle, afin qu'aucun remords ne vienne entacher le règne du royaume de féerie qui lui reviendrait.

Glissant sur la mousse humide qui tapissait le sol nourri par de fines ridules d'eau échappées de la fontaine,

Marthe s'avança silencieusement jusqu'à percevoir la teneur de la conversation des deux jouvencelles qui lui tournaient le dos. Algonde de retour, elle allait devoir sans tarder s'occuper de la petite Elora si elle voulait à tout jamais la verser de son côté.

Invisible derrière le rideau de lierre, elle accrocha un sourire cynique à sa face hideuse. Il était question du prince Djem dans la bouche de Philippine. La prophétie semblait merveilleusement engagée.

— Quand rentre-t-il ? demanda Algonde, soucieuse, après avoir entendu à son tour le récit du grand tournoi et les circonstances de la mort d'Anwar.

— Je l'ignore, soupira Philippine en agitant sa main devant son nez, la respiration agacée par de petits insectes. Louis est resté à Romans dans son sillage et celui de Philibert. C'est la seule consolation que j'en ai. Mais je crains le pire, Algonde. Chaque coursier qui s'en vient au château me donne à frémir. S'il baisse les yeux en me croisant, je me sens défaillir, certaine qu'on va m'annoncer le trépas de l'homme que j'aime.

Algonde fouilla dans la bourse à sa ceinture.

— Tout cela est inquiétant, je te l'accorde. Il est donc urgent de lui confier l'élixir que tu m'as commandé.

Le visage de Philippine s'éclaira avant de se rembrunir devant le flacon anodin qu'elle lui présenta.

— Est-ce bien le même ? Où est la fiole pyramidale qui le contenait avant que tu ne l'absorbes pour te guérir toi-même ?

— La sorcière l'a jugée trop voyante et reconnaissable. Qui l'a dérobée une fois pourrait vouloir recommencer. Dans ce récipient la potion passera inaperçu. Explique-le au prince Djem.

Philippine se contenta de cette justification et empocha le flacon avant de prendre un air gêné.

— T'a-t-elle dit autre chose ?

— Autre chose comme quoi ?

— Au sujet de mes épousailles par exemple…

Algonde n'eut pas le temps de lui répondre. Un bruissement de feuilles attira son attention en direction du jardin qu'elles avaient quitté tantôt. Elle plissa les yeux et accrocha le chatoiement d'une étoffe mordorée. Abandonnant Philippine, elle bondit, certaine qu'une de leurs compagnes venait de les espionner.

Cette poursuite ravit Marthe. Alertée par l'évocation du flacon pyramidal au contenu capable de remettre Algonde sur pied, elle abandonna toute réserve. Il lui suffit de quelques pas pour surgir derrière la jouvencelle, un chant au bout des lèvres. Immobilisée par le charme, Philippine ne manifesta de réaction que dans son regard effrayé lorsque Marthe s'accroupit devant elle.

— Et si tu m'en disais davantage sur ce flacon pyramidal, ma jolie ? entendit Philippine loin derrière ses tympans.

Incapable de se soustraire à son emprise, elle raconta dans un murmure tout ce qu'elle savait.

Catherine de Valmont. Sitôt qu'elle l'eut reconnue à sa mise, Algonde força l'allure, les pensées s'entrechoquant sous son hennin bousculé par la course. Simple indiscrétion de la part de cette damoiselle ? Algonde l'avait supposé avant de la voir détaler pour rejoindre le groupe des dames de compagnie que le jeu avait éloigné d'un autre côté du parc. Visiblement, elle n'avait pas deviné qu'Algonde la pourchassait. Profitant de cet avantage, la jouvencelle décida de la prendre par le revers. Agaillardie par le pouvoir des Anciens qui coulait en ses veines, elle ne fut pas longue à lui barrer la route. À peine essoufflée, elle eut le temps de rajuster sa coiffe avant de la voir surgir entre deux bosquets. Adossée sur le bas-côté à un cognassier sinueux, Algonde lui offrit un sourire engageant.

— Vous voici bien loin de vos amies, ma chère Catherine.

L'autre sursauta, doutant un instant d'elle-même et de ce qu'elle venait de surprendre. De fait, il était impossible qu'Algonde se trouvât là.

— Un besoin. Pressant, se justifia-t-elle sans s'arrêter, les joues rouges encore du feu de son échappatoire.

À deux pas de là, devant elles, une tonnelle longue de huit pieds au plafond de vigne rouge et de roses mêlées ramenait vers l'esplanade du château. Il était de coutume pour les amoureux d'y échanger quelque baiser discret, protégé par l'ombre et la fraîcheur qui y régnaient. Pour l'heure elle était déserte, et à moins d'abîmer sa robe dans les massifs épineux qui la cernaient, Catherine n'avait d'autre choix que de la traverser.

Algonde percevait sa crainte. Les doigts s'étaient crispés sur les pans de ses jupes qu'ils relevaient pour les empêcher de traîner sur le sol. Le front s'était plissé légèrement, les mâchoires contractées. Ce n'était pas le comportement d'une innocente. Algonde en fut certaine à l'instant. Catherine de Valmont avait habilement caché une nature d'intrigante. Restait à savoir qui elle servait.

S'aidant de ses paumes ramenées contre le tronc d'arbre, Algonde se propulsa en avant et lui barra le passage.

Ramenant la main à hauteur de son cœur, Catherine laissa échapper un petit cri de surprise.

— Sang Dieu ! damoiselle Algonde ! Voulez-vous donc me faire mourir à pareilles manières ?

Algonde refusa de se laisser prendre à sa mine effarouchée, son visage se ferma.

— Ce n'est pas exclu, répliqua-t-elle en lui empoignant l'autre bras sans ménagement pour l'entraîner vers la tonnelle.

— Voulez-vous bien me lâcher ? Vous me faites mal, se défendit Catherine en tentant de se dégager.

Algonde resserra son emprise. Vaincue par sa force étonnante autant que par sa sourde détermination, en quelques pas Catherine de Valmont se retrouva isolée des regards sous le manteau pourpre de feuilles de vigne.

— Mais enfin… qu'avez-vous donc ?

Algonde lui fit face, l'œil mauvais.

— Suffit Catherine ! Vous ne parviendrez ni à m'infléchir ni à me duper, cette fois. À qui comptiez-vous rapporter notre propos ?

— Je ne vois pas…

Sa piètre défense s'acheva dans un hurlement de douleur. Lui vrillant l'avant-bras, Algonde la força à s'agenouiller sur le sol dallé.

— Qui ? insista-t-elle sans la moindre pitié.

Des larmes dévalèrent les joues fardées de la jouvencelle.

— Vous me brisez les os…

— Parle !

Un sanglot prit Catherine. La tenaille la fit chanceler, s'agripper de l'autre main à la jupe de son bourreau.

— Louis de Sassenage… avoua-t-elle dans un souffle.

Algonde la repoussa sans ménagement. Catherine s'effondra. Assise et défaite, elle fixa son bras violacé avant de relever des yeux noirs vers Algonde. Altéré par sa rancœur et sa véritable nature, son visage avait perdu tout angélisme. Elle la toisa.

— Je serais toi, je me hâterais de quitter le château !

Le front d'Algonde se plissa d'agacement. Elle mesurait soudain combien Philippine et elle s'étaient laissé fourvoyer par la joliesse et la feinte délicatesse de Catherine, au point de lui avoir offert la meilleure place dans leur entourage pour les espionner. Fallait-il que la damoiselle soit habile pour qu'à aucun moment elles n'aient su voir son jeu! Louis s'était remarquablement acoquiné! Forte de son silence qu'elle dut prendre pour de la crainte, Catherine se releva, réprima sa douleur d'un durcissement des mâchoires et lui fit face, sûre d'avoir repris le contrôle de la situation.

— On ne lève pas impunément la main sur la noblesse quand on est fille de rien. Je m'en vais de ce pas me plaindre à Louis. Demain tous les chiens seront lâchés sur tes traces et tu crèveras comme tu es née!

— Je ne crois pas, non, dit Algonde en élevant la paume de sa main vers le front de Catherine.

Instinctivement, celle-ci recula.

— Ôte-toi de mon chemin. C'en est fini de toi, Algonde. On s'en vient.

De fait, des voix rieuses se rapprochaient, répercutées par l'écho de la tonnelle qui, près de l'autre extrémité, formait coude. Le temps était compté à Algonde. Loin de s'en inquiéter, mue par cet instinct de survie qui désormais faisait corps avec elle et prenait tout contrôle, elle fixa Catherine dans les yeux. Louis ne devait pas apprendre la relation entre Philippine et Djem. L'avenir du monde en dépendait. Le sien aussi.

— Adieu damoiselle de Valmont, dit-elle au moment où un rayon éclatant de lumière franchissait la barrière de sa paume pour la frapper entre les sourcils.

Catherine clapa de la bouche comme un poisson hors de l'eau avant de s'affaisser sur elle-même.

Sans le moindre remords, Algonde l'enjamba et disparut silencieusement avant même qu'on ait tourné le coin.

11.

Maintenant ou jamais. Assise au bord du lit, Jeanne de Commiers tendit l'oreille. L'ancien donjon qui abritait ce jourd'hui l'abbaye de Notre-Dame-des-Anges à Saint-Just-de-Claix ne frémissait que des craquements imposés par les variations de température entre le jour et la nuit. Tous dormaient dans le château séculaire. Elle se redressa, frémit de la plainte du parquet sous son modeste poids, se rassura de l'idée qu'elle se fondait aux autres et retira sa chemise de lin pour enfiler ses vêtements de jour. Espérant se protéger de l'air vif, elle passa une pelisse par-dessus sa robe. Elle n'aurait pas froid, se convainquit-elle pour tromper le détestable frisson qui, à intervalles irréguliers, lui parcourait l'échine. L'idée de fuir ainsi ce lieu, qui, si longtemps, avait été pour elle une terre d'asile, lui broyait le cœur. Elle n'avait pas le choix cependant. Malgré les nombreux courriers adressés à Jacques pour le tenir informé de l'étonnante récupération de sa mémoire et de ses facultés, son époux n'avait pas daigné répondre ni se déplacer. Sœur Albrante avait cru bon de révéler à Jeanne que, conforté dans son veuvage par leur mensonge, il avait épousé Sidonie, laquelle venait de lui donner un fils. Était-ce là la raison de son silence ? L'oubli ? La culpabilité ? Jeanne refusait de croire que Jacques avait cessé de l'aimer. Tout autant, que Sidonie, qu'elle chérissait sincèrement, en soit responsable. La vérité était ailleurs, elle en était persuadée sans parvenir à la saisir encore.

La veille, peu de temps après qu'elle s'était couchée, tandis qu'elle cherchait un hypothétique sommeil, une vision l'avait prise, comme autrefois. Elle en était sortie le souffle court, glacée jusqu'à la moelle, terrorisée. Lors, ce qui lui manquait encore de souvenirs l'avait recouverte telle une déferlante gigantesque naufrageant tout sur son passage. Sa première réaction avait été de se recroqueviller sur sa couche, emprisonnant un oreiller entre ses coudes pour s'y cacher le visage. Ne plus voir la face immonde du diable penché sur elle, ne plus respirer l'odeur du sang et de la charogne. Puis, peu à peu, elle s'était apaisée. Rallumant la chandelle, elle avait réchauffé ses mains à la chaleur frêle de sa flamme, rassurée de sa lumière. Guérir totalement passait par revivre ce qui avait précédé son agonie. Calée contre la tête de lit sous le Christ en croix qui la protégeait depuis six années, les genoux emprisonnés dans ses mains, la couverture tirée jusqu'au menton, elle s'était préparée à remettre de l'ordre dans sa tête.

1478. Nuit du solstice de printemps. Elle venait d'embrasser ses enfants, les filles d'un côté, les garçons de l'autre. Un feu vif nourrissait de chaleur leurs chambres respectives. Embrumés déjà par le sommeil, ils avaient à peine répondu à son baiser. Elle avait refermé l'huis. S'était dirigée vers ses appartements où la petite Claudine née quatre mois plus tôt dormait dans son berceau au pied de leur couche. Jacques ne tarderait plus à la rejoindre. Plantée devant la croisée à meneaux qu'un clair de lune inondait, elle s'était amusée du jeu d'une chouette en contre-jour. Avant de cristalliser son regard dans le parc.

Une silhouette venait de s'y matérialiser. Le faciès inondé de clarté blafarde, elle avait levé les yeux vers la fenêtre de ses filles. Marthe. La fidèle compagne de Sidonie. Le sang de Jeanne s'était glacé. Jusqu'à cette nuit-là, elle avait cru que son instinct la trompait, que cette femme dont la présence l'inquiétait lorsqu'elle se rendait à Sassenage n'avait en commun avec la ventrière qui l'avait accouchée de Philippine que sa laideur. La ressemblance avait beau être nette, rien ne permettait à Jeanne de les rattacher l'une à l'autre. De plus, réservée, discrète, Marthe s'effaçait pour les laisser en tête à tête, Sidonie et elle, et faisait montre d'une affabilité louable. Au point que, bonne chrétienne, Jeanne s'était plus d'une fois reproché de ressentir autant d'antipathie à son égard. Pour autant, rien n'avait changé. En la présence de cette femme, elle se sentait en danger. Cette nuit-là à la Bâtie, ignorant être observée, Marthe s'était dirigée vers un pan de muraille et avait disparu à son pied. Jeanne n'avait pas attendu davantage. Prenant ses jambes à son cou, elle avait attrapé le poignard de Jacques dans un tiroir et traversé le couloir jusqu'à la chambre de ses filles. Refusant de les effrayer en les éveillant pour rien, elle s'était tapie derrière une tenture proche du lit de Philippine, la main serrée sur le manche de l'arme. Ses pensées se bousculaient sous sa coiffe. Tout le temps de la grossesse de son aînée, d'horribles visions l'avaient assaillie. Elle s'était vue, elle, accouchant d'un enfançon monstrueux, velu de la tête aux pieds, qu'une inconnue lui arrachait pour le mettre en sécurité. L'instant d'après, alors qu'elle était encore pantelante de ses couches, l'horrible ventrière déboulait, la violentait pour savoir où le nourrisson se trouvait, promettant enfer et damnation à sa lignée si elle ne répondait. C'était lorsqu'elle l'avait appelée Hélène que Jeanne avait compris que ce songe ne la montrait pas, elle, mais une autre qui lui ressemblait telle une jumelle. Lui refusant tout répit, les images s'étaient succédé. La mort de son époux, des bâtiments en flammes, sa terre ravagée. Le triomphe du mal.

Quelques jours plus tard, Jeanne mit au monde une fille que Jacques voulut prénommer Hélène. Elle hurla, refusant que s'accomplisse cette funeste destinée comme tant d'autres visions qu'elle avait eues. Hélène était devenue Philippine, et la ventrière avait été chassée. Jeanne s'était apaisée. On pouvait infléchir le pouvoir du mal par la foi. Et Jeanne avait tant prié ! Durant dix années, elle s'était convaincue d'avoir gagné, jusqu'à cette nuit du 21 mars 1478.

Lorsque la cheminée pivota sur elle-même et que Marthe surgit du gouffre béant et puant de moisissure, le souffle manqua à Jeanne. Ruisselante de sueur animale, les doigts crispés sur le manche du poignard, elle avait attendu que Marthe s'approche du berceau pour s'interposer courageusement.

— Vous n'irez pas plus loin, Marthe !

Surprise par son audace, Marthe s'était immobilisée.

— Vous voici bien plus farouche que je ne l'aurais cru, Jeanne. Mais c'est inutile. Vous ne pouvez rien contre moi.

— Vous vous trompez, je sais qui vous êtes.

Ramenant son autre main à hauteur de son cou, elle longea la chaînette et brandit la croix qui y était accrochée.

— *Vade retro Satanas !* clama-t-elle haut et fort.

Marthe se mit à rire.

— Pauvre idiote ! Même ton diable fuirait devant moi. Allons, écarte-toi. Je viens juste m'assurer que ta fille est bien celle que j'attends. Je ne lui ferai aucun mal et à toi non plus.

— Vous mentez. Vous voulez l'enfant. L'enfant velu. Mais je sais le moyen de vous en empêcher.

Marthe sursauta.

— Comment…

Elle pinça ses narines et soudain, Jeanne perdit tout contrôle. Sa main lâcha l'arme. Le bruit fit ouvrir les yeux de Philippine.

— Maman ? s'effraya-t-elle de sa silhouette en contre-jour.

Jeanne voulut répondre mais aucun son ne franchit ses lèvres. Alors Philippine hurla. Marthe recula jusqu'au passage. Il se referma sur elle comme la lumière d'une chandelle trouait l'obscurité. Jeanne recouvra ses esprits devant la servante qui s'était précipitée. Elle refusa d'inquiéter Jacques. Elle n'avait pas de preuves. Malgré ses efforts, la cheminée refusa de lui livrer son secret. La seule chose qu'elle entreprit fut d'isoler Philippine au dernier étage d'une tourelle dont elle s'assura que les parois étaient pleines. Philippine n'y trouva rien à redire, au contraire. Elle allait sur ses dix ans et aspirait à un appartement pour elle seule et sa chambrière. Rassurée par la présence de cette dernière qui chaque soir barrait l'huis, Jeanne aurait dû recouvrer le sommeil. Il n'en fut rien. Harassantes, des visions cauchemardesques continuaient de l'assaillir, jusqu'à ce qu'une, différente des autres, lui parvienne. Un songe dans lequel cette fois, elle avait, elle, Jeanne de Commiers, un rôle à jouer pour sauver les siens. C'était pour cette raison qu'elle s'était pressée dès le lendemain à l'abbaye de Saint-Just, malgré la certitude que Marthe guettait la première occasion. Elle avait confiance en l'eau bénite qu'elle avait attachée à son cou autant qu'en son escorte pour la protéger. Ni l'une ni l'autre n'avaient rien pu empêcher et, contre toute attente, sœur Albrante avait rendu à Philippine le prénom d'Hélène. Jeanne n'avait donc plus le choix.

Ce jourd'hui, 16 juin 1484, elle devait reparaître pour sauver les siens.

« Allons, se dit-elle en prenant fermement en main l'anse du bougeoir. Il n'est pas trop tard encore si tu en crois les confidences de sœur Albrante concernant Philippine. L'heure est venue d'informer Jacques et Sidonie de ce que tu sais. L'heure est venue de vérifier si ta vision d'autrefois est vérité. »

Sans plus attendre, elle tira vers elle la lourde porte cintrée qui l'avait isolée toutes ces années du monde extérieur et se glissa sur le palier obscur. Déterminée, elle rabattit le capuchon de son mantel sur son visage et descendit silencieusement l'escalier.

Marthe était fébrile. Les révélations de Philippine sur les étonnants pouvoirs de ces fioles pyramidales l'avaient immédiatement ramenée à l'histoire des Hautes Terres. Comme Mélusine, elle savait que flacons et table de verre avaient été volés et que seule la porte d'Avalon permettait d'atteindre encore la cité blanche. Que sa mère Présine ait retrouvé les premiers et se soit servie de leur contenu pour sauver Algonde l'agaçait. D'une part parce que l'élixir de vie avait forcément contrecarré les effets maléfiques de la potion qu'elle lui avait fait ingurgiter, et qu'en conséquence Algonde résisterait à son influence. D'autre part parce qu'elle connaissait assez bien sa mère pour comprendre que ces reliques revêtaient pour elle une importance capitale. Restait à savoir pourquoi. Marthe ne doutait pas de le découvrir. Le fait de savoir que sa mère se dissimulait sous le masque de la sorcière de Sassenage était tout aussi précieux. C'est souvent ce que l'on a sous les yeux que l'on remarque le moins. Elle devait lui reconnaître là une grande habileté, car, à dire vrai, Marthe s'était laissé duper. Pas une fois elle n'avait perçu son aura féerique. Preuve encore que sa mère avait peaufiné ses pouvoirs magiques. Elle était donc plus dangereuse et sournoise qu'elle ne l'avait pensé. Qu'importe ! Marthe possédait à présent un avantage. Celui d'être avertie des résistances qu'on lui opposerait. Philippine lui avait assuré qu'un des flacons pyramides se trouvait à Saint-Just-de-Claix, dans l'antre de sœur Albrante. Marthe comprenait mieux pourquoi Jeanne de Commiers avait survécu et, si elle en croyait le courrier qu'elle interceptait, avait depuis peu recouvré la mémoire. De toute évidence, la moniale lui avait administré l'élixir des Anciens.

— Pauvres mortels, soupira-t-elle en actionnant le mécanisme qui faisait pivoter le fond de la cheminée de sa chambre, autrefois celle des filles de Jeanne.

Ne pouvaient-ils demeurer à leur place ? Fats et insignifiants ? Elle s'engouffra dans l'escalier aux relents putrides. Non. Somme toute c'était bien ainsi. Qu'ils se rebellent, enragent, se dressent et la bravent. C'était la seule distraction que ce monde détestable lui offrait.

Baignée par l'ombre de l'imposant donjon carré, Jeanne rasa la façade du corps de logis rectangulaire pour gagner la chapelle. Longuement, en 1478, la nuit qui avait précédé son agression, après avoir vu en songe s'ouvrir le gisant d'une dame le front ceint d'une couronne et les mains de pierre croisées sur la poitrine, elle s'était demandé d'où elle la connaissait. Au matin la réponse lui était venue. L'abbaye de Notre-Dame-des-Anges à Saint-Just-de-Claix. La reine Béatrix de Hongrie. Une légende racontait que de nombreux souterrains partaient de l'ancienne maison forte royale et permettaient de rallier les châteaux de Rochechinard, de la Bâtie et de Saint-Laurent-en-Royans. Beaucoup les avaient cherchés. Aucun ne les avait trouvés. Le pays ne craignant plus les invasions, ces passages étaient tombés dans l'oubli jusqu'à disparaître. Lors de la rénovation de la Bâtie, Jacques en avait mis quelques-uns au jour, mais il ne s'était guère aventuré dans ces boyaux qu'il avait craints peu stables voire comblés. Sans nécessité, l'homme perd de sa témérité, avait-il conclu en haussant les épaules. Devant l'huis découvert, il avait fait tendre une tapisserie d'Aubusson. Une dame à la licorne. Somptueuse parure d'une salle de musique.

Jeanne ne douta pas un instant de parvenir à se guider. Son rêve prémonitoire dansait devant ses yeux comme une étoile de berger. Elle se sentait capable de vaincre tous les dangers. Elle passerait sous la montagne et regagnerait ses terres. Là, elle retrouverait Jacques. Sans doute couché auprès de Sidonie, songea-t-elle en contournant le chœur. Un pincement dans la poitrine. Elle le chassa en balayant son bougeoir au-dessus du tombeau dissimulé sous une des dalles du sol. Elle chercha l'ergot qui faisait basculer la trappe. L'enfonça en se disant qu'il y avait plus important que jalouser sa cousine, et entreprit de descendre la volée de marches qui, en place d'un cercueil, s'ouvrit dans le vide du caveau.

Marthe n'avait pas besoin de torche pour se guider. Sa vision nocturne était parfaite. Quant aux différents boyaux qui sillonnaient les sous-sols, elle avait eu plus de temps qu'il n'en fallait pour les visiter tous, en découvrir les pièges et les sorties. Aucun des châteaux alentour n'avait de secret pour elle. Elle avança le pied sûr. À la première intersection, sous cette voûte de granit qui suintait de fines gouttelettes le long des franges sculptées par le temps, elle obliqua vers la droite en direction de Saint-Just-de-Claix, chassant du bout de son soulier un gros rat crevé en travers du passage étroit et irrégulier.

Au fil des pas, concentrée sur sa marche, Jeanne finit par perdre la notion du temps écoulé. Une lieue et demie séparait l'abbaye de son castel de la Bâtie. Une fois quittée la petite crypte où reposait la reine Béatrix dans son cercueil de pierre, le souterrain était devenu étroit, à peine plus haut qu'elle, sinueux parfois, putride au point qu'elle tenait à présent un mouchoir sous ses narines pour filtrer l'air vicié, mais sans aucune intersection. Pour tromper l'angoisse que faisait naître en elle, malgré ses résolutions, l'isolement dans lequel elle se trouvait, elle ânonnait des cantiques tout en prenant grand soin de ne pas noyer la mèche de sa chandelle dans la cire fondue. Ponctuant parfois la régularité des parois, la flamme accrochait de sa mouvance une niche jonchée d'ossements ou une excroissance de pierre nappée d'ombre qui la faisaient déglutir, tendre l'oreille et presser le pas pour les dépasser avant de se moquer d'elle-même. Elle était seule. Seule. Et n'avait rien à craindre. Peu à peu elle se rassura et, malgré sa fatigue grandissante, gagna en témérité. N'allait-elle pas revoir ses enfants ? glisser au-dessus de leurs visages assoupis le sien avide de les découvrir après tant d'années ? Un sourire apaisé illumina ses traits. Jusqu'à ce qu'elle perçoive un écho, loin devant elle. Un instant, elle pensa que son imagination se jouait de sa lassitude. Elle avança encore avant de s'immobiliser et de tendre l'oreille. Son cœur accéléra dans sa poitrine. Non. Elle ne rêvait pas. Quelqu'un venait dans sa direction. Pour rejoindre de toute évidence l'endroit qu'elle avait quitté. Dans quel but ? Elle se mordit la joue, étouffant un petit cri d'angoisse. Marthe. Ce ne pouvait être qu'elle. Pour l'occire. Une fraction de seconde, elle voulut faire volte-face et courir à perdre haleine. Ce faisant, son regard accrocha l'ombre d'une aiguille de roche masquant une des niches qu'elle venait de dépasser. Les pas se rapprochaient, pour autant aucune lumière ne trouait l'obscurité. Rattrapée par son instinct, Jeanne gagna l'aspérité, moucha sa flamme et se terra, le souffle si court qu'elle pensa un instant qu'elle finirait là, asphyxiée.

Toute à sa progression solitaire et rapide, Marthe dépassa sa cache sans la remarquer. Du moins le laissa-t-elle croire, car depuis quelques pas, son odorat avait accroché une incongruité dans ce lieu dépourvu de toute activité. Un relent de suif emplissait la voûte, masquant à peine celui de la chair humaine, reconnaissable entre tous.

Jeanne attendit que les pas s'estompent avant d'ôter délicatement ses souliers. Elle tâta sa ceinture par réflexe. Vérifier, bien qu'elle l'ait fait avant de partir, qu'elle avait toujours dans sa bourse un briquet d'amadou et deux chandelles de rechange. Plus loin, se dit-elle en quittant son abri. Elle rallumerait plus loin. Suivant la paroi du plat de sa main, elle s'esquiva le plus vite possible, jusqu'à courir au mépris de la roche qui lui déchirait les doigts. Avec une seule idée en tête. Retrouver les siens.

Immobile dans le souterrain, les sens aux aguets, Marthe hésita quelques secondes avant de poursuivre son chemin. Qui que soit celui ou celle qui fuyait, elle n'en avait rien à craindre et aurait tôt fait de le retrouver. Elle n'était plus très loin de son but. Elle s'élança dans une course qu'aucun humain n'aurait pu rattraper. Quelques minutes plus tard, elle atteignait la crypte souterraine, amorçait le mécanisme, sortait par la dalle, traversait la chapelle puis la cour du château et forçait le pas de l'hospice sans être le moins du monde inquiétée.

Sœur Albrante n'aurait su dire ce qui la tira du sommeil. Aucune malade ne séjournant en ce lieu, elle y passait des nuits sereines que son âge grandissant prenait goût à allonger entre les différents offices. Dressée sur sa couche par un pincement au cœur, inhabituel chez elle, elle tendit l'oreille, jusqu'à acquérir la certitude qu'on bousculait ses cornues dans la pièce voisine.

— Ah çà ! gronda-t-elle en se levant précipitamment.

Glissant dans ses souliers, elle alluma sa chandelle, enroula un châle sur sa chemise de nuit. Qui donc ici se croyait assez savante pour se passer de ses services ? Ne savait-on pas que ce qui soigne peut tuer ? Résolue à sermonner vivement l'imprudente, elle se faufila dans le corridor étroit et se dirigea sans mollir vers l'huis entrebâillé.

— Je voudrais bien voir… commença-t-elle en poussant le battant avec humeur.

Les mots s'étranglèrent dans sa gorge. Battue par la flamme dansante, la Harpie venait de faire volte-face à son entrée. Albrante recula d'un pas devant sa laideur diabolique, saisie d'effroi et de surprise. Prisonnier de ses ongles crochus et noirs, le flacon pyramide que Marthe venait de voler dans le coffre forcé focalisa les yeux ahuris de sœur Albrante.

— Hors mon chemin, ma sœur, lui jeta Marthe avec mépris en empochant sa trouvaille.

Le sang d'Albrante lui battit les tempes. Elle ne comprenait rien de ce qui se passait là, mais un sursaut de courage exigea qu'on lui rende cet élixir si précieux pour elle, Philippine et Jeanne. Ébauchant à toute vitesse un signe de croix sur sa poitrine pour se mettre sous la protection divine, elle secoua la tête, l'œil aussi noir que celui de l'intruse.

— Pas avant que vous ayez reposé cela.

— Je n'ai pas de temps à perdre en palabres, gronda Marthe en fondant sur elle.

Bien que terrorisée, sœur Albrante empoigna de sa main libre l'encadrement de la porte pour lui en interdire l'accès.

— Vous ne passerez pas, s'entêta-t-elle.

Un trait de fureur balaya le regard sans âme de Marthe et le dos de sa main passa dans la timide lumière.

La dernière pensée d'Albrante fut pour Philippine, avant qu'arraché de sa poitrine son cœur palpitant encore ne vienne éclabousser de sang des bocaux qui se trouvaient sur la table, à quelques pouces de là.

Jeanne ne sentait plus ses jambes. Épuisée, le souffle court, elle avait fini par s'adosser à la paroi après une course éperdue. De nouveau piquée sur le bougeoir, la chandelle rallumée répandait une rassurante clarté autour d'elle. Le silence l'enveloppait. Elle était hors d'atteinte. Pour autant était-elle sauvée ? Face à elle trois boyaux s'ouvraient. Lequel menait à la Bâtie ? N'avait-elle pas déjà rencontré pareille configuration sans s'en rendre compte alors qu'elle fuyait ? Un sanglot monta de son ventre qu'elle refoula.

« Allons, Jeanne. Fouille tes souvenirs. Aie confiance en ta vision d'autrefois. » Elle ferma les yeux un instant, se laissa reprendre par les images avant d'allonger son pas. Tout droit. Pour la Bâtie c'était tout droit. Elle progressa un long moment encore, refusant de se décourager malgré d'autres intersections, malgré sa main douloureuse sur laquelle le sang avait caillé et ses larmes qui coulaient à présent d'épuisement. Et puis soudain, là devant elle, après une cinquantaine de marches, un mur. Juste un mur qui lui barrait le passage. Elle se précipita en riant nerveusement. D'un mouvement lent du poignet, elle balaya la flamme sur ses aspérités. Repérer le mécanisme. Faire pivoter le pan. Revenir chez elle.

— Bonsoir, Jeanne ! la cueillit comme une sentence la voix de Marthe derrière elle, à l'instant où elle le trouvait.

12.

— C'est déjà l'heure? bâilla Mathieu d'une voix pâteuse en relevant une paupière lourde.

Il lui semblait n'avoir dormi que quelques minutes tant leur étreinte s'était prolongée tard dans la nuit. Avides l'un de l'autre comme si le temps leur était compté chaque fois qu'ils se retrouvaient seuls, ils s'épuisaient dans des joutes amoureuses qui les laissaient pantelants. Algonde ne répondant pas, le jouvenceau s'efforça de tenir un œil ouvert. La pénombre obscurcissait encore la chambre. Son regard s'arrêta sur la lune qui bouclait son dernier tiers par-delà le carreau de la fenêtre à meneaux. Au jugé, il ne devait pas être plus de deux heures du matin. Que faisait donc son épouse hors du lit, l'oreille plaquée contre le mur près du linteau de la cheminée?

— Algonde? insista-t-il.

— Chut!

Mathieu se laissa retomber sur l'oreiller. Depuis son enfance, il avait pris l'habitude de se laisser éveiller par les prémices du jour. L'heure des panetiers. En revenant à la Bâtie la veille, il s'était rendu chez le boulanger du castel pour vérifier qu'on était toujours intéressé par ses services. L'homme, dont l'aspect bourru était tempéré par des bajoues imposantes, l'avait invité à se présenter à l'aube pour sortir la première fournée. Mathieu se devait d'être à la hauteur de la tâche, compensant par l'ardeur au travail sa main droite blessée par l'épervier et toujours impuissante à serrer quoi que ce soit. Il ne décevrait pas maître Baillot. Sauf s'il s'endormait sur l'ouvrage. Il se retourna dans le lit avec l'espoir de regagner ce sommeil avorté, mais il était trop intrigué par l'attitude d'Algonde. De fait, après avoir toqué contre la cloison en divers endroits, la jouvencelle s'en revenait se coucher. Il n'eut pas besoin de l'interroger, cette fois.

— L'as-tu entendu toi aussi? demanda-t-elle en rabattant les couvertures sur elle.

— Quoi?

— Le cri.

— Non. Tu auras rêvé, affirma-t-il en se pelotonnant tout contre elle.

Il aimait pour s'endormir se rassurer du parfum de mousse de sa peau.

— Quelqu'un a hurlé, Mathieu. Derrière ce mur qui sonne le creux. J'en suis certaine, affirma-t-elle d'une voix morte.

Algonde se sentait glacée. Comme si ce cri jailli des profondeurs de la pierre était le dernier d'un être désespéré. Un cri étouffé qu'il lui semblait encore entendre. Elle se réchauffa pourtant du contact de son époux et de ses doigts qui caressaient nonchalamment un sein sous le lin de la chemise.

— Oublie ça et rendors-toi ma bécaroïlle, chuchota Mathieu dans le creux de son oreille avant d'y caler son menton piquant d'une barbe naissante.

Algonde se relâcha. Sans doute avait-il raison. À quelques pas d'eux, nullement troublée par l'incident, la petite Elora dormait paisiblement dans son berceau, le bout de son pouce touchant encore l'ourlet de ses lèvres.

Leur fille avait l'ouïe fine. Et l'instinct prédominant. Or, elle n'avait pas bougé. Peu à peu, la main de Mathieu se fit lourde sur sa poitrine. Algonde évita de remuer pour ne pas l'éveiller encore. Ce travail à la paneterie lui était important. Mathieu refusait l'idée que les largesses de Philippine soient leur seul revenu. Son orgueil ne pouvait l'admettre. C'était déjà bien assez difficile pour lui de se cacher de tous. De rejoindre sa femme après le couvre-feu et de quitter sa couche avant que tous ne se lèvent. Pour la noblesse, Algonde demeurait damoiselle. Une damoiselle dont l'époux, un petit baron désargenté, avait eu le mauvais goût de mourir au lendemain de leur nuit de noces, la laissant alors enceinte d'Elora et, ce jourd'hui, incapable malgré la naissance de l'enfant de convoler à nouveau. Algonde se serait volontiers défaite de ce mensonge, mais outre le fait que Philippine refusait de perdre la face devant ses pairs et que les petites gens du castel la haïssaient pour ses privilèges, Algonde fournissait à Philippine une compagnie idéale pour rencontrer Djem en toute discrétion. N'avait-elle pas tué Catherine de Valmont cet après-midi même, et sans remords, pour garantir leurs amours impossibles ?

Algonde fut rattrapée par ce souvenir. Ce cri, là, derrière, n'était-il pas celui du fantôme de Catherine rendu furieux par l'impunité dont jouissait sa meurtrière ? Car de fait, bien que le prévôt ait longuement examiné la dépouille de la damoiselle, rien n'avait laissé penser à une fin autre que naturelle. Personne n'avait vu Algonde sur les lieux du crime. Rejoignant Philippine au pied du petit réservoir, Algonde l'avait trouvée évanouie. Elle avait craint un moment que sa maîtresse ne l'ait suivie, mais en reprenant ses esprits, Philippine avait été incapable de lui raconter ce qui s'était passé. Elle ne se souvenait de rien. Algonde lui avait assuré quant à elle avoir poursuivi une ombre qui s'était soudainement volatilisée, de sorte qu'en apprenant la mort de Catherine quelques minutes plus tard Philippine en avait conclu que sa dame de compagnie avait eu le malheur de croiser ce diable et d'en mourir d'effroi. Algonde n'avait pas démenti. Un frisson détestable lui courut le long de l'épine dorsale. Était-elle désormais dépourvue de sentiments ? de compassion ? de morale ? Était-elle devenue une de ces créatures monstrueuses qu'elle voulait tant combattre ? À y regarder de plus près, là, dans l'oubli de cette chambre, son crime lui apparaissait soudain dans toute son abjection. Catherine de Valmont l'avait menacée, certes. Elle voulait l'empêcher de nuire, mais était-ce une raison suffisante pour l'assassiner ? Et avec autant de sang-froid ? Un sanglot monta dans sa gorge. Quelle était cette force en elle qui s'était imposée comme vérité ? Celle des Anciens ou l'autre ? La diabolique, l'inhumaine ? Qui était ce jourd'hui Algonde de Sassenage en réalité ?

« Agis en ton âme et conscience. Laisse ton instinct parler. Lui seul de par tes origines saura te guider. Crois en toi, Algonde, et tu ne te perdras pas », lui avait assuré la fée Présine lorsque, avant de quitter Sassenage, elle était allée l'embrasser avec Elora et Mathieu. Et si sa mère-grand s'était trompée ? Si elle avait été pervertie par Marthe bien au-delà de ce qu'elles deux avaient imaginé…

Mathieu se retourna et la morsure du froid hivernal étreignit encore le cœur d'Algonde. Il fallait qu'elle sache. Ses relevailles étaient terminées. Elle devait se rendre au pigeonnier pour réduire l'œuf noir en poudre et en ingérer une partie. Que se passerait-il ensuite en elle ? Sa métamorphose serait-elle achevée ? Quel nouveau pouvoir coulerait en ses veines ? À quel profit l'utiliserait-elle ? celui de la prophétie ? le sien ? celui du mal ? De nouveau elle repoussa les draps, cette fois avec précaution. Si ce hurlement ne l'avait éveillée, sans doute aurait-elle attendu la nuit suivante pour se rendre là-bas. Mais à quoi bon reculer ? Elle portait en elle le lourd poids d'une malédiction, le moyen d'y mettre fin et de sauver le monde. À moins que ce ne fût de l'aliéner… Quoi qu'il en soit, la bécaroïlle de maître Janisse n'appartenait plus à Mathieu ni à Elora. Elle ne s'appartenait même plus à elle-même. Elle passa une capeline sur son vêtement de nuit, releva le loquet de la porte sans bruit et, la refermant sur elle, se glissa dans le corridor obscur. Au moment d'emprunter le double escalier, elle songea qu'elle était bien incapable de dire de quoi son devenir serait fait.

Deux heures plus tard, alors qu'il s'alanguissait dans des rêves délicieux, Mathieu quitta son côté pour étreindre son épouse. Il tâtonna, grimaça, perturbé dans son songe, avant de s'éveiller en sursaut et de pousser un soupir agacé. Il était seul dans le lit. La pénombre avait changé dans la pièce. L'aube était proche. Il s'assit. Algonde s'était absentée. D'un geste gourd, il froissa sa chevelure brune, aplatie par le bonnet qu'il ne retrouvait jamais au matin sur son crâne. Il était un peu tôt pour que la bécaroïlle ait pris son service auprès de Philippine, mais avec cette noblesse, il fallait s'attendre à tout. Quoi qu'il en soit, il rechigna à sortir du lit. Elora dormait encore. Il n'aimait pas qu'elle reste seule. À la merci peut-être des intentions sournoises de Marthe. Il laissa passer quelques minutes dans l'espoir qu'Algonde reviendrait puis, refusant d'être en retard pour sa première journée de travail, s'activa à s'habiller discrètement. Avant de partir, il ouvrit la porte de communication entre les deux appartements, afin qu'Algonde ou au pis-aller Philippine entendent la petiote si elle se mettait à pleurer, et sortit à regret de la chambre. Tout de même, pensa-t-il avec humeur, elle aurait pu le prévenir avant de s'en aller ! Son souvenir accrocha l'incident de la nuit et il fronça le sourcil tout en s'approchant du palier. Non, se rassura-t-il. Algonde n'aurait pas commis l'imprudence de résoudre cette énigme sans lui en parler.

Le silence s'appesantissait encore sur la vaste demeure. La noblesse dormait tard tandis qu'en cuisine et dans les communs le petit peuple s'attelait déjà à sa besogne. Mathieu descendit la volée de marches avant de s'immobiliser sur le palier du premier, surpris de se trouver nez à nez avec Marthe.

Ils se toisèrent tous deux avec suspicion.

— M'espionnerais-tu, le pesneux ? renifla-t-elle.

Mathieu avait de l'avance sur son horaire. Au fond, songea-t-il, cette rencontre fortuite servait la décision qu'il avait prise quelques semaines plus tôt.

— Dieu m'en garde ! Mais puisque vous voici j'aurais à vous parler.

— Me parler… vraiment… N'est-ce point plutôt ton vit qui te démange ? se moqua-t-elle en lui empoignant l'entrejambe.

Mathieu déglutit. Il eût préféré cent fois oublier ce qui s'était passé dans le champ clos de Sassenage, lorsque cette diablesse l'avait contraint par sa magie malgré le dégoût qu'elle lui inspirait. Cette fois encore… Elle passa une langue gourmande sur ses lèvres, les yeux rétrécis de perversité dans ses orbites saillantes. Au grand désespoir de Mathieu, la toile de son pantalon se gonfla sous les griffes. Comment une telle chose était-elle possible ? Il eût préféré mourir que revivre ça ! Il déglutit.

— Ce n'est pas de mon fait, sorcière. Tu sais que je ne le veux pas.

Elle rit méchamment avant de retirer ses doigts.

— Suis-moi, dit-elle.

— Pour parler seulement… se défendit-il en lui emboîtant le pas dans le corridor qui desservait les pièces du premier.

L'instant d'après, Marthe ouvrait une porte basse dans un renfoncement. À l'intérieur du réduit, l'obscurité était totale. Marthe le poussa d'une chiquenaude à l'épaule.

125

— Entre, pesneux. Ici on ne nous entendra pas.

Une forte odeur de cire prit Mathieu aux narines. L'endroit servait de réserve de chandelles pour ce corps de bâtiment. Exigu, rarement aéré, il puait. Refusant l'angoisse qui lui étreignit la gorge de voir l'huis se refermer sur cette créature, les isolant tous deux dans une nuit d'encre, le jeune homme dressa le menton.

— Algonde m'a tout raconté. Toute l'histoire.

— Et tu t'es découvert une âme héroïque, c'est ça ? ricana-t-elle en se plaquant contre lui.

De nouveau à son bas-ventre, cette poussée irrépressible. Il tenta de la dominer. Plus vite il aurait négocié, plus vite il se sortirait de ce mauvais pas.

— Je suis prêt à vous livrer l'enfant de la prophétie, lâcha-t-il en détournant la tête pour éviter la contamination de son souffle.

Surprise, Marthe recula. Autant que le lui permettait l'étroitesse du placard.

— Toi ? Tu trahirais ta bécaroïlle ?

— Je ne la trahis pas. Je la sauve, se défendit-il. Vous voulez cet enfant. Moi je veux vivre en paix avec ma fille et Algonde.

— Ta femme serait plus juste. Ne l'as-tu point épousée en secret ?

Mathieu ne chercha pas à nier. Marthe avait dû avoir pour elle l'indiscrétion d'un valet.

— Je convaincrai Algonde de rester avec Philippine après l'accouchement. J'emporterai l'enfant et vous le donnerai. Ensuite vous disparaîtrez. Mélusine restera prisonnière du Furon. Vous regagnerez votre monde et tout sera terminé.

Marthe opina du menton dans l'obscurité. Ce garçon ne manquait pas de cran, jaugea-t-elle. Sa sincérité ne faisait aucun doute et, somme toute, son argument se tenait. Qu'avait-elle besoin au fond de la mort de Mélusine ? ou de l'assujettissement d'Elora si elle obtenait ce qu'elle voulait ? Le trône des Hautes Terres lui suffisait.

— Que sais-tu des flacons pyramides ? demanda-t-elle.

— Le passage d'Avalon est refermé. Vous en aurez besoin de même que de la table de verre pour regagner les Hautes Terres. Mais j'ignore, nous ignorons, où cette dernière a été dissimulée. Si je l'apprends, je vous l'indiquerai.

Un nouveau silence plomba l'atmosphère viciée du réduit.

— Dégrafe tes braies, ordonna Marthe.

À cette distance, sa magie n'opérait pas.

— Non.

— Tu m'appartiens, le Mathieu de Sassenage. Toi et les tiens. Jusqu'à la naissance de l'enfant velu. Tu veux la paix ? Moi je veux ta soumission en échange.

— Non, essaya-t-il encore. J'appartiens à Algonde. À elle seule.

Elle s'approcha. Acculé à une rangée d'étagères couvertes de chandelles, il ne pouvait fuir.

— As-tu connu plaisir plus grand que ce jour-là ? J'en doute puisque ton ventre s'en souvient. Allons, donne-moi ce que je veux et ton Algonde vivra, je t'en fais la promesse.

— Plus jamais vous ne vous en prendrez à elle ?

— Cesse donc de tergiverser et jouis de moi. Contrairement à ce que tu penses, c'est un grand cadeau que je te fais.

Mathieu perçut le raclement des ongles noirs contre son bas-ventre. Enflammé aussitôt, son vit se tendit à se rompre. Il poussa un gémissement de douleur et tout autant de désir sauvage. Quel venin lui avait donc inoculé cette créature à Sassenage pour déclencher encore pareil incendie ? Éperdu de honte et de dégoût mais incapable de résister plus longtemps à l'impériosité de l'appel, il se rua sur elle et la plaqua contre la porte. L'instant d'après, il la dévastait de coups de reins comme un loup assoiffé de sang dévorerait un agneau.

Ce 16 juin, Algonde rentra tourmentée de son expédition nocturne. Forte de ce que lui avait demandé Mélusine concernant l'œuf noir, elle s'était rendue au pigeonnier en ruine situé au nord de la première cour extérieure, à un quart de lieue du château. Le coffret était bien à l'endroit où elle l'avait dissimulé quelques mois plus tôt mais quelqu'un, Marthe à n'en pas douter, s'était occupé de l'œuf à sa place. Dans la boîte dissimulée au creux d'une niche du mur circulaire se trouvait à présent un flacon de verre rectangulaire ne contenant plus qu'une cuillerée de poudre noire et nauséabonde. Passant de la perplexité à la réflexion, Algonde finit par en conclure que le restant avait dû être mélangé à la potion qui avait déclenché ses couches. Marthe avait sans doute voulu s'assurer qu'elle l'absorberait. Si cela expliquait bien des choses, il n'en restait pas moins qu'Algonde était furieuse de s'être laissé jouer. Elle comprenait mieux pourquoi Mélusine avait changé de langage à propos de l'œuf.

« Il te faudra le laisser sécher trois lunes avant de le réduire en poudre. Tu devras l'ingérer pour que les effets du poison de la vouivre demeurent permanents en toi sans te condamner, mais tu prendras soin d'en garder la valeur d'un ongle que tu devras glisser dans la bouche de l'enfant velu avant même qu'il soit mis au sein. C'est essentiel pour le protéger. » Tel avait été son premier discours. La fois suivante, elle avait ajouté qu'Algonde devrait attendre ses relevailles, soit quarante jours de plus, avant d'agir. Fourberie ! La jouvencelle se félicita d'avoir réussi à amoindrir les effets néfastes et malins de l'œuf en le baignant, sitôt qu'elle l'avait expulsé, dans l'élixir des Anciens donné par Présine. Restait à savoir si de nouveau elle possédait le pouvoir de respirer sous l'eau. À la première occasion Algonde devrait le vérifier. Car elle n'était pas dupe. Elle savait fort bien le rôle que Mélusine voulait la voir jouer en réalité. La garder prisonnière à sa place dans les eaux du Furon pour déjouer la malédiction qui pesait sur elle. Mais cela, il n'y fallait pas compter !

Se hâtant de regagner sa chambre pour donner la tétée à Elora, elle grimpa lestement l'escalier jusqu'au premier avant de se rabattre d'instinct derrière le socle d'une statue située à l'intersection des deux volées de marches. Quelqu'un approchait et elle ne tenait pas à être vue. La demeure était sombre. Le soleil émergeait à peine d'une frange de nuages bas sur l'horizon, auréolant le bronze du ciel d'un dégradé de roses. Un rai de lumière poudrée tombait en diagonale d'une fenêtre haute. Pas suffisamment pour la révéler. Elle reconnut la silhouette de Marthe qui quittait le corridor conduisant aux salles de musique. Que faisait-elle là en cette heure ? Algonde résolut d'attendre qu'elle ait regagné son appartement, contigu de celui du baron Jacques et de Sidonie, avant de lui emboîter le pas. Grand bien lui prit, car, à l'instant de monter, Marthe se ravisa et tourna la tête vers le couloir. Algonde sursauta. N'était-ce pas Mathieu qui s'en venait derrière ? Elle chancela. Les yeux hagards, la mine sombre et défaite, il titubait en remettant de l'ordre dans ses cheveux et sa mise.

— Allons, presse-toi, pesneux, ou tu seras en retard à ton travail ! lui lança la Harpie à mi-voix

— À qui la faute ? grommela le jouvenceau peu amène.

Il s'en voulait de s'être laissé plier. Il marqua un temps d'arrêt à ses côtés.

— Notre accord est scellé donc...

— Il l'est. Mais si tu t'avises de me tromper, Algonde mourra.

— Je n'ai qu'une parole. Vous aurez l'enfant, assura-t-il avant de dégringoler l'escalier.

Dans l'ombre, Algonde mordit son poing pour étouffer le hurlement de détresse qui montait de son ventre. Mathieu venait de la trahir. Dans l'espoir de la sauver. Mais ce faisant, il mettait entre eux un fossé qu'elle ne pourrait plus jamais traverser.

13.

La main épaisse, tachetée par les premiers signes de l'âge, faisait crisser le parchemin au délié de la plume. L'écriture de Jacques de Sassenage, d'ordinaire régulière et affermie, se troublait de sa propre émotion à rédiger cette lettre. Elle était adressée à Jeanne de Commiers. Une de plus à laquelle son épouse ne répondrait pas, songea-t-il. Depuis qu'il l'avait revue à l'abbaye de Saint-Just, chaque jour il lui disait sa tendresse et l'espoir qu'il mettait dans sa guérison prochaine, tout en insistant sur le fait qu'il viendrait la visiter dès que possible. Il ne se leurrait pas. N'ayant reçu aucune lettre de l'abbaye, il imaginait sans peine que malgré tout le soin et la discrétion qu'il mettait à ses envois, Marthe interceptait les messages dans les deux sens. Il eût pu cesser cette correspondance stérile, mais outre le fait qu'elle permettait de donner le change à la Harpie, son cœur s'y complaisait. À présent que le grand tournoi était passé, Aymar de Grolée allait pouvoir en toute discrétion s'acquitter de sa mission et enlever Jeanne du couvent pour la mettre en sécurité. « Le 18 », lui avait chuchoté son vieil ami avant qu'ils se séparent à Romans, Jacques pour regagner la Bâtie, Aymar son château de Bressieux. Le 18. C'était ce jourd'hui. Jacques ne devait donc rien changer à ses habitudes. Rien trahir de ce qui allait se jouer à Saint-Just.

D'un mouvement ample du poignet il signa sa missive, la replia, chauffa un bâtonnet de cire à cacheter et la scella de ses armes. Quelques minutes plus tard il la remettait à son valet en lui recommandant comme chaque jour de prendre grand soin à son expédition. Ensuite de quoi il se hâta de rejoindre la salle de justice dans une autre aile du bâtiment octogonal. Une méchante histoire de voisinage requérait son jugement. Une fois par semaine, serfs ou nobliaux se présentaient devant lui pour régler leurs différends. En franchissant le seuil de la pièce décorée sobrement, il songea combien il eût aimé que ses problèmes à lui soient si simples. Sans se presser, il s'en fut s'asseoir au sommet d'une estrade, sur un trône de bois sculpté. Derrière lui, une tapisserie d'Aubusson figurait une Justice allégorique sous la forme d'une balance qui penchait vers des angelots tandis que des diables cornus sautaient sur le plateau opposé. Le bien gagnait. Toujours.

La matinée s'achevait lorsqu'un valet s'annonça, en pleine audition d'un potier qui s'était vu frapper devant chez lui par son voisin, lequel prétendait que le passage, mitoyen, devant les deux masures collait aux souliers et les gâtait. Ces deux-là, cousins par la mère, ne s'entendaient plus depuis des années et ne cessaient de se chercher querelle pour des broutilles. Jacques était lassé de les voir. D'un geste engageant, il encouragea le valet à venir jusqu'à lui, regrettant que son fils Louis ne soit pas encore rentré de Romans pour lui déférer les doléances des plaignants.

Le valet se pencha à son oreille. Les doigts de Jacques se crispèrent sur l'accoudoir du faudesteuil Sans attendre, il se leva.

— Toi, dit-il en regardant froidement le potier, veille à nettoyer ton chemin des boues que ton travail occasionne.

Quant à toi, ajouta-t-il en lançant au voisin un regard terrible, cela fait trois fois en quatre mois que tu comparais ici pour te plaindre. À la prochaine, si le cas ne justifie pas le temps que tu me fais perdre, je te ferai bastonner en place publique. La cause est entendue. Filez !

Un murmure d'effroi passa dans l'assistance curieuse du règlement des procès. Sans s'inquiéter des regards choqués qui l'accompagnèrent, Jacques de Sassenage se dirigea d'un pas lourd vers le fond de la salle.

Le visage fermé, il s'adressa aux deux gardes armés de hallebardes qui encadraient l'huis.

— Évacuez la salle. La séance est terminée.

Indifférent aux grognements de réprobation de ceux qui attendaient leur tour, Jacques de Sassenage sortit sans se retourner, oppressé d'angoisse face à la visite qu'on venait de lui annoncer.

*

Le baron de Bressieux, Aymar de Grolée, n'était pas homme à reculer devant le danger. Il l'avait prouvé à maintes reprises en s'illustrant aux côtés de son ami Jacques de Sassenage du temps où l'un et l'autre servaient feu le roi Louis XI. Et dernièrement encore, le grand tournoi de Romans avait vu sa victoire à la lance comme à l'épée sur nombre de prétentieux qui raillaient son grand âge. À quarante-sept ans, il était loin d'être fini et à dire vrai, depuis que Jacques de Sassenage lui avait confié son tourment, dans ce vieil ermitage de la forêt des Coulmes, une vigueur nouvelle avait chassé l'apathie d'une retraite sans véritable danger. Souvent au long de ces derniers mois il s'était demandé si l'attachement profond qu'il vouait à Philippine était la résurgence de celui qu'il avait porté à Jeanne de Commiers ou le seul fait de sa jeunesse, de sa joliesse et de sa légèreté. Philippine ressemblait tant à sa mère ! Il ne doutait plus désormais. Apprendre que Jeanne était en vie, recluse dans cette abbaye, l'avait bouleversé plus qu'il ne l'avait montré. Il était prêt à mourir pour elle, comme autrefois. S'il ne s'était jamais marié c'est qu'aucune autre n'avait su autant lui plaire, l'émouvoir, le toucher. Si par le passé, à un quelconque moment, Jeanne lui avait laissé entrevoir qu'elle ressentait pour lui le même penchant et regrettait ses épousailles avec Jacques, nul doute qu'il aurait assiégé la Bâtie pour la lui prendre. Cela n'avait pas été. Jeanne ne lui était pas destinée. Il y était résigné depuis de longues années, avant même que son trépas ne le fauche en plein cœur. Pour autant, il lui restait fidèle. Et dévoué.

Voilà pourquoi il était si impatient de franchir la herse de l'ancienne forteresse royale qui, à quelques encolures maintenant, se dressait sur la colline. Il força l'allure. La porte passée, Aymar de Grolée mit pied à terre devant l'écurie, laissant aux bons soins du palefrenier son cheval fatigué par la course. Il n'eut pas le temps de s'enquérir de l'abbesse qu'un moine à l'allure austère s'avançait vers lui. L'homme portait une tunique aussi blanche que son scapulaire sous un capuce noir. L'habit des dominicains. La communauté la plus proche était celle d'un monastère à Romans-sur-Isère. Que faisaient-ils ici ?

Ils s'inclinèrent l'un devers l'autre.

— Je suis venu de loin solliciter audience auprès de la supérieure, mon père. Pourriez-vous m'annoncer ?

— Je crains que ce ne soit impossible, mon fils.

Le ton était sec. L'œil fureteur sous de broussailleux sourcils froncés, l'inconnu déplut à Aymar de Grolée. Il n'était pas venu de Bressieux, épuisant ses montures après chaque relais, pour se contenter d'une fin de non-recevoir ! Il insista.

— Suivez-moi, lui accorda le moine au bout d'un long moment de réflexion.

Glissant ses deux mains dans la largeur de ses manches, il martela d'une marche rapide l'allée pavée de l'enceinte.

Aymar de Grolée le talonna, curieux à la fois de sa présence et de ce tocsin qui venait de sonner au clocher.

Au pied du donjon, il ne put s'empêcher de lever les yeux vers le dernier étage. Rattrapé par un frisson désagréable, il se laissa avaler par les murs épais, certain que la présence ici de la Très Sainte Inquisition, évidente derrière l'homme, était liée aux étranges visions de Jeanne de Commiers.

*

Bien loin de là, en Sardaigne, assise à même le sol, le dos calé contre un bloc de roche noire qui surplombait le nuraghe et la plaine, Mounia tressait habilement l'osier que lui avait donné Catarina. À quelques pas, battant les couvertures devant la pinnettu, Lina chantonnait, lèvres fermées, avec ce timbre guttural qui parfois amenait au cœur de l'Égyptienne un pincement léger. En contrebas, dans l'amoncellement de rochers, les deux plus jeunes des enfants jouaient avec un chien qu'ils avaient trouvé errant quelques jours plus tôt et adopté. Manches retroussées, Mounia se prit à sourire. Elle se sentait bien. Infiniment gaie, même si Enguerrand lui manquait. Quatre jours plus tôt, il s'était rendu en ville accompagné de Catarina, la chevrière. C'était leur troisième voyage. Chaque fois ils emportaient un tonnelet d'épices, dissimulé sous les vanneries que pendant leur absence Mounia et les aînés confectionnaient. Chaque fois ils avaient vendu la marchandise un bon prix sans attirer l'attention des soldats du vice-roi ni des brigands. Mounia était sereine. Elle savait que rien ne leur arriverait sur cette Terre des Géants. Bientôt, ils en repartiraient pour gagner Le Caire. Elle leva les yeux vers l'azur. Pas un nuage ne le troublait.

— À quoi songes-tu ? demanda Lina, interrompant son chant et sa tâche.

— À ce soleil qui me dore. À la paix retrouvée de ces lieux. À cet enfant qui grandit dans mon ventre, et que je ramènerai ici un jour pour qu'il sache le miracle de sa conception...

Lina éclata d'un rire clair.

— Te voici l'âme poète, mon amie !

Mounia le lui accorda d'un haussement d'épaules. Lina roula la couverture qu'elle avait en main et l'abandonna dans un des paniers pour s'asseoir près d'elle. Elles demeurèrent un moment silencieuses.

— Resteras-tu ici lorsque nous aurons quitté l'île ?

— Où irais-je ? rétorqua Lina en ramassant quelques petits cailloux sombres entre ses pieds écartés.

De formes irrégulières, veinés de brun, de violet ou de rose, ils tapissaient les anfractuosités.

— Il y a longtemps que tu n'as pas confectionné de bijoux, se souvint Mounia. Tu le pourrais avec ces pierres.

— J'y songeais, en vérité, mais je deviens fainéante ici. Regarde.

La Sarde déplia son bras comme si elle avait voulu ensemencer la plaine à ses pieds.

— N'ai-je pas tout ce qu'il faut ? Avec l'argent que rapporte la vente des épices, mes enfants pourraient eux aussi se passer toute leur vie de travailler.

— Tu t'ennuierais, lui opposa Mounia, reprenant entre ses doigts le maillage de l'osier

Lina soupira.

— Sans doute. Mais pas encore. J'ai trop souffert, trimé contre vents et marées. Un peu de quiétude me plaît.

Mounia approuva d'un hochement de tête. Après cette fantastique nuit dans le nuraghe, les esprits des Géants avaient cessé de hanter la vallée. L'étreinte de l'Égyptienne et d'Enguerrand au-dessus du puits sacré les avait mis en paix. Pour autant, Catarina avait jugé bon de n'en rien dire à personne. La crainte du nuraghe et de ses fantômes lui assurait une tranquillité et des privilèges auxquels elle aurait peut-être été contrainte de renoncer. Il valait mieux pour leur bonheur à tous que nul ne sache jamais ce qui s'était passé. Mounia en était d'autant plus convaincue qu'elle s'était attachée à ces femmes, à ce lieu. Elle en savourait la quiétude comme un présent divin. Parce qu'elle savait au plus profond d'elle-même que ce temps d'insouciance et de liberté lui était compté. Dès qu'ils quitteraient l'île, la rapacité des hommes les rattraperait. Lors, il lui faudrait garder au cœur un peu de cette terre d'asile pour trouver en elle la force de continuer la mission que les Géants lui avaient confiée.

*

Jacques de Sassenage s'inclina avec déférence devant la grande abbesse de l'abbaye de Notre-Dame-des-Anges. À son front soucieux et à ses yeux cernés, il comprit que ses craintes étaient fondées. Isabelle de Baternay n'aurait jamais quitté Saint-Just-de-Claix sans une raison primordiale. Il l'invita à prendre un siège, la gorge sèche d'angoisse.

Elle refusa d'un geste las de la main.

— J'ai peu de temps devant moi, mon fils. Je ne le perdrai pas en convenances. Un malheur, un immense malheur, a frappé l'abbaye.

Une sueur froide balaya Jacques de Sassenage tandis que l'abbesse poursuivait, l'œil brumeux.

— Jeanne a disparu.

Jacques exhala un soupir de soulagement. Ainsi donc Bressieux avait réussi. Plus tôt qu'il n'était convenu et sans impliquer qui que ce soit. Le baron de Sassenage ne laissa rien paraître de son contentement. Tout au contraire, il fronça les sourcils et secoua la tête, suspicieux.

— Comment peut-on disparaître d'un couvent comme celui de Saint-Just ?

— Le diable, mon fils. C'est le diable qui l'a emportée.

— Comme vous y allez, ma mère ! tempéra Jacques en ouvrant un meuble duquel il sortit un flacon de liqueur.

L'abbesse, vaincue par le souvenir des heures terribles qu'elle venait de passer, se laissa finalement choir entre les bras du faudesteuil.

— Ce n'est pas tout, mon fils. Sœur Albrante a été assassinée de la manière la plus horrible qui soit.

Glissant de ses doigts soudain glacés, la bouteille s'écrasa dans un bruit mat aux pieds de Jacques. Il chancela, rattrapé par l'effroi. Jamais Aymar de Grolée n'aurait malmené une religieuse. De plus, sœur Albrante était bien trop attachée à Jeanne pour s'opposer à leur plan. Fallait-il donc en conclure… En deux enjambées, il fut devant l'abbesse et la prit par les avant-bras.

— Racontez-moi, ma mère. Tout ! exigea-t-il avec une violence qui surprit autant la révérende mère que lui-même.

*

Aymar de Grolée ne démordit pas de l'excuse qu'en quelques secondes il s'était inventée. Il désirait confier une parente à cette communauté et c'était dans ce dessein et ce dessein seul qu'il voulait rencontrer l'abbesse. Assis face à ces trois dominicains qui depuis une demi-heure cherchaient une quelconque faille à son discours sous d'innocentes questions, il demeurait de marbre. En vérité, intérieurement il bouillait.

En désespoir de cause, les moines s'attroupèrent dans un angle du bureau de la révérende mère, palabrèrent un moment en silence avant de s'écarter. Deux quittèrent la pièce à pas de fouine ; le troisième, celui qui l'avait intercepté dans la cour, revint vers lui, le visage adouci.

— Je suis le père Gabriel. Pardonnez cet interrogatoire, mon fils, mais le Malin revêt parfois le visage d'un ange pour mieux nous duper.

Aymar de Grolée hocha la tête. Il détestait les préambules. Tout autant que les manières de ces gens qui attachaient sur le bûcher quiconque leur déplaisait. Et encore, il devait s'estimer heureux de n'être pas en Espagne.

— Me direz-vous à la fin ce que toutes ces précautions signifient ? Pourquoi la révérende ne peut-elle me recevoir le plus simplement du monde ?

L'homme dodelina de la tête mais ses yeux restaient sournoisement vifs.

— Si vous voulez bien me suivre…

Aymar de Grolée se retrouva ainsi à l'intérieur de l'hospice aux ouvertures barrées. Armés de lanternes, les deux dominicains les avaient précédés. L'odeur du sang qui y régnait le surprit davantage. On voulait visiblement le déstabiliser. Dans quel dessein ? Jeanne avait-elle eu la vision de sa venue ? Cherchait-on à le confondre à travers sœur Albrante ? Pourquoi n'ouvrait-on pas les volets ? À cela s'ajoutait un autre fait troublant. Jusque-là, le seigneur de Bressieux n'avait pas croisé la moindre religieuse. Comme si la communauté tout entière se terrait. Lui confiant un falot, le père Gabriel le mena au bout d'un couloir.

Une porte était ouverte. Il suffit d'un pas de plus à Aymar de Grolée pour comprendre que c'était de là que la puanteur venait. Son cœur s'accéléra dans sa poitrine. À quoi rimait cette mise en scène ? Pour quelle raison voulait-on l'y impliquer ? Au sol, une tache de sang caillé épaisse et noirâtre collait aux dalles de terre cuite et s'élargissait du seuil vers l'intérieur.

Il se tourna vers le père Gabriel.

— Qu'est-ce que…

— Jetez un œil dans la pièce, mon fils.

Aymar de Grolée s'avança, se gardant toutefois de marcher dans la croûte poisseuse. Il leva la lanterne au bout de son bras tendu et s'écœura du spectacle qui s'offrait à lui. Éparpillés parmi les bocaux, cornues et chaudrons renversés, des lambeaux de chair, de vêtements et de membres bourdonnaient de vermine et de mouches. Le corps tout entier d'une religieuse avait été disloqué. Mais le pire se trouvait au plafond, accroché à un de ces cercles suspendus munis de crochets qui servaient à sécher des bouquets. Au milieu de la menthe de Saint-Jean, séparée du reste de son corps, la face mortifiée de sœur Albrante fixait sur lui un regard blanc. Ses yeux avaient été arrachés.

Jamais il n'avait vu pareil carnage. Devant cette abomination, le sire de Bressieux recula. Il se heurta au père Gabriel. La voix de celui-ci sinua jusqu'à son oreille.

— Vous comprendrez, je pense, que nous ayons à cœur de vérifier si le diable ne souhaite pas remettre ça…

*

À l'instant de raccompagner la révérende, l'opinion de Jacques de Sassenage était faite. Seule Marthe pouvait être responsable de ce crime. Ce qu'il ne parvenait à comprendre, c'était comment elle avait eu vent de leur projet. Restait à savoir si elle avait réservé à Jeanne le même sort qu'à sœur Albrante. Il en frémissait d'épouvante.

— Votre discrétion…

— … est évidente, termina Jacques devant la portière de la voiture.

L'abbesse avait souhaité repartir au plus vite, refusant de laisser plus longtemps ses consœurs aux prises avec les dominicains. Elle accepta la main du baron pour gravir le marchepied. Saluant d'un signe de tête quelques-uns des courtisans qui déambulaient de la demeure au jardin et du jardin à la demeure, il se hâta en quête de Marthe. Fort heureusement, Philippine avait eu l'heureuse idée d'une promenade à cheval avec Algonde. À son retour il devrait lui annoncer, de même qu'à ses cadettes, la mort de sœur Albrante, en les termes convenus avec l'abbesse. Une méchante fièvre. Voilà qui serait bien suffisant pour expliquer son trépas. Il décida par contre de n'épargner aucun détail à Sidonie. Depuis qu'il lui avait promis de la sauver des griffes de Marthe, tous deux s'accrochaient l'un à l'autre, non plus avec l'ardeur qui les avait poussés à s'unir, la résurrection de Jeanne les en empêchait, mais avec une confiance mutuelle qui cette fois ne souffrait d'aucun nuage. Ils se devaient d'être solidaires et avertis. D'autant que la présence des dominicains n'allait pas faciliter les choses. Quelle stupidité de les avoir alertés ! L'abbesse elle-même en était embarrassée. De fait, devant la découverte macabre, son premier réflexe avait été de prévenir le prévôt. Face à l'inconcevable et à la configuration de la forteresse qui démentait toute intrusion dans son enceinte, l'homme s'était précipité à Romans. Avertie de l'arrivée du père Gabriel, l'abbesse avait jugé bon de s'avancer jusqu'à la Bâtie pour prévenir Jacques. Sa première idée avait été que Jeanne avait assisté au massacre et s'était terrée dans quelque corridor, traumatisée. L'abbesse avait attendu que l'abbaye soit fouillée avant d'admettre sa disparition.

Jacques trouva Sidonie qui brodait sous une tonnelle de chèvrefeuille avec d'autres dames. En le voyant paraître, Marthe leva le nez de son propre ouvrage et un léger sourire étira ses affreux traits. De toute évidence, elle savait.

14.

Aymar de Grolée avait obtenu l'autorisation de s'isoler pour vouer ses prières à l'âme de cette malheureuse. Il avait besoin de réfléchir. Personne n'avait pu pénétrer dans l'enceinte de la forteresse sans être vu, la herse étant abaissée et les portes bouclées chaque soir. Un des convers dormait sur place, dans une tourelle exiguë, pour le cas, peu probable en vérité, où un visiteur impromptu demanderait asile. Le père Gabriel avait eu la générosité de le lui révéler, ajoutant qu'il ferait parler l'homme sans difficulté si leur enquête laissait supposer qu'il mentait. C'était sans doute dans cet espoir qu'il les avait aussi présentés l'un à l'autre. Le jeune convers ne l'avait pas reconnu. Aymar s'était retiré dans la chapelle. Seul. Il ne faisait désormais aucun doute pour lui que Marthe était responsable du crime. Le fait qu'un seul cadavre ait été découvert le rassurait. Tout en le laissant circonspect. Il n'avait pas de nouvelles de Jeanne, ne pouvait en demander à quiconque. Et tant que ces hommes demeureraient sur place, il ne pourrait rien pour elle. Il enrageait contre lui-même d'avoir attendu si longuement pour agir. C'était pourtant l'idée de Jacques. Laisser passer un peu de temps pour que Jeanne récupère et que Marthe ne soupçonne rien. De plus, connaissant les pouvoirs de cette sorcière, Aymar avait préféré trouver un endroit sûr. Ses terres ne l'étaient pas, Marthe pouvant se souvenir de l'affection qu'il portait à Jeanne. Il avait donc décidé de la conduire dans le Piémont chez le marquis Louis II de Saluces, homme d'une droiture exceptionnelle. Il avait tout prévu. Aymar de Grolée nicha son visage dans ses mains. Tout. Sauf ce grain de sable.

Que n'aurait-il donné en cet instant pour la voir à défaut de lui parler !

— Seigneur, murmura-t-il, dans ta grande mansuétude, protège…

— Pssit… perçut-il à sa gauche.

Il leva la tête, fouilla la chapelle du regard. Il était seul dans la douce lumière d'une rangée de candélabres. Il allait se remettre à prier lorsque le bruit recommença. Cette fois, il perçut dans l'ombre un discret signe de main. Jeanne ? Son cœur s'embrasa. Craignant qu'on ne l'observe depuis l'entrée, il s'accorda quelques secondes encore, se signa, puis se dirigea d'un pas nonchalant vers une Sainte Vierge à taille humaine. Il s'agenouilla devant elle et, prenant un air de circonstance, joignit ses mains de nouveau. De loin, il donnerait le change. Il perçut un léger déplacement dans sa direction. Bien que brûlant de trouble, il ne bougea pas. L'ombre avalait l'identité de qui se rapprochait.

— Vous étiez à l'enterrement de Jeanne de Commiers, n'est-ce pas ? chuchota-t-on à quelques pas.

Déçu, il ne reconnut pas la voix. Simulant une quinte de toux, il articula néanmoins un « oui » dans son poing fermé.

— Ne parlez pas, écoutez-moi. Je suis sœur Aymonette. Une des plus anciennes de ce couvent avec la révérende et feu Albrante.

La voix se brisa un instant, avant de reprendre.

— Je vous ai reconnu à votre arrivée tantôt. Connaissant les lieux mieux que ces hommes, je suis parvenue à vous rejoindre. Ils ne doivent pas savoir pour Jeanne. Elle a disparu la nuit du meurtre.

Le cœur d'Aymar de Grolée se serra. Marthe… lui hurla de nouveau l'évidence. Sœur Aymonette, inconsciente de son désespoir, poursuivit dans un souffle :

— Je ne crois pas à l'œuvre du diable, messire. Le diable ne s'habille pas de soie. Quand je serai partie, penchez-vous sur la troisième dalle de sol en partant de senestre. Celle qui dissimule le tombeau de Béatrix…

La voix se tut. Sœur Aymonette disparut par une porte dérobée dans le mur. Préchantresse de la communauté, elle l'empruntait souvent pour se rendre depuis le corps de logis à la chapelle où elle enseignait le chant liturgique aux moniales. Aymar de Grolée attendit quelques secondes encore puis fit ainsi qu'on lui avait recommandé. À l'instant où des pas résonnaient dans la nef, l'avertissant de la venue du père Gabriel, il arrachait discrètement un morceau de tissu prisonnier du carreau de pierre.

*

Pardonnez mon absence, ma douce Hélène, mais mon cœur douloureux requérait justice. Elle est faite. Je serai là le dix-huit. Il me tarde de vous.

Le billet n'était pas signé, mais Philippine savait qu'il venait de Djem. Le 18. C'était ce jourd'hui. Bousculant Algonde, la jouvencelle avait insisté pour qu'elles partent chevaucher ensemble. De ce promontoire, Philippine pourrait suivre la route qui serpentait vers l'Isère. Qu'importe si elle devait y passer la journée, elle voulait guetter le retour du prince. Se gorger de l'attente. Brûler d'impatience sous le soleil de juin. Et ne vivre plus, dès lors que se refermeraient sur lui les portes de la forteresse, que de la pensée du lendemain.

Installée sous un frêne aux branches ployées, Philippine scrutait donc l'horizon tandis qu'Algonde ruminait, le cœur lourd, les événements de la nuit. Certes, elle comprenait ce qui avait poussé Mathieu à cette alliance sordide, mais elle ne pouvait l'excuser. Quant à lui en parler… elle ne savait si c'était une bonne idée.

— N'est-ce point lui, là-bas ? s'étrangla Philippine en bondissant de la couverture dont elles avaient jonché le parterre.

Les mains en visière, la jouvencelle suivit le tracé de la route. Deux cavaliers. Elle se rassit en soupirant. L'escorte de Djem était bien plus nombreuse.

— Je suis si nerveuse. Est-ce normal ?

— L'amour donne des sueurs froides parfois, répondit laconiquement Algonde.

Coupant un brin d'herbe, elle le porta à ses lèvres avant de s'étendre, les bras repliés sous la nuque. Philippine s'inquiéta.

— Un souci avec Mathieu ?

Algonde lui sourit.

— Déjà oublié.

Philippine hocha la tête.

— Tu me trouves puérile, n'est-ce pas ?

Algonde ne répondit pas. Elle l'avait été aussi. Insouciante, légère, portée par l'amour de Mathieu. Le temps était loin où ils se pourchassaient jusqu'au Furon, s'étreignaient dans l'eau douce, s'aspergeaient de promesses. Si loin qu'elle se demandait parfois si elle avait vraiment connu tout cela. Il lui semblait que des siècles s'étaient écoulés depuis qu'elle avait chuté dans le torrent, depuis qu'elle avait pour la première fois rencontré Mélusine. Or, cela faisait un an à peine.

— Je crois que je ne pourrais pas vivre sans lui désormais, chuchota Philippine. Même ta peau n'a plus d'attrait.

Elle se reprit.

— Non que je ne t'aime plus, Algonde, mais…

— … tu le désires lui.

— Si fort que j'en tremble chaque nuit dans ma couche. J'ignorais que l'on pouvait ressentir une émotion si vive, si entière. Tout l'inverse de ce que m'inspire le sire de Montoison. Dire qu'il va me falloir de nouveau les supporter, lui et Louis, pour approcher Djem. Je ne sais pas si je pourrai me contenter longtemps de ces moments volés. Louis trouvera toujours quelqu'un pour m'espionner. Sans compter que Philibert va se montrer plus pressant désormais.

— Djem en est conscient.

Philippine laissa passer un moment de silence avant de reprendre :

— Combien de temps crois-tu qu'il faille à l'Église pour convertir un musulman à la chrétienté ?

— Le temps que Djem se décide. Celui d'apprendre le catéchisme, celui du baptême… Je ne peux te répondre, Hélène. C'est une décision qui appartient à Djem en premier et au grand prieur d'Auvergne ensuite. Je doute que ce dernier approuve cette conversion. Trop d'intérêts sont en jeu.

Philippine sentit son cœur se serrer.

— Il le faudra pourtant si nous voulons nous marier.

— Je crains que cet argument ne plaide pas en faveur de Djem. Tu es promise au sire de Montoison, je te le rappelle.

— Contrainte et forcée ! s'indigna Philippine.

— Il n'empêche…

Algonde se redressa. Elle ne voulait pas gâcher à Philippine le bonheur de cette journée. Déjà son œil s'était assombri. Elle la prit aux épaules et tendit le doigt en direction de la route en contrebas.

— Oublie cela et vois cette colonne de poussière au loin.

Philippine battit des mains, rattrapée par le souffle amoureux qui nourrissait ses veines.

— C'est lui, oui, c'est lui.

— Parle à ton père, dès ce soir. Il trouvera bien un moyen de faciliter les choses, suggéra Algonde.

Elle non plus n'en pouvait plus d'attendre, de frémir, de douter. L'enfant de la prophétie devait être conçu. Vite. Quoi qu'il arrive ensuite, elle serait délivrée.

*

Marthe les fixait à tour de rôle avec dans l'œil cette cruauté froide que Sidonie lui connaissait bien.

— Est-ce vrai, Marthe ? demanda celle-ci, glacée de ce que Jacques venait de révéler, après les avoir aimablement invitées à le suivre dans son bureau.

— En quoi cela te surprendrait-il, bécasse ? la faucha la Harpie.

Sidonie frissonna. Protecteur, Jacques, qui se tenait à ses côtés après avoir accusé Marthe du carnage, enroula un bras autour de ses épaules pour la presser contre lui.

— Qu'avez-vous fait de Jeanne ?

— Rien qui t'empêche de jouir d'elle le jour où je te la rendrai.

— Tu es ignoble, déglutit Sidonie. Pourquoi t'acharner sur elle ? Pourquoi ?

Marthe haussa les épaules.

— Je manque de distraction.

Jacques n'avait pas, quant à lui, le cœur à ce jeu pervers.

— Relâchez-la ! Je vous ai donné ma parole de ne pas vous nuire en échange de sa sécurité.

Marthe le toisa avec plus de mépris encore.

— Tout est donc en ordre. Jeanne est sous bonne garde et ne manque de rien. Cessez de vous inquiéter. Il ne lui sera fait aucun mal si vous m'obéissez.

— Qui me le prouve ?

Marthe passa un de ses ongles acérés sous son menton, laissant perler à son col un mince filet de sang.

— Si j'avais décidé de l'écharper comme cette stupide religieuse, croyez-moi mes bons, l'abbesse s'en souviendrait.

Jacques de Sassenage serra les mâchoires. Il n'obtiendrait rien de plus de cette sorcière et devrait se contenter de cette évidence. Pour l'heure en tout cas ! Car il espérait bien découvrir d'une manière ou d'une autre l'endroit où Marthe séquestrait Jeanne. Ce ne pouvait être bien loin. Évitant son regard, il feignit de se résigner.

— Soit. Qu'attendez-vous de moi ?

— Que vous invitiez Djem à séjourner quelque temps à la Bâtie.

Sidonie et Jacques dardèrent sur elle des yeux écarquillés de surprise. En quoi le devenir de Jeanne était-il dépendant de leur amitié avec ce Turc ?

— Je veux que votre petite gourde d'Hélène se fasse engrosser par son prince. Vite.

Jacques blêmit tandis que Sidonie chancelait contre lui de l'incongruité de la chose. Sans lui laisser le temps de s'interroger davantage sur ses motivations, Marthe enchaîna :

— Lorsque ces deux-là se seront accouplés, vous donnerez Philippine en mariage à Philibert de Montoison. J'insiste sur ce dernier point, baron. Sans quoi ce n'est pas seulement Jeanne de Commiers que vous perdrez, croyez-moi...

15.

Juillet se teintait d'Orient au château de la Bâtie. Le grand prieur d'Auvergne avait consenti à ce que Jacques de Sassenage reçoive Djem quelques semaines. De fait, il espérait cette invitation depuis longtemps pour favoriser le rapprochement de Philippine et de Philibert de Montoison. Lui-même avait accepté l'hospitalité de leur voisin et se réjouissait sincèrement de voir Djem rire aux éclats parmi cet aréopage gourmand de sa présence. D'autant plus qu'il avait reçu un bref alarmant en provenance de Rhodes. Pierre d'Aubusson, le grand maître de l'ordre des Hospitaliers, lui apprenait que le sultan Bayezid était lassé de leur payer tribut pour entretenir son frère. Il réclamait qu'on le lui livre contre une imposante rançon. Ajoutée à l'attentat dont le prince avait été victime à Romans, cette nouvelle confortait Guy de Blanchefort dans l'idée que Djem avait cessé d'être en sécurité à Rochechinard.

Il ne l'était pas davantage à la Bâtie. Au contraire. Mais la disparition d'Anwar et de Houchang avait tant miné le moral du prince que lui refuser encore cette distraction eût été suicidaire. Blanchefort n'avait pu s'y résoudre. Le grand maître avait été formel. Plus que jamais Djem devait être maintenu en captivité. Si Bayezid se montrait si inquiet, c'était que la menace d'un regroupement d'États souverains contre lui grandissait, que des rumeurs affirmaient que Djem serait bientôt libéré. D'aucuns prétendaient que le roi de France Charles VIII, sacré à Reims ce 30 mai, avait décidé de lui venir en aide, d'autres que c'était depuis la Hongrie qu'on préparait son évasion, ici Venise jouait sa partition, là, la Savoie. Aussi vitement démenties que reçues, ces informations circulaient sans cesse, mettant à vif les nerfs de Bayezid conscient que l'Occident risquait de s'enflammer contre lui.

De fait, il n'était pas un souverain en ce monde qui ne rêvât de retenir Djem. Or Pierre d'Aubusson ne voulait pas perdre son prisonnier. Encore moins le rendre à son frère. La dernière partie de sa lettre à Guy de Blanchefort avait été claire. Djem devait de nouveau être déplacé pour prévenir tout attentat, et autant de fois qu'il s'avérerait nécessaire. Le grand prieur savait ce que cela sous-entendait pour le prince. Errance, solitude, désœuvrement. Il ne lui avait rien dit, le laissant à ce temps de bonheur évident dont il jouissait à la Bâtie, tout en préparant leur départ.

Bien qu'il ait enfin reçu du grand maître l'autorisation de quitter l'Ordre, Philibert de Montoison n'avait, quant à lui, guère le cœur à rire. Certes, il tenait une place privilégiée auprès de Philippine, mais il n'avait pas assez l'expérience de la cour pour danser, quand Djem y excellait. Philippine ne quittait pour ainsi dire jamais le bras du prince. Qui plus est, elle riait des traits d'esprit de celui-ci quand elle se moquait des siens. Sans parler de ses regards. Enflammés pour suivre le verbe haut et coloré de Djem, ils se détournaient dès que Philibert s'invitait à la conversation.

Le castel de la Bâtie n'était plus qu'un reflet de cet Orient dont Djem chantait la magnificence d'une belle voix grave en vers habilement tournés. Voulant plaire à son invité, et tout autant à Philippine qui se remettait douloureusement de la mort de sœur Albrante, Jacques de Sassenage avait passé une semaine à transformer sa demeure en palais de conte oriental avant de l'accueillir. Lors, depuis une quinzaine de jours que Djem y virevoltait, il n'était pas une table qui n'exhalât les saveurs d'Anatolie, pas un vin qui, épicé de coriandre, de girofle et de cannelle, ne rappelât à Djem celui qu'il buvait là-bas. Des tapis luxuriants se couvraient partout de coussins épais aux couleurs chatoyantes et de narguilés. À tel point que Djem en avait été ému aux larmes à son arrivée. Du coup, se sentant presque chez lui, il se pavanait tel un coq et ces damoiselles, de la pucelle à la douairière, tombaient en pâmoison devant lui. Le sire de Montoison en avait assez. Louis, le frère aîné de Philippine, refusait de voir ce qui crevait à présent les yeux de Philibert. Djem convoitait sa promise. Par esprit de vengeance ? Il l'avait cru tout d'abord, mais il ne se leurrait plus. Ces deux-là étaient épris l'un de l'autre. Rien dans leurs attitudes pourtant ne pouvait justifier qu'il s'interpose.

Pour l'heure, ils étaient tous là autour de lui. Philippine et ses sœurs, Algonde, Djem, Nassouh, dame Sidonie, Louis et François son cadet, le baron Jacques et aussi Aymar de Grolée, qui les avait rejoints la veille au soir. Ils jouaient au jeu de paume dans le jardin, se renvoyant à main nue, ou gantée pour ces dames, une balle de viscères séchés garnie de poils d'animaux. Quatre ans déjà que le feu roi Louis XI avait réglementé leur fabrication suite aux accidents trop nombreux dus au rembourrage de chaux ou de sable. Philibert regretta un instant cette mesure. Il aurait volontiers brisé le poignet de Djem en lui renvoyant le projectile trop lourdement chargé ! Finies, alors, les aubades dont il s'accompagnait au luth ! Finis, les vers offerts au parchemin ! Finie, la caresse furtive à l'intérieur du poignet de Philippine ! Philibert enrageait.

La balle fonça sur lui. Agacé, il la manqua.

— Alors quoi, messire ? Seriez-vous devenu manchot d'avoir troqué votre épée pour de la dentelle ? se moqua Philippine qui la lui avait envoyée.

Une fois de plus elle le ridiculisait. Cette petite garce allait le lui payer ! Il tourna la tête, jetant son œil fauve vers les buissons où la balle avait roulé. Déjà un laquais se précipitait. D'un pas vengeur, Philibert en profita pour aller boire un verre d'orgeat à la table dressée qui, outre des boissons tenues fraîches, offrait pâtisseries et fruits confits à satiété. Tout à côté, Marthe, installée à l'ombre, le fusilla d'un regard dépité.

— Cessez donc de vous donner en spectacle et venez me rejoindre sous la tonnelle. J'ai à vous parler.

Surpris, il ne sut que répondre et s'en retourna au jeu. Il renvoya la balle à Louis qui agitait les bras, faisant barrage à son frère auquel la passe revenait. Il s'appliqua deux tours encore à rattraper vigoureusement ses points, puis, intrigué de ce que cette sorcière avait à lui dire, il abandonna la partie. Il faisait chaud en cet après-midi du 5 juillet. Les joueurs ne tarderaient pas à y mettre fin eux aussi. Déjà les plus jeunes sœurs de Philippine avaient déclaré forfait. Philibert se hâta sous la tonnelle. C'était là que Catherine de Valmont avait été retrouvée morte, lui avait raconté Louis avec abattement. L'aîné des fils Sassenage s'était sincèrement épris de cette damoiselle qu'il comptait demander en mariage. Perfide, Philippine l'avait entouré de son affection, lors, depuis, Louis se montrait bien moins regardant à ses manières. Sans parler de celles de Djem qui le fascinaient ! Qu'importe. Ce soir même, lui, Philibert de Montoison, exigerait du baron que les bans soient publiés !

Marthe se tenait roide sous les frondaisons de vigne rouge. Elle détestait qu'on la fasse attendre.

— Que veux-tu, sorcière ? demanda-t-il, de méchante humeur.

— Te souviens-tu de cette nuit à Sassenage devant la métairie ?

Il haussa les épaules.

— Tu as eu alors un aperçu de mes pouvoirs…

— Ils m'indiffèrent. Viens-en au fait.

Marthe osa un sourire sur sa face sèche. Ah ! mortels, mortels, songea-t-elle, si prétentieux, si prévisibles ! Comme je vous hais.

Elle se rapprocha et, sans le toucher, d'un simple geste, le leva à trois pouces du sol. Philibert battit des bras, plia les genoux, aussi surpris que déséquilibré, avant de retoucher terre. Il recula d'un pas et lissa ses habits d'une main moite. Il était livide.

— C'est bon, grogna-t-il. Il n'est pas nécessaire d'user de cela avec moi. Parle.

— Tu as une dette envers moi.

Philibert sursauta. Cette sorcière élucubrait !

— Pas à ma connaissance, osa-t-il malgré la menace qu'elle représentait.

— Ne t'ai-je pas appris que tu avais un fils ?

— Enguerrand ? La belle affaire. Cela ne m'a rien apporté.

— C'est ton problème. Pas le mien. J'entends aujourd'hui d'être payée en retour.

En d'autres circonstances, Philibert aurait éclaté de rire avant de tourner le dos à pareil chantage. Là, il se borna à soupirer. Résister à cette créature, c'était la mort assurée.

— Qu'attends-tu de moi exactement ?

— Que tu épouses Philippine…

Un sourire reprit les traits de Philibert.

— Telle est bien mon intention.

— … que tu assassines ensuite le prince Djem…

— Rien ne saurait davantage me plaire !

— … puis le jeune Mathieu…

— Celui d'Algonde ? Ma foi, si cela vous plaît, lui accorda-t-il dans la foulée.

— ... et que tu me livres ensuite pieds et poings liés cette même Algonde.

— Est-ce tout ?

Marthe se rapprocha et planta dans le sien son regard sans âme.

— Non. Le plus important est à venir. Avec Algonde, tu m'amèneras un enfant.

— Le sien ?

Marthe ricana.

— Celui de Philippine.

Montoison changea de couleur. Il vira au violet.

— Remets-toi, idiot. C'est l'enfant de Djem que je veux, pas le tien ! Ce qui sous-entend que tu vas quitter ce lieu sur l'heure pour que ta promise puisse se vautrer tout son soûl dans le lit du prince.

On lui eût planté une dague en plein cœur qu'il aurait encore davantage de souffle. Il s'écarta de cette démone qui ricanait, ravie de son effet, chercha l'air quelques secondes avant de devenir cramoisi et d'exploser.

— Elle et lui ? Jamais !

Marthe croisa les doigts sur sa poitrine asexuée.

— Je ne te laisse pas le choix, Philibert de Montoison. Tu prendras Philippine grosse de Djem ou c'est à un autre que je confierai ce marché.

Il était acculé. Il suffisait d'un geste pour qu'elle le raye définitivement du paysage. Comme Catherine de Valmont ? C'était ici que la damoiselle était tombée. Il ne subirait pas le même sort, non. Il s'accommoderait de ce fardeau puisqu'il le fallait, mais Philippine paierait elle aussi. Oui, elle paierait sa trahison, foi de chevalier. Il recula, brandit un doigt menaçant vers Marthe.

— Tu auras ce que tu désires, sorcière. Mais je ne partirai pas. Je veux voir ces deux porcs copuler, tu entends ? et le visage ravagé d'Hélène lorsque son prince sera embroché au bout de mon épée !

16.

À mi-hauteur du Moqattam, Enguerrand de Sassenage immobilisa son chameau au milieu des Sarrasins qui se pressaient sur le sentier. Dégageant légèrement l'étoffe qui lui couvrait les trois quarts du visage, il engloba d'un regard larmoyant la ville aux mille senteurs, tapie en contrebas. Outre l'intense luminosité, la brise fraîche qui soulevait de fines volutes de sable lui piquait les yeux. Il ne pouvait pourtant les détourner de ce paysage somptueux. À ses côtés, recouverte d'un voile qui masquait ses traits et ses épaules, débordant sur son vêtement, Mounia tendit l'index en direction de Gizeh.

— Khnoum-Khoufoui, dit-elle, la plus grande de nos pyramides. La distingues-tu, là-bas, dans la plaine, avec ses deux sœurs Khâfrê et Menkaourê ?

Enguerrand hocha la tête. Oui, il voyait. Le Nil en crue qui, de son delta ramifié tel un arbre gigantesque, les avait menés tout près du Caire, les habitations et palais délabrés de Fostât, bâtie sur les ruines de la toute première cité, et la ville nouvelle enserrée dans une enceinte de pierres, ponctuée de milliers de minarets et de coupoles.

— Du haut de la citadelle, c'est plus impressionnant encore. On voit de nombreuses pyramides plus petites, qui appartiennent à l'ancienne nécropole de Memphis. Je t'y mènerai. La demeure de mon père se situe tout près du point culminant, entre le palais Qasr al-Ablaq, dans lequel se mènent les affaires de l'État, et la salle de justice.

Au ton de sa voix, Enguerrand perçut l'impatience de Mounia. Il lui tardait également de parvenir à leur destination, El-Qalaa, cette citadelle dont ils longeaient les remparts.

D'un mouvement léger du talon, il donna l'ordre à son chameau d'avancer. Le turban dissimulant ses cheveux, la barbe brune taillée en fer de lance, le teint bruni par le soleil qui avait accompagné leur course en Méditerranée, la gandoura qui tombait sur les babouches, rien ne différenciait Enguerrand d'un Sarrasin.

— Au Caire, les chrétiens vivent en paix. Ce sont surtout des marchands, établis dans un quartier qu'on appelle le Mouski. Mais je préfère ne pas attirer l'attention sur nous, avait déclaré Mounia. Question de sécurité.

De fait, jusque-là, tout s'était déroulé sans anicroche. Après avoir quitté Lina, Catarina et les enfants, ils avaient gagné le port de Cagliari avec dans leurs bagages de quoi subsister jusqu'à ce que leur quête soit achevée. Était-ce le fait des prières ardentes des deux Sardes ou de la protection des Anciens, leur navire opportunément épargné par les Barbaresques avait atteint le port l'avant-veille. Forts de cette providence, délaissant la ville nouvelle, ils s'étaient mis en route sans tarder vers la forteresse qui abritait le palais royal.

Mounia, le cœur en joie de revoir ses parents ; Enguerrand, lui, inexplicablement noué.

La route étroite creusée au flanc de la colline balayée de sable les amena jusqu'aux tours rondes et jumelles. L'imposante porte sculptée que protégeaient Burg al-Haddad et Burgar-Ramlab était encombrée par une longue file de gens qui entraient ou sortaient, contrôlés par des gardes. Enguerrand et Mounia se fondirent dans le nombre.

*

Houchang, le fidèle ami de Djem parti en grand secret quelques semaines plus tôt de Rochechinard, étira sa corpulence massive engourdie par sa garde, avant de se caler de nouveau dans le renfoncement du mur blanchi de chaux. Troquant sa superbe contre l'allure dépenaillée d'un mendiant, il s'était attaché aux pas d'Aziz ben Salek, le père de Mounia, depuis son arrivée au Caire voici huit jours. Son premier réflexe avait été de se rendre au palais du sultan Keït bey où résidaient toujours les deux fils et la première épouse de Djem. Il s'était ravisé pourtant, craignant en révélant sa présence d'inciter Mounia à se cacher. Il ne pouvait se le permettre. La vie de Djem était en jeu. Il s'était discrètement renseigné sur Aziz ben Salek. Haut dignitaire, ce dernier passait ses journées au palais et ne rentrait que le soir chez lui. Protégé par sa nouvelle apparence, Houchang, qui connaissait l'homme pour avoir assisté aux négociations concernant le mariage de Djem avec Mounia, l'avait suivi jusqu'à sa somptueuse maison dans l'espoir d'apercevoir la silhouette de la traîtresse. Ce jourd'hui il commençait à désespérer. Soit Mounia ne quittait jamais la demeure familiale, soit il devait admettre qu'il s'était fourvoyé en l'imaginant revenir auprès des siens.

Le soleil était au zénith et, malgré le léger vent frais qui caractérisait l'endroit, la chaleur plombait la colline, ramenant de fortes odeurs d'urine à son nez chatouilleux. Bien que la terre soit arrosée régulièrement par les Saqqa, ces porteurs d'outres qui parcouraient inlassablement les trois enceintes intérieures depuis le puits de Joseph, hommes et bêtes faisant là où ils se trouvaient, la citadelle puait. Houchang sortit un sachet d'épices de sa bourse et le passa sous ses narines. Il s'était donné deux jours encore. Ensuite il gagnerait Rhodes et trouverait bien moyen, de là, de retracer l'itinéraire emprunté par Mounia.

*

À cette heure de la journée, Aziz ben Salek était encore au service de Keït bey. Malgré son envie de le revoir, Mounia se trouvait heureuse de présenter Enguerrand à sa mère. Elle avait de nombreuses questions à lui poser et savait que Fatima n'y répondrait pas de la même manière en présence de son époux.

— C'est là, dit-elle en désignant l'imposante façade blanche embellie à mi-hauteur d'un moucharabieh de bois précieux finement ajouré.

La demeure était sans conteste la plus belle de la rue. Une porte sculptée d'un croissant barrait l'entrée. De chaque côté, des tourelles carrées permettaient aux gardes en faction de contrôler le passage depuis une grille rectangulaire de fer, forgée à hauteur des yeux. Imitée par Enguerrand, Mounia descendit de sa monture. Il lui suffit de quelques mots pour, un instant plus tard, passer sous la voûte cintrée et pénétrer dans le jardin luxuriant.

Comme elle aimait à le faire malgré leur domesticité, Fatima roulait des dattes dans de la poudre de paprika lorsqu'ils s'annoncèrent au seuil de la cuisine. Reconnaissant sa fille, elle ne prit pas seulement la peine de ramener son voile sur ses traits ou d'essuyer ses mains rougies par l'épice. Elle se précipita vers elle en poussant un cri de joie. Les deux femmes s'étreignirent avec force et émotion. Enguerrand, discrètement en retrait, ne put s'empêcher de noter la beauté encore altière de l'Égyptienne et sa ressemblance avec Mounia. Même nez droit et fin, même bouche délicatement ourlée, même regard vif et ocré que le fard rehaussait d'or, mêmes pommettes saillantes et hautes. Si Fatima n'avait accusé quelques rides au coin des yeux et à la commissure des lèvres, on aurait pu les croire jumelles.

À la faveur d'un thé que Fatima leur fit servir dans la salle de réception située à l'étage de la maison, Enguerrand découvrit aussi que son épouse avait hérité de sa mère l'élégance de ses gestes.

Pour l'heure, Mounia venant d'achever avec force détails le récit de leur périple, Fatima gardait le visage soucieux. Trouant le silence qui s'était installé, les bruits de la rue en contrebas filtraient, tout autant qu'une lumière rasante, par les interstices du moucharabieh. De grands tapis luxuriants ornés d'arabesques et de motifs pyramidaux, surchargés de coussins carrés, entouraient deux tables basses et rondes de cuivre martelé. Au mur, des mosaïques répondaient à la dominante écarlate des tissus. Un parfum d'agrume et de cannelle flottait dans l'air lourd. Assis en tailleur à l'exemple de Mounia et de sa mère au milieu de ce décor chaleureux, Enguerrand se prit à sourire en sirotant le breuvage chaud et amer. Il était bien.

— Je te remercie, mon gendre, l'enveloppa soudain la voix grave et chaude de leur hôtesse.

Il sursauta, et Fatima se mit à rire en se tournant vers Mounia.

— N'as-tu donc pas dit à ton mari que je parlais cinq langues ?

— J'ai oublié, avoua Mounia en se mordant la lèvre.

— C'est sans importance, lui dit sa mère, avant de reporter son attention vers Enguerrand et de poursuivre, en langue franque teintée d'un fort accent : ce que tu as fait pour ma fille mérite ma confiance et ma reconnaissance. Absolues.

— L'amour seul a guidé mes actes, madame.

Fatima balaya l'air d'un geste gracieux du poignet, faisant tinter la dizaine de bracelets d'or et d'émaux qui s'y trouvait enfilée.

— L'amour ne suffit pas à garantir la pureté d'un cœur. Quoi qu'il en soit, je t'attendais depuis longtemps.

Mounia se mit à trembler. Le temps des réponses était venu.

— Tu ne t'es jamais immiscée dans nos conversations, avec père, souligna la jeune femme. Jamais inquiétée ni de cette carte ni des flacons, si semblables en apparence aux pyramides de ce pays. Pourtant, en Sardaigne, c'est dans la langue de tes ancêtres que j'ai pu communiquer avec l'esprit des Géants…

— Qu'aurais-je eu à apprendre que je ne savais déjà ? sourit Fatima. Le sang des rois coule en mes veines et avec lui la mémoire intacte de ces Géants dont tu viens de me parler. Ils ont apporté la connaissance des astres, de la navigation, de la culture, un savoir antédiluvien, mais par bribes, pour laisser le temps aux humains de se l'approprier, car, disaient-ils, depuis que le monde est monde la civilisation meurt et renaît, grâce aux passages qui mènent aux Hautes Terres. Peu à peu pourtant ils se sont laissé dominer par les pharaons jusqu'à dégénérer et disparaître. Le dernier d'entre eux travaillait pour Imhotep. Il aida à la construction de la pyramide de Djoser.

— Et pour… nous ? demanda Mounia.

— J'avais onze ans à peine lorsque ma mère m'a transmis la légende des Hautes Terres. Quelques jours plus tard, alors que je protégeais déjà ce secret comme un trésor, un porteur de destin est venu vers moi.

— Un porteur de destin ? s'étonna Enguerrand.

— C'était un vieillard sans âge véritable, vêtu modestement et dont la barbe, plusieurs fois nouée, touchait ses chevilles. Il a pris ma main, l'a ouverte et y a fait couler du sable. « Tu auras une fille, m'a-t-il annoncé d'une voix monocorde. D'elle naîtra celui qui sauvera le roi. »

La fébrilité gagna Mounia.

— Le roi ? De quel roi parlait-il ?

— De celui des Hautes Terres.

— Vous avez dit tantôt que vous m'attendiez. Pourquoi? Le porteur de destin? questionna à son tour
Enguerrand.

— Oui. « Le père de l'enfant sera un chrétien », a-t-il
dit...

Un voile de tristesse balaya les yeux de Fatima tandis
que sa voix se brisait...

— « Il viendra et tu mourras », a-t-il ajouté avant de
disparaître au loin.

Un instant, cette prédiction pesa sur les épaules de
Fatima et sur le cœur de Mounia, mais cela ne dura pas.
Déjà le sourire renaissait sur les lèvres de leur hôtesse.

— Allons, l'heure n'est pas aux funérailles mais aux
retrouvailles. Les dieux qui vous guidèrent jusqu'ici ne
sauraient les entacher. Ce soir cette maison festoiera,
comme disent les Francs.

— Une dernière question, mère. Père sait-il ce que tu
viens de me confier ?

Fatima redressa le menton avec fierté.

— Il m'a épousée en connaissance de cause. Nos destins
étaient liés. Comme vous l'a appris votre amie Catarina,
Morlat, un des sages des Hautes Terres, avide de conquête
et de pouvoir, subtilisa carte et fioles magiques. Ignorant
les conséquences de son geste, il attendit que la cité se
meure pour y revenir en maître. Hélas pour lui, les rivières
enchantées s'étaient taries et il fut contraint de prendre la
mer pour retrouver l'île qui servait d'ultime passage entre
les deux mondes, le sien et le nôtre.

— Grâce à la carte qui donnait le dernier emplacement
de l'île, ajouta Mounia.

— Oui. Des pirates l'abordèrent. Mais, contrairement à
ce que Catarina vous a raconté, il convainquit l'équipage
de le suivre jusqu'à destination. Un homme s'y opposa. Le
capitaine de l'embarcation. Il fut jeté aux fers. Le lende-

main, face au sort qu'on lui réservait, il fit mine de changer d'avis pour reprendre sa place et mieux examiner cette carte que le géant avait dévoilée. Quelques jours plus tard, le navire fut pris dans une tempête et brisé par le flanc. Le Géant disparut dans les vagues avec la carte et les fioles. Il n'y eut qu'un seul survivant, le capitaine, qui parvint à regagner la rive d'une île de l'archipel des Açores, agrippé à un morceau de mâture. Dès lors commença pour lui une longue quête. Reconstituer de mémoire ce qu'il avait lu sur la carte et retrouver les fioles qu'il imagina rejetées tôt ou tard par le flot. Ce savoir, il l'a transmis à son fils né d'une indigène, puis, ainsi, de génération en génération.

— Ainsi donc…

— Aziz ben Salek, mon mari, est le descendant du capitaine.

Mounia comprenait mieux à présent l'excitation de son père lorsqu'il avait découvert le flacon pyramide dans les effets de Djem. Une dernière question tiraillait Enguerrand.

— Puis-je vous demander encore comment il est possible que vous parliez ma langue avec autant de facilité ?

Le visage de Fatima se teinta cette fois d'espièglerie.

— Non. Il est des secrets que le cœur d'une femme, parfois, n'a pas envie de révéler.

*

Comme chaque soir, Houchang rabattit les pans de son capuchon sur ses joues et, prenant l'allure voûtée d'un vieillard misérable, enfila discrètement le pas d'Aziz ben Salek à sa sortie du palais royal. Il avait faim malgré les nombreuses dattes et olives qu'il avait sucées au long de la journée et s'était promis un festin dès que la demeure serait plongée dans l'obscurité. Il avait, à la vérité, perdu l'espoir de retrouver Mounia, mais le souvenir de son prince et ami le rappelait à sa quête. Jamais il n'abandonnerait Djem à ces scorpions. Jamais.

Comme chaque soir, Aziz passa les portes de sa maison. L'homme était vert encore malgré un âge avancé. Son œil droit, noble et fier, savait se piquer de rouerie pour parvenir à ses fins. Stratège habile, conseiller vertueux, Keït bey avait toute confiance en lui. Pourtant, Houchang aurait pu jurer que derrière ce masque se cachait un autre, un homme qui, par trois fois, délaissant son poste, s'était rendu près d'Héliopolis, au nord-est des remparts du Caire, dans un ancien palais abandonné. Le suivant de loin pour n'être pas repéré, Houchang n'avait pu se rendre compte de ce qu'il y faisait. Aziz était ressorti de longues heures plus tard, avait verrouillé la porte et repris le chemin de la citadelle comme si de rien n'était.

À la faveur d'une nuit, Houchang avait forcé le passage, certain qu'on attribuerait cette intrusion à quelque pillard. Fatiguée par l'érosion des vents de sable, la serrure avait cédé d'un simple coup de pied sur le battant. Le palais ceinturait une cour tristement délabrée dont la fontaine ornée de mosaïques semblait tarie depuis longtemps. Balayées de la lueur d'une lanterne, les différentes salles avaient révélé sous le dôme de leurs plafonds des bas-reliefs somptueux et des colonnades, chargées de hiéroglyphes. Au sol, de grandes dalles d'albâtre poli trahissaient encore la richesse passée du lieu. L'endroit avait dû être splendide, et cependant la désolation y régnait. Pas un meuble, pas une poterie, pas un tapis. Les pièces étaient vides. Oubliées des hommes à l'exception d'Aziz ben Salek. Ce qui rendait plus curieux encore l'intérêt et le temps que le père de Mounia consacrait à cet endroit.

Houchang l'avait quitté sans réponse, certain pourtant qu'il devait exister là quelque passage secret vers la véritable motivation du dignitaire. Depuis, il veillait avec une attention accrue.

Comme chaque soir, les bruits parasites de la citadelle s'étant étouffés en même temps que l'activité, il se plaça sous le moucharabieh de la maison d'Aziz, et tendit l'oreille. Surpris, il perçut des rires enveloppés de musique. Il capta quelques mots. Du franc. Son cœur accéléra dans sa poitrine. Puis enfin un nom. Exclamation de joie dans la bouche d'Aziz :

— Mounia ! ma chère enfant !

Aussi joyeux que l'était cette maisonnée, Houchang se détacha du mur en frottant l'une contre l'autre ses mains épaisses. Sa quête était terminée, et la faim, une faim d'ogre, le tenaillait.

17.

Guy de Blanchefort reçut la requête de Djem avec désarroi. Le prince, qui l'avait convoqué en cette fin d'après-midi du 6 juillet, se tenait devant lui, dans une des salles habillées d'Orient mises à sa disposition par le baron Jacques de Sassenage. À en juger par la nervosité inhabituelle qui faisait tressauter sa paupière par intermittence, Djem avait longuement réfléchi à la question.

— Puis-je savoir ce qui motive ce choix, mon cher ami ? questionna le grand prieur d'Auvergne à son tour en joignant ses mains devant son menton pour masquer leur moiteur soudaine.

Djem lui tourna le dos pour aller se planter devant la fenêtre. Dans les jardins en contrebas, Philippine jouait à colin-maillard avec ses damoiselles de compagnie. Parler d'elle, raconter cet élan qui le poussait vers le velours de ses lèvres, cet embrasement qui ramenait chaleur en lui et cendres l'instant d'après lorsqu'elle s'éloignait, chanter sa beauté et sa grâce, l'étincelle dont ses yeux s'illuminaient lorsqu'il les caressait des siens, sentir frissonner le bout de ses doigts quand, à la faveur d'un geste discret, leurs peaux se frôlaient. Se nourrir du battement de ses cils de gazelle, de l'éclat des joyaux qui rehaussaient son teint d'albâtre, savoir du plus profond de lui qu'il lui appartiendrait jusqu'à son dernier souffle, et ne voulait plus vivre une heure sans son rire. Et que cet amour-là le ravageait au point d'avoir perdu le sens du reste, le souvenir de sa quête antérieure, des batailles intestines, des ambitions légitimes, voilà ce qu'il aurait voulu expliquer au grand prieur, en se jetant à ses pieds comme un chien misérable mendiant pour sa survie un os à ronger. Il ne le pouvait pas. Cette vérité-là était inacceptable pour Guy de Blanchefort qui, la veille encore, lui avait répété sa joie de voir Philibert de Montoison, son fils peut-être, épouser Philippine.

Djem fixa son aimée qui tournoyait sur elle-même. Un bandeau lui masquait les yeux, la perdant un instant dans l'espace et le temps. Il était de même. Perdu. Se raccrochant à l'improbable pour ne pas mourir de l'impossible.

— Je suis las de cette course sans fin, grand prieur. Las de voir mes amis tomber, la trahison nourrir mes pas et empoisonner mon vin. Las d'être juste un objet de convoitise, un pain d'épice émietté par chacun des monarques de ce monde à la merci des oiseaux de proie. Je suis las de moments stériles, de jours sans éclat. Allah m'a abandonné. J'ai perdu la foi en demain. Comment alors garder pure en moi celle en mon Dieu ?

Il pivota vers Guy de Blanchefort. La souffrance qui tordait le visage du prince n'était pas feinte. Djem se détourna de nouveau. Il n'était pas homme à chercher la pitié. Son souffle, sa lumière, sa force venaient de Philippine, en bas. Il en avait besoin à cet instant, plus que jamais. Il se crispa en entendant son geôlier, devenu au fil des mois son ami, déglutir avec difficulté.

— Je ne peux pas, Djem.

La voix était éteinte. Le cœur de Djem aussi.

— Je le voudrais, oui, du plus profond de moi. Parce que convertir un être tel que vous, au-delà de ce que vous me dites et que j'entends avec douleur, serait sans conteste ce que j'aurais accompli de plus grand dans ma vie. Je le voudrais, Djem, il faut me croire, mais notre grand maître ne l'autorisera pas.

— Quelle raison invoquerait-il pour l'empêcher ? Vous savez comme moi que la lutte de pouvoir entre l'Orient et l'Occident est aussi une lutte religieuse. Bayezid veut étendre l'islam autant que vous autres le christianisme. Convertissez-moi, levons une armée, et Istanbul sera vôtre à travers moi.

Guy de Blanchefort se leva douloureusement. Il n'avait pas encore annoncé à Djem son intention de quitter Rochechinard. S'il le faisait, là, maintenant, il n'était pas certain que le prince n'ouvrirait pas cette fenêtre après son départ pour s'écraser quatre étages plus bas. Le rejoignant, il posa sa main sur l'épaule massive de Djem. Elle s'affaissa légèrement à son contact.

— Les choses sont plus complexes qu'il n'y paraît.

Djem crispa les mâchoires. L'intérêt financier. Voilà ce qui prédominait

— Informez le grand maître que je pourrais multiplier par dix la manne qu'il reçoit annuellement de mon frère si je recouvrais ma place.

Blanchefort soupira lourdement.

— Soit. J'écrirai dès demain pour lui soumettre votre proposition. Mais vous vous trompez, Djem. Ce n'est pas d'argent qu'il s'agit, mais de paix. Pierre d'Aubusson veut plus que tout au monde la préserver en Méditerranée et, que vous le vouliez ou non, elle passe par votre captivité.

Djem se tourna vers Guy de Blanchefort. Un peu de couleur avait regagné ses traits.

— Je m'accommoderais mieux de celle-ci si mes prières s'accordaient au rythme des vôtres.

La pression se fit tenaille affectueuse sur le pourpoint de Djem.

— J'aime vous entendre le supposer. En retour, permettez-moi un conseil. La réponse de Rhodes ne viendra pas de sitôt, lors je vous en conjure, jouissez du moment. Il est précieux… Plus que vous ne croyez, ajouta le grand prieur avant de se retirer.

Djem en était persuadé. Il reporta son attention vers les jardins en contrebas. Le jeu avait entraîné sa belle un peu plus loin. Un arbre la lui masquait. Il était seul. Même s'il avait toute confiance en Guy de Blanchefort, il savait qu'Aubusson ne céderait jamais.

Il avisa Philibert de Montoison qui, furtivement, tel le prédateur qu'il était, glissait de buisson en buisson pour se rapprocher du terrain de jeu des damoiselles. Le chevalier avait-il des doutes à leur sujet pour vouloir ainsi espionner Philippine ? Le cœur de Djem se serra davantage. Ils avaient été la prudence même, ne s'étaient jamais retrouvés isolés ici, au château, ou lors de leurs promenades en forêt. Et à la nuit tombée deux hommes en faction devant sa porte, détachés à sa sécurité sur les recommandations conjointes de Jacques de Sassenage et de Guy de Blanchefort, empêchaient qu'il la rejoigne.

Il s'écarta de la croisée, un goût de sang dans la bouche. Quoi qu'il advienne, il était certain d'une chose. Jamais Philippine n'épouserait ce chacal.

*

Aymar de Grolée détacha sa monture du tronc du chêne où il l'avait abandonnée le matin même. D'un mouvement souple, il l'enfourcha et tourna bride. La nuit ne tarderait plus à tomber et il ne voulait pas se laisser surprendre. Zigzaguant au travers de la forêt des Coulmes sur ses propres traces et prenant garde à la déclivité du sol, il finit par rejoindre la route, le cœur battant la chamade de sa découverte. Jacques de Sassenage avait vu juste. Les vieilles ruines de l'ermitage abritaient bien un souterrain. Depuis une semaine qu'il battait les vieilles pierres, il avait fini par en découvrir le secret. C'était ce jourd'hui leur seul espoir de tromper Marthe et de délivrer Jeanne. Si elle était encore en vie après douze jours de captivité. Il talonna sa monture jusqu'au castel de Saint-André-en-Royans. L'ermitage était sous sa juridiction. Et Aymar de Grolée, un ami du seigneur du lieu. Aymar eût pu sans réserve lui demander l'autorisation d'emprunter les passages sous le château. Mais il ignorait si Bernardin de Clermont en connaissait encore les accès. Et puis, compte tenu du meurtre sauvage de sœur Albrante en l'abbaye de Saint-Just-de-Claix, dont les terres jouxtaient celles de Saint-André-en-Royans, il ne voulait pas attirer l'attention sur ses intentions. Certes, les dominicains étaient repartis, mais la mère supérieure avait perdu le sommeil. Pis, elle en était parvenue au sentiment que le lieu, maudit depuis qu'elle avait procédé au faux enterrement de Jeanne, libérait à présent ses démons pour les punir. Elle passait comme les autres ses journées en prière et en jeûne. Refusant tout visiteur. Refusant même d'évoquer le nom de Jeanne de Commiers. L'abbesse en était convaincue. Des trois moniales qui avaient blasphémé six ans plus tôt, Aymonette et elle étaient les seules survivantes. Lorsque le diable viendrait les prendre, elle serait prête au sacrifice de sa vie et de son âme pour rompre la malédiction du lieu et sauver sa consœur.

Aymar avait longuement étudié toutes les options avant de confier sa détresse à Jacques de Sassenage et de tenir conseil avec lui, isolés des regards et des oreilles indiscrètes dans la clairière qui avait si bien abrité la première rencontre de Philippine et Djem. L'isolement du vieil ermitage leur avait semblé l'approche la plus discrète. Jacques ne pouvait risquer le courroux de Marthe en ouvrant lui-même les souterrains de la Bâtie. Officiellement, Aymar de Grolée était retourné chez lui à Bressieux, régler ses affaires. Marthe ne le soupçonnait pas et Jacques évitait soigneusement de se trouver seul avec elle, tout en restant visible pour ne pouvoir être, le moment venu, soupçonné de quoi que ce soit. L'idée étant de retrouver Jeanne et de laisser croire à Marthe qu'elle s'était évadée sans aucune aide extérieure.

Pour le reste, Aymar se tenait prêt. Jacques de Sassenage avait promis à Philibert de Montoison de publier les bans sous huitaine et de lui affréter une escorte jusqu'à ses terres situées en dessous de Valence dès le mariage célébré. Mais il était entendu que cet ignoble personnage tomberait dans une embuscade à quelques lieues de chez lui et y laisserait la vie. Une fois Jeanne en sécurité, Aymar avait renouvelé son serment : il épouserait Philippine devenue veuve pour la protéger d'autres convoitises. À moins que le prince Djem, d'ici là, n'ait obtenu de l'Ordre ce qu'il souhaitait.

Les hautes tours du château féodal apparurent devant lui. Le soleil descendait. Un loup hurla au loin. Le premier. Bientôt ils se répondraient de place en place, faisant trembler moutons et bergers. Demain, dès l'aube, Aymar de Grolée deviendrait l'un d'eux. Tapi dans les profondeurs de la terre, armé d'amour et de patience tout autant que de sa longue épée, il rechercherait la femme qu'il avait toujours aimée.

*

Cela faisait deux jours à présent que Houchang guettait l'occasion. Mounia n'était pas ressortie. Il ne pouvait investir la demeure d'un haut dignitaire, assassiner froidement sa fille et récupérer le contrepoison de la sorcière sans conséquence funeste pour lui et par là même pour son prince. Se levant, il trépigna sur place pour chasser de ses jambes les picotements de l'immobilité. Un chaton aux oreilles démesurées vint se frotter en ronronnant contre ses mollets, quêtant la caresse qu'il lui avait déjà accordée à plusieurs reprises. D'un geste ample, Houchang le cueillit dans sa main épaisse et, s'adossant au mur, le porta devant ses yeux.

— Il semble que nous soyons abandonnés tous deux par la chance, murmura-t-il en soupirant.

À cet instant, le prenant pour un des mendiants qui hantaient les murailles de la citadelle, un vieillard au teint buriné et à la gandoura rayée s'approcha pour lui tendre un sachet d'olives.

— Je n'ai rien pour ton animal, mais voici pour toi, mon ami. Qu'Allah te protège.

Ne voulant pas se distinguer des autres miséreux, Houchang accepta le présent avec gratitude. Il courba le menton à plusieurs reprises pour bénir le passant de sa générosité. Relâchant le chaton qui gigotait contre sa poitrine, il engloba la rue d'un rapide coup d'œil. Regroupés, trois autres mendiants y sévissaient, à quatre portes de là, en face, assis en tailleur à même le sol, comme lui quelques minutes plus tôt. Leurs visages se perdaient dans l'ombre du mur. La main ou la sébile tendue, de loin, ils affichaient une mise plus piteuse encore que la sienne. Houchang en prit note. Il devait être vigilant à son déguisement. Lui qui aimait l'onctuosité des onguents sur sa peau après les bains ne se lavait plus qu'avec parcimonie depuis son arrivée pour nourrir l'odeur de la rue dont empestaient les véritables miséreux. Même dans les montagnes d'Anatolie, il avait toujours veillé à sa toilette. Enfin, songea-t-il en se rasseyant, la vie du prince méritait largement ces menues incommodités !

Le soleil descendait à l'horizon, le parant de vapeurs poudrées. La citadelle perdait de son activité. Le chat qui s'était éloigné revint se nicher entre ses jambes croisées en ondulant de la croupe. Piétinant des coussinets un moment pour trouver sa place, il finit par s'enrouler sur lui-même et par s'endormir dans le repli d'un genou. Houchang cala son dos au mur, égarant ses gros doigts dans le pelage gris de l'animal. Comme lui semblaient loin les faveurs et les douceurs de sa propre jeunesse, quand il chevauchait bride abattue avec Djem, festoyant au bout de la nuit, rêvant de conquête ou brûlant d'injustice et de combat au plus fort de sa guerre contre Bayezid. L'exil. Il inspira l'air chargé des relents d'épices.

— Comme je voudrais, ô mon prince ! que tu fusses là, à mes côtés cette nuit ! songea-t-il en fixant sans y croire la double porte cintrée qui s'ouvrait enfin de l'autre côté de la rue.

Son cœur s'accéléra dans sa poitrine. Il baissa le nez sur ses babouches pour n'être pas reconnu, tandis que un à un, montés de cavaliers, quatre chameaux sortaient de la cour de la demeure d'Aziz. L'oiseau quittait le nid. Et à en juger par les silhouettes, Houchang aurait pu jurer que c'était la maisonnée entière qui s'en allait. Il attendit que le groupe s'éloigne pour bondir sur ses pieds, oubliant le chaton auquel il arracha un miaulement indigné.

— L'heure n'est plus aux caresses, murmura-t-il.

L'instinct de Houchang le trompait rarement. En un éclair il devina leur destination. Décidé à les y précéder, il descendit la rue pentue d'un pas pressé, passa devant le groupe de mendiants pour bifurquer aussitôt et au pas de course dans une autre, parallèle.

Remis debout, déjà l'un des mendiants s'apprêtait à talonner Houchang, lorsque le plus grand d'entre eux le retint par le bras.

— Laisse-le filer. Qu'il fasse le travail. Le moment venu, nous interviendrons. Là-bas. Dans les ruines d'Héliopolis.

Délaissant Houchang qu'ils avaient sans peine retrouvé là sitôt leur débarquement quelques jours plus tôt, Hugues de Luirieux, l'ombre noire de Philibert de Montoison, suivit des yeux la caravane qui loin devant dodelinait au pas des bêtes.

— L'heure de la vengeance a sonné, martela-t-il.

À cet instant, reflétant la haine qui lui balayait le cœur au souvenir de la fuite d'Enguerrand et Mounia à Rhodes, les remparts de la citadelle basculèrent dans l'ombre, fauchant l'horizon pourpre. Le soleil sombrait.

18.

La caresse mourut sur le sein gauche d'Algonde.

— Qu'as-tu donc? demanda Mathieu qui s'évertuait sans succès à réveiller les sens de son épouse.

Depuis qu'ils s'étaient couchés, tout comme ces derniers jours, Algonde demeurait de marbre à ses côtés.

— Rien, je suis fatiguée.

— Fatiguée... Tiens donc! Et que devrais-je dire, moi qui suis debout depuis l'aube à la chaleur du four?

Tournant son visage vers lui, Algonde se força à sourire.

— La même chose sans doute! Et pis encore. Ne sois pas fâché, Mathieu, mais ma journée fut rude.

Mathieu tordit la bouche avant de se renverser sur le dos. Le désir le tenait. Il se fit cynique.

— Il est vrai qu'entre deux tétées d'Elora, danser, jouer, écouter les ménestrels et moucher tes prétendants a de quoi épuiser tes ardeurs...

Refoulant la douleur qui obscurcissait son cœur depuis qu'elle avait surpris la conversation de Mathieu avec Marthe, la jouvencelle se tourna de côté et, prenant appui de son coude, cala son oreille sur sa main. Au-dessous d'elle, Mathieu boudait. Elle ne voulait pas que s'installe entre eux un véritable malaise. Après tout et malgré tout, il

174

n'avait agi que dans l'espoir de la sauver. Elle devait s'accrocher à cette vérité. Son corps pourtant la refusait. Quelque chose en elle s'était brisé.

— Hélène a reçu une lettre ce matin. Une lettre de Marie de Dreux, tu sais, la fille de l'homme qui a tenté d'empoisonner Djem.

— Et alors ? En quoi ça nous concerne ? maugréa Mathieu.

Cherchant à réinventer le désir derrière le spectre de la trahison, les doigts d'Algonde s'égarèrent sur le torse massif de son époux. Il ne desserra pas les dents.

— Marie est promise au seigneur de Saint-Quentin qui a bien voulu renouveler son engagement malgré les derniers événements à Romans. Seulement, il est page du roi et refuse que Marie soit son épousée avant que l'exécution de son père en place publique soit oubliée.

Le jeu des doigts dans sa toison brune commençait à dérider Mathieu. Le souffle accéléré, il murmura :

— Si tu savais comme je m'en moque…

— Pas Hélène. Marie lui a demandé de l'accepter à la Bâtie jusque-là. Un concurrent de son père a offert de racheter leur affaire de draperie. La vente effective, sa mère entrera au couvent. Contrainte dès lors de déménager, Marie craint que l'opprobre ne pèse plus lourdement encore sur elle. Bref, Hélène a été insupportable toute la journée à cause de cette requête.

— Je ne vois pas pourquoi.

— Elle en veut à Marie de la trahison de son père.

Mathieu sursauta. Le visage qu'il tourna vers elle s'était refermé en une fraction de seconde.

— Hélène est stupide, grinça-t-il. Peut-on être tenu pour responsable de ce que l'on subit ?

Algonde déglutit. Bien sûr, c'était à lui-même qu'il pensait. L'évidence lui apparut soudain : sous des dehors d'indifférence, cultivant le quotidien comme un refuge,

Mathieu regrettait son pacte. Elle coucha la tête sur son cœur. Il battait la chamade.

— Non, tu as raison. C'est injuste. Hélène est injuste. C'est ce que je me suis évertuée à lui répéter, m'épuisant en discussions stériles, assura-t-elle en caressant son épaule.

Le silence les enveloppa, ponctué de leurs souffles respectifs. Nouée, Algonde cherchait ses mots. Si elle ne les trouvait pas là, maintenant, c'était leur amour qu'elle condamnait à jamais. Le désir de sa peau. Le partage.

— Je t'aime, Mathieu, murmura-t-elle.

Le timbre de Mathieu se fit plainte. Désespérée.

— Alors pourquoi tu ne veux plus de moi ?

Des larmes piquèrent les yeux d'Algonde. Dis-le. Dis-le. Dis-le, hurla son âme. Dis-le ou perds-le encore une fois.

— Marthe, souffla-t-elle.

Il se durcit tout entier sous elle. La voix d'Algonde s'étrangla.

— L'autre matin… je vous ai entendus.

Instinctivement, comme s'il avait peur qu'elle s'échappe, il lui enveloppa les épaules pour la serrer plus fort contre lui. Son cœur, sous l'oreille d'Algonde, n'était plus qu'un grondement irrégulier qui s'engloutissait dans les soubresauts de sa poitrine.

— Je ne peux pas, Mathieu… Je ne peux pas te laisser faire ça…

Elle éclata en sanglots.

*

Sur la rive est d'une des branches du Nil qu'illuminait la clarté lunaire, la ville antique d'Onou-Lounou, rebaptisée Héliopolis par les Grecs, dressait les murs émoussés de sa double enceinte. Quelques ruines trahissaient l'importance de ce haut lieu de culte sous le règne des pharaons, mais à ce jour, ses temples et palais, pillés, tombés dans l'oubli, n'abritaient plus que quelques miséreux. Mounia les connaissait depuis toujours, ces vestiges. À plusieurs reprises, son père les lui avait montrés depuis le point culminant de la citadelle.

— Un jour, disait-il, je te révélerai leur secret.

— Quand ? demandait-elle invariablement.

— Quand le moment sera venu.

Il l'était. Indubitablement.

— Par là.

Jouant de la bride sur le cou du chameau pour le remettre en mouvement, Aziz reprit la tête du convoi un instant immobilisé par la sensation furtive d'un danger. Quelques longues minutes plus tard, Aziz, Fatima, Enguerrand et Mounia pénétraient dans l'enceinte. Ils longèrent quelques tumulus de sable, ruines aux bouches noires peuplées de fellahs curieux, pour abandonner finalement leurs montures à l'ombre massive et carrée d'un obélisque, près d'un porche à l'huis défoncé.

— Des pillards, commenta Aziz, qui avait vu au fil des années l'endroit débarrassé du moindre de ses objets.

Passé la cour offerte à la luminosité du firmament, il pénétra dans le palais plongé, lui, dans les ténèbres.

— Une lampe à huile nous aurait été bien utile, remarqua Enguerrand en se rapprochant de Mounia.

Dans le silence morbide du lieu, sa voix résonna tel un glas.

— C'est dans le cœur que se tient la lumière. J'y vois ici comme en plein jour, mon gendre, et aucun obstacle ne se tient sur notre route. Ayez confiance en moi, suivez-vous les uns les autres et je vous mènerai sans faillir, lui répondit le timbre nasillard d'Aziz.

Enguerrand s'en accommoda avec confiance. Depuis sa rencontre avec son beau-père, il avait été impressionné par l'étonnante vivacité qui émanait du personnage. Aziz, en retrouvant sa fille, n'avait été surpris de rien, tout entier à sa joie de la serrer dans ses bras. Une profonde affection les liait tous deux. Palpable jusque dans les regards qu'ils échangeaient sans cesse, leur complicité était tant évidente qu'Enguerrand comprenait mieux à présent ce que Mounia lui avait raconté de cet homme.

Capturé au large des îles Açores lorsque des pirates prirent le navire de son père, Aziz fut vendu à l'âge de dix ans aux mamelouks, qui l'élevèrent pour le transformer en guerrier. Lorsque Keït bey, son ami, devint sultan, Aziz accéda à de hautes fonctions, convaincu que le destin l'avait mené ici pour, tôt ou tard, servir la cause de ses ancêtres. Curieux des premières dynasties qui eussent pu voir le règne des Géants, Aziz avait sillonné l'Égypte à la recherche des vestiges de leur présence. Vint pour lui l'heure d'étudier Memphis et Saqqarah, sa nécropole. Il chercha, pour ce faire, un hébergement digne de sa condition. Il le trouva sans peine auprès d'une des plus anciennes familles d'Égypte qui persistait contre toute logique à demeurer dans une bâtisse reconstruite maintes fois sur les vestiges du palais du pharaon Djoser. Au premier regard, il tomba amoureux de Fatima, la fille aînée de la maisonnée. Il la courtisa longuement, jusqu'à lui avouer l'objet de sa quête. Fatima lui raconta en retour que la légende des Hautes Terres avait été transmise chez les siens de génération en génération sous la forme d'un navire qui, dans un halo lumineux plus puissant que celui du soleil, était apparu soudainement sur les eaux du Nil. Un géant barbu en était descendu. Il avait été leur premier roi, leur premier Dieu : Râ. Elle était de son sang.

Les destins de Fatima et d'Aziz ne faisaient qu'un. Ils le scellèrent par des épousailles somptueuses que le sultan Keït bey honora de sa présence et de sa bénédiction. La nuit de leurs noces pourtant, alors même qu'ils venaient de se coucher en la cité de Memphis, la terre d'Égypte trembla avec une telle violence qu'ils crurent leur dernière heure arrivée. Lorsque le calme fut revenu, Aziz découvrit un passage dans le sol de leur chambre nuptiale. Il s'y glissa.

Depuis lors, et après s'être installé dans la capitale avec son épouse pour mieux remplir ses fonctions de dignitaire, il n'avait eu de cesse d'envoyer des hommes de confiance à la recherche des trois flacons pyramides. Un de ces émissaires avait vu une sorcière offrir un tel flacon à Djem du temps de sa guerre contre Bayezid. Lorsque, blessé grièvement, le prince avait perdu la bataille, Aziz avait convaincu Keït bey d'offrir l'hospitalité au vaincu, certain de pouvoir lui dérober l'objet. Il n'y avait pas réussi. Les appartements du prince dans la citadelle étaient gardés jour et nuit. Nul, pas même Aziz, ne pouvait s'en approcher. Lorsque Djem décida de réclamer l'aide de Rhodes pour reconquérir son trône, Aziz comprit que l'heure était venue pour Mounia de se trouver confrontée à son destin. Il avait suggéré à Keït bey de la donner en mariage à Djem.

Ce jourd'hui plus que jamais, Aziz voulait retrouver le monde des Géants. Car, relayant la légende, le porteur de destin l'avait annoncé. Son petit-fils était prédestiné à protéger le roi des Hautes Terres. Aziz eût pu se satisfaire de sa condition hautement enviable au regard de ses pairs, mais quelque chose l'en empêchait. Ce qu'il avait découvert en la cité de Memphis puis d'Héliopolis et qu'il avait enfin décidé de leur montrer.

*

Mathieu laissa Algonde se vider de larmes. Immobile et silencieux, il la retenait seulement contre lui, espérant qu'il ne l'avait pas perdue à jamais par cette folie, craignant de la perdre plus encore s'il trahissait Marthe. Écartelé lui-même, il se mordait la joue avec violence pour ne pas sangloter tel un enfançon. Il s'en voulait. Non de la décision qu'il avait prise, car il était convaincu de son fait, mais de n'avoir pas été plus discret ce matin-là. Il ne pouvait pourtant s'en servir d'argument pour l'apaiser. Il ne pouvait rien. À part attendre les mots d'Algonde qui le condamneraient.

Ce fut petite Elora qui le sauva momentanément. Réveillée sans doute par leur détresse mutuelle, elle se mit à geindre puis à mêler ses sanglots à ceux de sa mère. Algonde étouffa aussitôt les siens. Reprise par son instinct, elle se dégagea presque brutalement de l'étreinte de son époux pour courir se pencher au-dessus du berceau.

— Chut, chut, tout va bien.

Elora refusa d'entendre. Avant même qu'Algonde ait enlevé la petiote de ses draps, Mathieu avait à son tour sauté du lit pour les rejoindre. Il les enveloppa toutes deux de ses bras pour planter son regard éperdu, perdu, dans celui de son épouse. Elora se tut. Mathieu déglutit.

— Nous ne faisons qu'un, Algonde. Un seul tous les trois. Comprends-tu ? Je ne veux pas vous perdre.

— Tu n'as pas choisi le bon camp pour ça.

— Tu ne les vaincras pas.

— Qu'en sais-tu ? le défia Algonde, sans pour autant quitter cet asile dans lequel Elora recouvrait peu à peu son calme en suçotant son pouce.

— Leurs pouvoirs défient la raison. Face à ceux de Marthe je suis sans défense, et toi aussi, Algonde. Crois-tu donc que ce petit être, là, puisse davantage que toi et moi ?

À cet instant la magie d'Elora opéra dans la pièce, comme si elle avait voulu rassurer son père. La lumière qui émana d'elle les sertit de ses reflets d'azur avant de les soulever du sol. Mathieu trembla sur ses certitudes. Peu à peu, Algonde s'apaisa de cette force sereine qui faisait écho à la sienne, l'irradiant d'un éclat féerique. Dénoués par quelque sortilège, ses cheveux pris par la tresse un instant plus tôt se mirent à voleter, fins et vaporeux, autour d'eux.

— Tu es si belle, se troubla Mathieu.

Enlacés tel un seul être, ils se mirent à danser lentement au-dessus du vide et Mathieu eût pu jurer que l'air était devenu musique. Il en percevait les accords sans âge. La douceur bienfaitrice. La mélopée envoûtante. Jamais encore il n'avait ressenti plénitude plus grande. Il plongea dans les yeux d'Algonde. Oubliée, la couleur du Furon. Ils étaient devenus d'un vert presque translucide, un cristal coloré des plus belles gemmes de la création. Certes elle lui avait dit tout cela, certes il l'avait accepté. Sans en percevoir la puissance. Sans le croire vraiment.

— Pardonne-moi, murmura-t-il, émerveillé. Je ne savais pas.

— Toi seul es vulnérable, Mathieu. Elora et moi sommes capables de nous protéger, tu dois nous faire confiance. Ne nous abandonne pas, je t'en prie. Ne renie pas ce que nous sommes, supplia la voix chantante d'Algonde.

Il ne la reconnut pas.

Rattrapé par les menaces de Marthe, il secoua la tête. Le moment venu, que déciderait son cœur en vérité ? Serait-il fort ou faible ? Une seule chose était sûre.

— Personne ne nous séparera, murmura-t-il tandis que la main de lumière les étendait sur le lit, tous les trois.

19.

Enguerrand avait perdu la notion du temps dans ce long tunnel qu'ils martelaient de leurs pas. Difficile, dans l'obscurité, de savoir dans quelle pièce du palais Aziz avait fait jouer un mécanisme secret. Le chevalier de Sassenage n'avait entendu que le bruit d'un glissement avant que son beau-père ne les prévienne du nombre de marches – trois cent soixante-douze – qu'ils devraient descendre. Aziz les avait guidés chacun leur tour jusqu'à la première puis les avait rejoints en bas pour reprendre la tête du groupe.

Pas un mot échangé depuis, comme si le silence seul pouvait s'accorder à ce lieu qu'Enguerrand devinait s'enfouir profondément sous les terres. De toute évidence, il était plus ancien que le palais. Qui l'avait construit ? Pourquoi ? Comment Aziz en avait-il eu connaissance ? Où les conduisait-il ? Enguerrand gardait pour lui ses questions. Visiblement Aziz tenait à son mystère et son gendre ne voulait pas lui déplaire par trop de curiosité.

Il se contentait de suivre Mounia d'un pas égal, gêné par une odeur désagréable, impossible à identifier, qu'amenait par intermittence un léger souffle d'air. Quels qu'aient pu être les bâtisseurs de ce souterrain, il fallait leur reconnaître une belle ingéniosité pour avoir trouvé le moyen d'empêcher le sable d'obstruer les conduits d'aération.

Enguerrand en était là de ses réflexions lorsqu'une lueur habilla le bout du tunnel. Tendant le cou, il distingua enfin le plafond carré, les parois étroites veinées de sombre mais sans une once de moisissure. La pierre était intacte, comme si on avait assemblé ces blocs la veille. Surpris, il pénétra dans une salle circulaire et le fut plus encore. La réplique exacte du nuraghe de Goni qu'ils avaient quitté en Sardaigne se dressait là, devant Mounia et lui.

Haute d'au moins une toise et demie, la stèle monumentale, creusée d'une large ouverture pyramidale à hauteur des yeux, semblait soutenir le cœur de la voûte de laquelle tombaient des bouffées d'air tiède. Piqués dans les murs alentour comme autant de tentacules, des couloirs montraient leurs bouches béantes.

— Fascinant, laissa tomber Mounia en s'approchant non de la stèle, mais d'une des sept lampes qui, suspendues par de longues chaînes, baignaient la salle de leurs flammes.

En deux enjambées, son père la rejoignit.

— N'est-ce pas ? se réjouit-il. Je n'ai eu de cesse depuis vingt années de m'interroger sur leur brûlot.

— Qu'est-ce à dire ? sursauta Enguerrand.

Mounia s'était hissée sur la pointe des pieds devant une suspension de métal. Au risque de se brûler, elle plongea son index à l'intérieur de la coupelle.

— Ces lampes sont perpétuelles. Approche-toi, fils, invita le mamelouk tandis que Mounia reniflait son doigt recouvert d'une huile noire.

Enguerrand constata lui aussi le phénomène. Reconnut l'odeur qui avait accompagné leur progression. S'étonna de cette substance poisseuse de laquelle émergeait une mèche enflammée.

— Peut-on les éteindre ?

— J'en ai renversé une pour en juger, répondit Aziz en désignant un coin d'ombre. Voyez le résultat.

Ils s'approchèrent. Le sol granitique était sillonné de traces noires et poussiéreuses.

— La flamme a couru par terre jusqu'à ce que l'huile ait intégralement brûlé. Mais le plus étonnant est que la coupelle s'est remplie de nouveau en quelques mois. J'ai fini par découvrir l'origine du miracle. Une goutte tombe du plafond chaque heure, régulièrement, dans chacune de ces coupelles, entretenant le niveau. Ce depuis la construction du mastaba.

Le visage buriné d'Aziz s'égaya tel celui d'un enfant avide de gourmandises. Ses épaules rentrèrent comme sous l'effet d'un rire intérieur tandis qu'il tendait la main vers son épouse. Fatima s'approcha sans hésiter pour nouer ses doigts aux siens. Mounia détourna un instant les yeux, gênée. Jamais elle n'avait imaginé autant de complicité entre ses parents. Ils n'en avaient rien laissé paraître jusque-là.

— Comme je te l'ai souvent raconté, Mounia, reprit Aziz, fébrile, le tremblement de terre au soir de nos noces révéla une bibliothèque souterraine. Mon beau-père se trouva tout aussi étonné que moi de son existence sous sa demeure et accepta sans réserve que j'y consacre tout le temps que je voulais. J'y découvris une grande quantité d'étuis cylindriques en or ornés de hiéroglyphes. Chacun d'eux préservait plusieurs rouleaux de papyrus signés d'Imhotep, scribe, bâtisseur et grand vizir du pharaon Djoser de la IIIe dynastie.

— Je fus convaincue moi aussi, tout autant d'ailleurs que ma mère, de l'importance de cette découverte. Les dieux voulaient servir notre lignée, ajouta Fatima, radieuse.

— Il en fut un qui piqua ma curiosité, enchaîna Aziz. Un manuscrit de vingt-six pouces sur cinquante-quatre, recouvert d'une écriture différente. Visiblement beaucoup plus ancien, il était signé de trois pyramides décorées de chiffres et de glyphes.

— Le sigle des flacons pyramides, s'écria Mounia.

— Tout juste, s'enflamma Aziz. Vois-tu, ma fille, dès lors, incapable de déchiffrer l'écriture pourtant hiératique du manuscrit mais certain de détenir une preuve du passage des géants en Égypte, je résolus de chercher d'autres traces de ces signes. Je finis par les découvrir une nouvelle fois, dessinés au milieu d'autres qui égaraient l'œil, dans les plans d'un palais, sans indication de lieu, de date ni de destinataire. J'ai cherché ce palais douze années durant. Et j'avais perdu l'espoir de le trouver jamais lorsque le hasard…

— … ou la volonté divine, le coupa Fatima.

Aziz lui tapota le dessus de la main qu'il emprisonnait toujours avec tendresse et ferveur.

— Oui, oui. Sans doute. Quoi qu'il en soit, il me fut donné d'examiner les plans de la nécropole des califes, gardés en la bibliothèque de la citadelle, pour choisir l'emplacement le plus adapté à la construction d'une nouvelle mosquée. Keït bey sait mon attachement à l'astrologie et tenait à ce que son futur tombeau soit couronné d'un firmament adapté à son tempérament

Aziz agita les doigts de sa main libre comme s'il voulait par ce simple geste effacer cette digression.

— Au plan général de la nécropole avait été annexé, par erreur, le recensement des temples d'Héliopolis sous le règne d'Alexandre le Grand. Le roi, avant de démembrer ces constructions antiques pour orner de prestige la ville qu'il faisait construire, avait souhaité en garder une trace. Le géomètre qui rédigea cet inventaire des lieux autorisa le pillage, consignant scrupuleusement les anciens tracés des temples et leur contenu. Un seul palais demeura intact, dont il établit le plan, sans donner d'autre détail qu'un symbole égyptien, minuscule, dans l'une de ses pièces.

— Sôkar ? s'exclama Mounia.

Un voile de fierté passa dans le regard d'Aziz.

— Oui, oui, tu as deviné.

— Qu'est-ce que Sôkar ? demanda Enguerrand.

— Un dieu de la mythologie à qui l'on confiait le soin de séparer le bâ du ka, expliqua Fatima.

Devant la moue d'incompréhension de son époux, Mounia s'empressa de traduire.

— En langage chrétien, cela équivaudrait au détachement de l'âme après la mort physique. Représenté par un corps momifié à tête de faucon et à la peau verte, pour symboliser la résurrection, Sôkar était le dieu des nécropoles.

— Sachant qu'Héliopolis avait été rénovée sous le règne de Djoser par Imhotep, j'ai aussitôt comparé ce plan à celui que j'avais trouvé à Memphis et qui portait sa signature. La configuration des deux palais était la même. Cette fois, plus de doute possible. C'était là que se trouvait la clef de l'énigme. L'ayant débarrassé des miséreux qui l'habitaient, j'ai fait construire un mur d'enceinte tout autour, barré d'une porte, puis, certain de ma tranquillité, j'ai entrepris mes recherches. En voici le résultat.

— Pourquoi ne m'en as-tu jamais parlé ? reprocha Mounia dans une moue boudeuse, regrettant soudain des heures et des heures d'exploration et de complicité.

— Moi seule en suis responsable, s'excusa Fatima. La simple vue de la carte de ton père te mettait en émoi. J'ai refusé qu'on te bouleverse ou influence davantage. Je voulais que ton destin te rattrape et non que tu ailles au-devant de lui. Une quête éperdue amène souvent des erreurs de jugement. Si tu avais su que d'un chrétien devait naître ton enfant, n'aurais-tu pas épousé ce sire de Luirieux comme un mal nécessaire au lieu de laisser ton cœur te mener vers Enguerrand ?

Mounia hocha la tête. Sa mère disait vrai.

Aziz entraîna son épouse vers un couloir carré, situé à mi-hauteur du mur et à peine suffisant pour livrer passage à un homme à quatre pattes.

— Venez, dit-il dans un large sourire.

Au bout d'un tunnel obscur et creusé en entonnoir qui les obligea très vite à ramper, Aziz fit jouer un mécanisme invisible. Le trouver l'avait contraint en son temps à de nombreuses et courtes apnées tant l'air se raréfiait rapidement dans le conduit. Si, à un quelconque moment par le passé, il s'était laissé gagner par l'impatience, il serait mort asphyxié dans le boyau avant d'avoir pu reculer. Comme à chacune de ses visites, il passa avec soulagement par l'ouverture exiguë qui se révéla dans la roche ; puis il aida sa femme et sa fille à s'y glisser. Le front perlé de sueur et malgré son saisissement, Mounia dut s'appuyer au mur pour contrer un vertige tandis qu'à son tour Enguerrand apparaissait.

— Inspirez lentement, leur conseilla Aziz devant la pâleur de leurs visages. Le temps d'ouvrir les yeux et de vous émerveiller.

Éclairée elle aussi de lampes perpétuelles, la crypte rectangulaire formée de mégalithes jusqu'en son plafond ne possédait de prime abord pas d'autre issue que le boyau par lequel ils venaient de la profaner. Elle comptait six toises de hauteur sur quinze de longueur et neuf de largeur. Près des murs se trouvaient des coupelles en cristal de roche ; des vases hauts au cou étroit faits de diorite ; d'autres, ronds, aux anses et au ventre creusés d'un seul bloc à même le basalte ; des objets de toutes tailles en forme de roue ou de pyramide taillés dans du schiste, si fins qu'ils devenaient translucides à la lueur des chandelles. Une stèle accueillait un immense scarabée pectoral aux ailes déployées, symbole de la renaissance. Deux autres, côte à côte, des statues d'Osiris et d'Isis. Partout des paniers de joncs tressés témoignaient encore de la nourriture qu'ils avaient contenue. Ce ne furent pourtant pas ces richesses destinées à accompagner le défunt dans l'au-delà qui comblèrent l'attente d'Enguerrand et de Mounia, mais bien plutôt le sarcophage long de plus de deux toises et demie qui reposait au centre de la pièce. De diorite sculptée en pourtour de petites pyramides à la feuille d'or, il ne pouvait contenir qu'un des Géants venus des Hautes Terres par le biais des rivières enchantées.

20.

Houchang avait investi le palais abandonné quelques minutes avant leur arrivée, impatient d'y découvrir enfin ce que cachait Aziz ben Salek, tout autant que de régler son compte à Mounia. Surpris que le groupe mené par Aziz évolue dans l'obscurité, il les avait laissés arpenter les enfilades en les suivant de près, nu-pieds pour ne pas les alerter.

« Ainsi, avait-il pensé, je me glisserai moi aussi dans le passage secret et les prendrai au piège. »

Hélas pour lui, il ne put voir quel mécanisme Aziz actionnait. Le temps qu'il parvienne à hauteur de l'escalier qui les avait engloutis tous quatre dans le sol, le dallage avait repris sa place. Il eût pu sans peine se terrer dans l'ombre et les saisir lorsqu'ils remonteraient, mais il craignait que l'obscurité ne gâte ses projets. Si l'un d'eux s'avisait de lui jouer un mauvais tour, il devrait l'arrêter de son cimeterre.

Houchang n'était pas un assassin. Tuer ne lui procurait de plaisir qu'en face d'un ennemi. Or, s'il avait promis à Djem de châtier la traîtresse, il n'avait aucune raison d'abattre les autres. Une fois qu'il saurait la vérité, qu'il aurait récupéré le contrepoison donné par la sorcière à

Djem et tranché la gorge de Mounia, il les enfermerait dans une resserre, barrerait soigneusement la porte puis prendrait la fuite. Les prisonniers finiraient par se délivrer d'une manière ou d'une autre, mais Houchang aurait alors suffisamment d'avance pour atteindre le port et sauter dans le premier des navires à appareiller.

Il regagna la cour intérieure. Si la clarté lunaire était suffisante pour qu'il identifie sans peine Mounia parmi les autres, les arcades en plein cintre qui composaient le cloître du palais demeuraient dans l'ombre de l'avancée du toit. Armé d'un poignard courbe, il se tassa contre le mur jouxtant la porte d'entrée et, certain de son affaire, attendit sa proie.

Sa patience fut éprouvée de longues heures. Pourtant, soutenu par la pensée de Djem, Houchang ne faiblit pas.

Lorsqu'un bruit de pas, répercuté par le volume des pièces vides, lui parvint enfin, il était prêt.

L'esprit troublé par ce qu'ils venaient de partager, Aziz ne remarqua pas que l'huis à double battant donnant sur l'extérieur, refermé sur lui à l'arrivée, était à présent entrebâillé. Il passa le seuil sans se méfier, Fatima dans son sillage.

Mounia venait ensuite.

Elle ne fit qu'un pas sur le perron avant de pousser un cri de surprise Agrippée sans ménagement par la main libre de Houchang, elle se retrouva de dos, plaquée contre le torse massif du Turc, la lame sous le col. Avant même que ses parents ne se soient retournés, craignant qu'elle n'ait trébuché, Enguerrand était lui-même sorti et découvrait le piège.

Leur première impression à tous fut de se croire victimes d'un des miséreux habitant les ruines. Bien qu'en nombre, ils tuaient rarement s'ils récupéraient de quoi se nourrir. Ce n'était pas la première fois qu'Aziz avait affaire à eux en venant à Héliopolis.

— Cette maison est vide, l'ami, mais nous te donnerons sans discuter ce que nos poches ont emporté. Relâche-la, l'apostropha Aziz calmement.

— Je crains que ce ne soit pas possible. Ta fille et moi sommes en compte. Jette ton épée au loin, chevalier de Sassenage, ou je lui tranche la gorge.

Mounia déglutit, la peur au ventre.

— Houchang, murmura-t-elle d'une voix éteinte en reconnaissant aussitôt le timbre rauque tant entendu dans le sillage de Djem.

Enguerrand blêmit. À moins d'un miracle, Mounia était perdue.

Il obtempéra puis écarta les bras en signe de soumission.

— Tu es de la garde du prince Djem, n'est-ce pas ? demanda-t-il pour gagner du temps, le temps d'une réflexion, d'une idée.

Fatima ramena ses poings devant sa bouche pour étouffer un cri d'angoisse. Aziz lui-même perdit sa belle assurance. Poussant Mounia devant lui, le Turc avança d'un pas pour sortir de l'ombre.

— Te voilà bien renseigné. Tu sais donc aussi les raisons qui m'ont fait quitter mon prince. Je viens récupérer ce qui lui fut volé.

— Et ensuite ? insista Enguerrand.

— Je m'en irai.

— À mon jupon, souffla Mounia que le fil du poignard entaillait légèrement sous son menton relevé. La fiole que tu cherches tient dans une bourse attachée à ma taille. Écarte-toi et je te la donnerai.

Houchang se mit à rire.

— Pour que tu disparaisses à l'intérieur ? Non, Mounia, j'ai passé bien trop de temps à te traquer. Toi, dit-il en désignant Fatima d'un mouvement de sa mâchoire anguleuse, approche.

Roide d'angoisse, celle-ci gravit les trois marches pour se ramener à hauteur de Houchang.

— Prends et lève-le bien haut, que je voie s'il s'agit du même.

Fatima obéit. Quelques secondes plus tard, le flacon pyramide tourna entre ses doigts à la clarté lunaire. Houchang hocha la tête, soulagé. Cette garce ne l'avait ni vendu ni consommé.

Il s'en saisit de sa main libre et, desserrant légèrement la tenaille de sa lame courbe, le glissa sous sa gandoura puante, dans sa chemise, à hauteur du cœur.

— Mounia n'est plus l'épouse de Djem mais la mienne, à présent. Libère-la, exigea Enguerrand.

Houchang ne l'entendait pas de cette oreille.

— Pourquoi l'as-tu volé ? demanda-t-il. N'était-il pas suffisant que tu vendes ton mari aux hospitaliers, fallait-il encore que tu le condamnes en lui prenant ce contre-poison ? De quelle espèce es-tu, catin ?

— Ce n'est pas ce que tu crois, Houchang. Je n'avais pas le choix, se défendit-elle.

— On a toujours le choix. Allons, vous autres, avancez. J'ai repéré une cave à gauche de la cour. Vous y resterez au frais le temps de ma fuite, exigea-t-il.

Comprenant qu'il n'avait d'autre choix qu'obéir, Aziz se tourna vers l'endroit indiqué. Le Turc connaissait le lieu. C'était lui, assurément, qui avait brisé la serrure du portail.

Pendant qu'Enguerrand et Fatima le rejoignaient près de l'annexe, petite construction basse qui autrefois avait dû servir de réserve d'huile, Mounia chuchota :

— J'ignorais l'importance que cet élixir revêtait pour Djem, tu dois me croire. Le flacon seul m'intéressait. C'est une sorte de clef destinée à une carte antique.

— Avance, exigea Houchang en la poussant du buste vers l'escalier.

— Cette carte mène à une terre oubliée des hommes. Djem pourrait y régner si tu me laissais le temps de la retrouver, insista Mounia à mi-voix en descendant les marches.

— Cette carte dont tu parles, a-t-elle un rapport avec le secret de ce palais ?

Mounia ne s'accorda pas le temps de la surprise. Il lui en restait peu, elle le savait. En face d'elle, de l'autre côté d'un bassin asséché, son père ouvrait la porte de la réserve et, suivi de Fatima, y pénétrait, l'espoir au cœur de voir sa fille les rejoindre et son bourreau lui accorder grâce. Enguerrand, blême de ne pouvoir rien tenter sans la condamner, les regardait s'avancer, tous deux étroitement liés.

— Mon père te le livrera si tu nous épargnes, moi et l'enfant que je porte.

Houchang tressaillit. Il n'était pas dans son tempérament de condamner un innocent. Djem ne saisirait-il pas l'occasion d'un royaume à conquérir s'il le pouvait ?

Déchiré par le doute, il amena sa prisonnière à quelques pas d'Enguerrand qui n'avait pas bougé.

— Entre, exigea-t-il.

— Je dis la vérité, Houchang. Sois des nôtres, et plus jamais Djem ne sera prisonnier, insista Mounia, les yeux noyés de larmes face au désespoir de son époux.

— Entre, chevalier, et referme la porte sur toi, répéta Houchang calmement.

— Non, le brava Enguerrand. Si elle doit mourir, alors je veux…

Sa voix s'étrangla.

Houchang abaissa sa lame.

— Enferme-les, Mounia, et reviens à moi. Si le secret du souterrain confirme tes dires, tu auras la vie sauve. Je n'ai qu'une parole.

Mounia n'en douta pas un instant. Dégagée de sa tenaille, elle s'élança vers son époux.

Houchang perçut les trois impacts entre ses omoplates massives au moment où, faisant pivoter Mounia vers le mur dans un réflexe protecteur, Enguerrand l'enlaçait.

Malgré sa corpulence, Houchang vacilla sur ses pieds tandis qu'un trait de feu lui traversait l'abdomen. Guerrier dans l'âme, il comprit aussitôt que plusieurs archers l'avaient visé.

« Une escorte, ce chien d'Aziz s'est muni d'une escorte qui n'attendait que le bon moment pour m'intercepter », songea-t-il en une fraction de seconde.

Il avait été joué. Qu'importe ! Il n'était pas homme à mourir sans panache.

Arrachant son cimeterre de sous sa gandoura, il fit volte-face, l'instinct de survie chevillé au corps pour s'élancer au combat. Depuis les arcades, à une centaine de pas de là, trois traits fendirent la nuit.

Le premier se ficha dans sa gorge ; le deuxième dans son cœur, sous le flacon pyramide ; quant au troisième, il révéla leur présence à Mounia au moment où Enguerrand s'affaissait entre ses bras, surpris par la violence de l'impact dans son dos.

Par-dessus son épaule, Mounia vit Houchang, fauché dans sa course éperdue contre la mort, tomber sur ses genoux, et des individus travestis en mendiants retendre leurs arcs. Elle réagit par réflexe en même temps qu'Enguerrand. Ils se jetèrent d'un même élan dans la resserre. Ils avaient à peine tourné la clef que trois pointes se fichaient profondément à l'extérieur du battant refermé.

— Bon sang ! qui sont ces gens ? s'emporta Aziz avec colère. Ils nous viennent en aide pour mieux nous occire ? Je n'y comprends rien.

Le souffle coupé et le teint verdâtre, Enguerrand s'assit sur le sol de terre battue dans l'obscurité de la petite bâtisse, dépouillée depuis longtemps de toute jarre. Une douleur aiguë déchirait sa poitrine, le moindre mouvement devenait un supplice. Précipitée à son chevet, Mounia le soutint en avant pour le soulager.

— Si seulement je n'avais pas donné la fiole à Houchang, se lamenta-t-elle, confiante dans les pouvoirs
régénérants de l'élixir.

— Nous la prendrons quand ils s'en seront allés, la rassura Enguerrand d'une voix faible qu'une toux violente
tua dans un crachat de sang.

Aziz ne connaissait aucun miséreux dans cette ville qui
soit si fameux archer. Ceux qui avaient tiré ne pouvaient
appartenir qu'à la milice royale. Fort de cette certitude, il
se précipita à l'huis contre lequel on s'était mis à cogner
des épaules pour le forcer.

— Je suis Aziz ben Salek, dignitaire de notre bien-aimé
sultan Keït bey. Je vous ordonne de vous retirer !

— Et moi je suis le sire de Luirieux, et rien ne m'empê-
chera d'entrer, tonitrua un rire sardonique au moment où
la porte cédait, précipitant Aziz avec violence sur le côté.

« C'est un cauchemar », songea Mounia, incrédule. Elle
ferma les yeux une fraction de seconde dans l'espoir de le
chasser. Lorsqu'elle les rouvrit, trois silhouettes puantes se
découpaient à la lueur d'une lanterne que l'une d'elles
brandissait.

Bien qu'elle tentât de le retenir contre elle, Enguerrand
voulut se décoller du sol pour affronter son rival. Un vertige l'emporta. Il perdit connaissance et retomba
lourdement dans les bras de son aimée. Dans l'angle du
mur où il avait été projeté, Aziz se redressait lui aussi,
abîmé de colère et de contusions.

— De quel droit ? De quel droit ? s'emporta-t-il
au-devant de l'un d'eux armé d'une épée, en brandissant
un index menaçant.

Fatima hurla. Trop tard pour rien empêcher. La lame
prit Aziz par le bas-ventre pour mieux l'embrocher.
Décollé du sol par la puissance du coup, il secoua encore
son doigt, étonné du gargouillis qui jaillit de sa gorge,
avant de mourir sur place. L'homme retira le fer. Aziz

s'écroula à ses pieds. Interdite par la soudaineté de sa fin, Mounia vit sa mère se précipiter en sanglotant pour se courber au-dessus de l'homme qu'elle aimait.

— Hors ma vue, femme ! beugla l'assassin en lui décochant méchamment un coup de soulier dans l'abdomen.

Flanqué du porteur de lanterne, Hugues de Luirieux s'approcha de Mounia.

— Je crains que cette fois ton cher Enguerrand ne puisse te sauver, ma belle, susurra le bras droit de Philibert de Montoison, en la saisissant violemment par le haut de la tresse.

Il la tira en avant pour l'arracher à son époux, toujours inconscient, et la traîner jusqu'à l'huis que venait de refranchir l'assassin d'Aziz.

Décidée à protéger sa mère et Enguerrand, que cette dernière parviendrait peut-être à soigner, Mounia n'opposa aucune résistance. Elle passait le seuil, la peau du crâne étirée, les genoux raclant la terre battue malgré le tissu de sa gandoura, le porteur de lanterne sur ses traces, lorsque crissa derrière ce dernier un timbre assourdi de vengeance.

— Meurs, chacal !

La lanterne vacilla dans la main de l'homme tandis qu'il beuglait.

— Veux-tu bien me lâch… !

Les mots moururent dans sa gorge, tranchée net par le poignard d'Aziz que Fatima venait de récupérer avant de lui sauter sur les épaules. Un flot de sang éructa sur la jupe de Mounia que Luirieux, le dos tourné, tirait toujours vers la cour.

L'homme s'effondra, déversant le falot qui en touchant le sol noya la flamme à l'intérieur de ses vitres. Vive comme l'éclair et maculée de pourpre sous l'éclat blafard de la lune, Fatima l'enjamba d'un bond pour se jeter en avant. Jouant de l'effet de surprise que son improbable rébellion produisait, elle sectionna la chevelure de sa fille pour la libérer de son joug et fondit sur Luirieux qui venait de pivoter.

— Maman ! non ! beugla Mounia, comprenant soudain que sa mère allait au-devant d'une mort certaine.

Luirieux évita le coup fatal. Pas Fatima. Déséquilibrée par l'esquive de sa victime, elle s'affala en avant sur la pointe de l'épée que, revenu sur ses pas en deux enjambées, le premier homme lui destinait.

La détresse emporta Mounia cette fois. Éclatant en sanglots, elle rampa vers le corps soulevé de hoquets, à quelques pas de la dépouille criblée de flèches de Houchang.

— Le… porteur… de… destin… furent les derniers mots de Fatima dans les bras de sa fille, comme une excuse à l'absurdité de son geste.

Le prix de la fatalité.

21.

Par-delà les remparts du château de Saint-André-de-Royans où il avait été accueilli chaleureusement, l'aube se levait sur la vallée de l'Isère embrumée. Avec les premiers rayons, elle céderait la place à la canicule, comme ces jours derniers. Aymar de Grolée avait attendu cet instant la nuit durant. Le sommeil tant espéré la veille après un dîner joyeux auprès de ses amis l'avait fui sur l'oreiller.

Renonçant à le chercher, il avait quitté sa couche, s'était rhabillé puis laissé choir dans un faudesteuil sous un rayon de lune, les pensées divagantes. Il s'était assoupi plusieurs fois. Tout autant éveillé avec le même sentiment d'urgence. D'angoisse. N'arriverait-il pas trop tard ?

Le front collé au meneau de pierre qui divisait en deux la fenêtre, ouverte, de sa chambre, le sire de Bressieux inspira une bouffée d'air chargé d'humidité et du parfum tiède de pain défourné. La paneterie, qu'il devinait sur sa droite quatre étages plus bas, était animée depuis longtemps. Des conversations et des rires montaient jusqu'à lui, préfigurant une heureuse journée. Son estomac gargouilla. Il n'avait pas le temps d'un matinel. Les panetiers ne lui refuseraient pas une tranche de pain.

S'écartant de la croisée, il prit son baudrier sur une chaise, l'attacha à sa ceinture, y fixa son épée, si souvent rougie du sang des ennemis du feu roi Louis XI, et accrocha son reflet dans un miroir au mur.

Le buste à peine empâté par l'âge, les paupières tombantes sur ses yeux gris soulignés de ridules profondes, la chevelure épaisse, poivre et sel, caressant les épaules massives et balayant d'une frange courte le front veiné de rides marquées par les batailles, les lèvres pincées par sa détermination, il gardait fière allure.

— Allons, dit-il à haute voix en posant son poing sur son arme, l'heure est venue. Enfin.

Moins d'une demi-heure plus tard, muni d'un bâton à la pointe noircie et de trois torches fixées dans le prolongement de sa selle, d'une sacoche contenant un briquet d'amadou, des brindilles sèches et un pot empli de poix pour les enflammer, d'une besace garnie d'une demi-miche de pain frais et d'une gourde pleine, il franchissait le pont-levis sans voir ses hôtes, couchés encore, qu'il avait salués et prévenus la veille.

Lorsque Aymar de Grolée pénétra dans le souterrain en plein cœur des ruines de la forêt des Coulmes, son premier flambeau embrasé à la main, les autres enfilés à sa ceinture, il était prêt à mourir plutôt que de laisser encore Jeanne de Commiers s'abîmer.

*

Elle avait perdu la notion du jour et de la nuit. Les poignets liés par une corde de chanvre accrochée au mur par un anneau de fer, Jeanne de Commiers n'avait que la latitude de quelques pas pour s'asseoir, se coucher sur une paillasse puante et se tenir éloignée de ses excréments. Une écuelle de gruau, une autre d'eau lui étaient régulièrement apportées par Marthe qui, à cette occasion seulement, lui rendait l'usage de ses mains pour manger et se décrotter.

Un animal en cage aurait été mieux logé.

Dans la grotte qui servait de repaire à la Harpie, un brûlot perpétuel dans une coupelle suspendue à une chaîne fixée au plafond rocheux amenait de la lumière, mais pas la moindre once de chaleur. L'humidité et la froidure avaient commencé d'attaquer les doigts de pied de la prisonnière, obligée de les frotter au sang sur le sol rugueux pour apaiser la gratte.

— Finissons-en, tue-moi, avait-elle supplié à la dernière apparition de Marthe, quelques minutes plus tôt.

La Harpie l'avait considérée d'un œil torve en haussant les épaules.

— J'ai donné ma parole à ton époux de te garder en vie, ma belle. Pourquoi m'en défausserais-je ?

Amaigrie à l'extrême, Jeanne n'avait plus la force de se rebeller. Les premiers jours oui, elle s'y était appliquée. Sitôt la Harpie envolée, elle avait essayé de ronger ses liens, de se tortiller en tous sens pour les relâcher, d'appeler à l'aide. Rien n'y avait fait. Elle n'avait su qu'entailler profondément ses chairs qui, refusant de guérir, devenaient purulentes. Elle n'était plus qu'une plaie. Physique. Morale. À la merci des caprices de sa geôlière.

Marthe n'en abusait pas, pourtant, contrairement à ce que Jeanne avait craint lorsqu'elle s'était retrouvée piégée derrière le mur. Au moment où elle allait enfin entrer dans la Bâtie, Marthe lui avait tordu les avant-bras contre les reins, avec une force démente. Jeanne avait hurlé. De douleur. De désespoir. S'était laissé entraîner. Les yeux rivés sur cette paroi amovible que personne n'avait fait coulisser pour la sauver.

Elle n'espérait plus de miracle depuis longtemps.

Temps. Ce mot-là même n'avait plus de sens, de consistance. Elle avait tenu un calendrier éphémère, additionnant les périodes comprises entre le moment où elle s'éveillait et celui où elle s'endormait. Au bout de dix, affaiblie, elle avait pris conscience qu'elle dormait plus souvent sans doute qu'il ne le fallait pour garder une cohérence avec la réalité. Il en était de même pour ses repas. Aucun repère. Il lui semblait que Marthe les lui portait à son bon vouloir tant la faim la tenaillait parfois au point de la jeter sur la nourriture infecte comme un chien sur un os décomposé.

Elle lui avait demandé à plusieurs reprises :

— Quel jour sommes-nous ?

— Aucune importance, avait répondu Marthe avec la même cruauté.

Pas davantage elle n'avait accepté de lui parler des siens. La seule révélation qu'elle lui avait consentie, le détail de la mort de la petite Claudine l'hiver précédent, n'avait servi qu'à la briser davantage.

— Je ne me souviens pas d'elle, avait menti Jeanne en affirmant sa voix, refusant d'en laisser rien paraître.

— Dommage pour toi. Ta fille était un rayon de soleil dans la maisonnée, lui avait asséné Marthe, déçue sans doute de n'obtenir pas l'effet escompté.

Sitôt son départ, libérant dans son chagrin le poids de sa captivité, Jeanne s'était répandue sur sa couche avec cette certitude qui, récusant ses visions d'autrefois, ne l'avait plus quittée : jamais elle ne reverrait ceux qu'elle chérissait.

*

Bien qu'il n'ait aucun plan pour le guider, Aymar de Grolée pensait comme Jacques de Sassenage que le souterrain au départ des Coulmes rejoignait l'abbaye royale en passant par Saint-André-en-Royans. Les quatre châteaux forts, Rochechinard, Saint André, la Bâtie et Saint-Just, étaient reliés entre eux. Lorsqu'il se trouva devant la première intersection, il hésita quelques secondes. Tournerait-il à gauche en direction de la Bâtie ou allongerait-il tout droit jusqu'à l'abbaye pour rejoindre l'itinéraire suivi par Jeanne en la quittant ? Si Marthe la retenait captive sous terre, ce qui semblait le plus vraisemblable, il y avait fort à parier que cela soit proche du château pour plus de commodité. Décrochant son bâton noirci, il traça une croix sur le mur dextre du boyau de sortie pour retrouver sans hésitation son chemin au retour et obliqua vers la Bâtie. Il serait toujours temps, s'il ne trouvait pas Jeanne, de revenir en arrière.

*

— Bien le bonjour, ma mie, s'exclama Philibert de Montoison en forçant sans s'annoncer la porte de la chambre de Philippine.

Au mépris de tout savoir-vivre, il s'attabla face à la jouvencelle devant le matinel qu'Algonde venait de lui servir et s'apprêtait à partager avec elle.

— Laisse-nous, ordonna-t-il à la chambrière avec suffisance.

— Reste, objecta Philippine, les sourcils froncés sur un élan de colère.

Philibert lorgna sans vergogne le buste de sa promise, tendu par-delà la table sous le tissu de sa chemise de nuit.

— Je n'ai que faire d'un chaperon.

— Et moi d'un porc !

Philippine s'était dressée si brusquement que la table sursauta. Le bouillon de poule fumant dansa dans son écuelle. Algonde, immobile près du lit qu'elle venait d'aérer, la sentit prête à en ébouillanter Philibert.

— Pour qui vous prenez-vous, pour surgir de la sorte à pareille heure ?

L'indignation de Philippine n'atteignit pas Philibert. Cueillant avec nonchalance quelques baies de sureau dans une coupelle, il les croqua d'un coup de dent pour inonder son palais de jus noir avant de les avaler.

— Pour votre futur époux. Asseyez-vous, Hélène. Nous avons à parler.

— Lorsque je l'aurai décidé, tempêta Philippine en croisant les bras sur sa poitrine.

Philibert se fit goguenard.

— Asseyez-vous, vous dis-je. Vos cuisses se donnent en spectacle dans le contre-jour et je ne voudrais pas que votre servante en soit choquée.

Se rendant compte qu'elle se tenait dos à la croisée inondée de soleil, Philippine se laissa choir sur sa chaise, les joues en feu.

— Je vous hais, grogna-t-elle, l'œil noir.

— Tant mieux. Il m'ennuierait que vous vous affadissiez à mes côtés.

Il pivota du menton vers Algonde.

— Votre maîtresse n'a rien à craindre pour sa vertu. Sortez.

— Je n'ai pas d'ordre à recevoir de vous, messire.

— Point encore, il est vrai. Mais il serait dommage de me déplaire si vous espérez conserver votre place au lendemain de mes noces. Filez.

Peu impressionnée par ses menaces, Algonde ne bougea pas d'un pouce.

— J'ai votre parole, messire ? fulmina Philippine.

— Si cela peut vous rassurer…

— Va, dit-elle à Algonde. Mais ne t'éloigne pas.

Algonde traversa la pièce pour gagner la porte qui reliait l'appartement de Philippine au sien, la passa mais, en place de la refermer, la garda grande ouverte. Si le sire de Montoison s'avisait de la toucher, nul doute que Philippine hurlerait.

La nourrice qui s'occupait d'Elora alors qu'Algonde s'affairait ou paraissait en société s'employait à baigner l'enfançonne dans le petit cabinet de toilette. Un plaisir dont Algonde était, la plupart du temps, privée. Étendue à plat dos sur une claie posée à même le baquet qui servait aux ablutions de sa mère, Elora babillait en gesticulant sous l'éponge, ravie visiblement de l'eau parfumée qui courait sur sa peau. L'oreille tendue vers la pièce d'à côté, Algonde lui claqua un baiser au nombril, sous la petite tache ovoïde et noire que sa fille portait au sternum, comme un rappel discret du poison de la vouivre dans lequel elle s'était développée. Un rire léger cascada à ses oreilles. Chatouilleuse, Elora en raffolait.

— Laissez, Bernaude, je vais terminer, dit-elle à la nourrice ronde et joviale en relevant la tête.

C'était sans doute la seule en ce palais qui, attachée spontanément à la fillette, ne manifestait aucune animosité au regard des privilèges dont Algonde jouissait.

— Avec joie, s'inclina-t-elle en lui passant le relais.

Algonde rinça l'éponge dans le seau, ramenant un peu de tiédeur sous ses doigts.

— Brrrrrrrrrr, chantait la moue d'Elora, dont le regard vert d'eau, immense, se repaissait de sa mère.

— Si vous voulez mon avis, Algonde, vous devriez vous en occuper plus souvent. Vous lui manquez, souligna Bernaude avant de gagner l'âtre pour le nettoyer.

Philippine s'amidonna de froideur sans toucher aux mets que, indifférent à sa colère, Philibert avait entrepris, lui, de goûter, lui coupant définitivement l'appétit.

— Je vous écoute.

— La date de nos épousailles est fixée à la fin de ce mois. Le 25 pour être plus précis.

Philippine déglutit. Son père ne lui avait-il pas promis de différer le mariage autant que possible ?

— Il faudrait encore que cela me convienne, or je n'ai pas été consultée, se défendit-elle avec hauteur.

Philibert haussa les épaules.

— Point n'était besoin. Ce jour célèbre mon anniversaire et m'a semblé tout indiqué. Inutile d'invoquer raison de faussaire pour vous défiler, les bans viennent d'être publiés.

Philippine blêmit.

— Je refuse de croire que mon père ait pris cette décision sans m'en parler.

— Je crains qu'il n'ait pas eu le choix, très chère.

Un rire court et sec cassa les lèvres serrées de fureur de Philippine.

— Les Sassenage ne sont pas d'une race que la menace peut intimider. Ne vous l'ai-je pas déjà prouvé ?

Philibert la fixa avec insistance, jubilant du pouvoir que les révélations de Marthe lui donnaient. Entre eux, répandant son fumet, le bouillon refroidissait dans le bol, intouché.

— Je vous l'accorde. Toutefois, il est un fait que vous ignorez et qui, s'il vous était connu, changerait votre manière de me regarder.

Philippine, excédée, bondit sur ses pieds. Les poings serrés, elle s'écarta suffisamment de la fenêtre et de lui pour vociférer.

— Vos manières, vos allures, votre haleine même, tout en vous me donne la nausée ! Fi des bans, de vos pressions, de votre suffisance. Je ne vous veux pas, ni aujourd'hui ni jamais, et me trancherai les veines au matin de nos noces plutôt que d'avoir toute une vie à vous supporter !

Philibert demeura de marbre. Depuis qu'il savait l'attachement de Philippine à Djem, il s'attendait à ce revirement de situation. N'était-il pas venu ce matin même pour le provoquer ?

À son tour il se leva. Craignant qu'il ne fonde sur elle, Philippine recula en direction des appartements d'Algonde. Contre toute attente pourtant, Philibert de Montoison essuya sa bouche, noircie par le jus des baies qu'il avait picorées négligemment pendant leur échange à couteaux tirés, puis s'inclina pour prendre congé.

Parvenu à la porte qui s'ouvrait sur le corridor, il se retourna vers elle, déstabilisée.

— Vous m'épouserez dans un peu plus de trois semaines, Hélène, et me subirez aussi longtemps que je vivrai. Si vous en doutez, demandez donc à votre père de vous parler de Jeanne de Commiers, votre mère présumée défunte.

— De quel mensonge ignoble vous êtes-vous donc de nouveau paré ? crissa-t-elle avec plus de mépris encore.

— Point de mensonge non, mais la vérité, voilà bien de quoi il s'agit, Hélène… La vérité.

Il sortit.

Bras ballants sur sa rébellion avortée, Philippine demeura plantée là à regarder idiotement l'huis se refermer.

*

Aymar de Grolée marchait depuis plus d'une heure, lui sembla-t-il, lorsque le tunnel principal qu'il avait parcouru d'un pas rapide se divisa en trois boyaux plus étroits. De toute évidence, chacun d'eux ramenait vers le château de la Bâtie à en juger par les nombreuses issues que Jacques de Sassenage avait comptées lors de l'agrandissement de l'ancien château fort.

— Lequel as-tu emprunté, Jeanne ? murmura-t-il pour lui-même en promenant sa torche.

Aucun signe d'elle, nulle part, jusque-là. Il ferma les yeux, s'arma de logique et opta pour celui du milieu, le plus large. Quelques minutes plus tard, une nouvelle intersection lui fit face. Il noircit d'une croix le boyau qu'il allait quitter et obliqua sur la droite. Parvenu au bout, il rebroussa chemin, renouvela l'opération de marquage, cette fois par un triangle, puis emprunta l'autre couloir sans davantage de succès.

C'était à présent que ses recherches se compliquaient.

Qu'à cela ne tienne, il y était préparé.

Il revint sur ses pas jusqu'au premier embranchement, se gratta la tête. Il restait deux bouches de granit à explorer. Divisées elles aussi ? En combien d'issues ?

Puisque Jeanne avait dédaigné celle du milieu, il fallait donc déterminer une autre approche de la situation. Revenir en arrière. Elles avaient dû se croiser, Marthe et elle. Forcément, cette nuit-là, où l'une se dirigeait vers l'abbaye et l'autre la quittait avec pour seule lumière… une chandelle ? une bougie ? un rat-de-cave ? Aymar ne se souvenait pas d'avoir constaté la disparition d'une torche au mur de la crypte. Or donc, quelque chose facile à moucher en entendant des pas. Jeanne avait-elle tenté d'échapper à Marthe ? Si c'était le cas, l'obscurité faite, elle avait dû raser les murs pour garder un quelconque repère. À dextre. Forcément. Décidé, il enfila résolument le couloir qui, sur le côté, prolongeait le mur du précédent.

*

Remise de sa stupeur, Philippine se précipita dans la chambre d'Algonde. Penchée au-dessus du lit, celle-ci terminait d'habiller Elora qui gazouillait de bonheur.

En quelques mots, Philippine lui résuma la situation et les insinuations de Philibert quant à sa mère.

— Je ne peux les croire et pourtant il faudra bien que père m'explique les raisons qui l'ont poussé à céder.

— Difficile ce jourd'hui…

Le visage de Philippine se rembrunit plus encore, quand elle se faisait une joie à son réveil d'accompagner Djem au village d'Auberives-en-Royans. Vantant sans relâche les chevaux hors du commun d'un éleveur de cette bourgade, Louis avait fini par convaincre le prince de se rendre sur place pour en juger. Jacques de Sassenage avait proposé un pique-nique au bord de la rivière. Tous au château, Marthe y comprise, étaient en ce moment même occupés à s'apprêter pour la circonstance.

— Qu'importe, je trouverai bien chemin faisant l'occasion d'isoler mon père quelques minutes pour en parler, décida Philippine en se rongeant l'ongle du pouce.

Un frisson la cueillit.

La veille, comme chaque soir au terme de journées festives, Djem et Philippine avaient échangé secrètement une tendre missive par l'intermédiaire de Nassouh et d'Algonde.

Après l'avoir couverte de compliments et avoir réaffirmé son attachement, le prince lui avait raconté sa conversation avec Guy de Blanchefort et les conclusions qu'ils en avaient tirées.

Gardez l'espoir, mon aimée. Ma terre est vôtre désormais. Je ne veux pas croire que nos dieux, appelés à s'unir, refusent ce que nos cœurs attendent en secret, avait-il conclu avant de cacheter.

Trois semaines, c'était bien trop court pour espérer une réponse du grand maître de l'ordre des Hospitaliers.

— Viens, dit-elle tandis qu'Algonde confiait de nouveau Elora à sa nourrice, il faut m'habiller. Si ce rat de Montoison se figure que je serai son épousée à la fin du mois, il peut toujours se pendre. Personne ne me forcera, tu entends ? Algonde. Personne ! Et certainement pas un fantôme du passé.

*

Le cœur d'Aymar bondit dans sa poitrine à l'instant où, au pied de la cinquantaine de marches qui marquaient la fin du boyau, les flammes de sa torche accrochèrent un bougeoir renversé. Il se précipita pour le ramasser. Il avait vu juste. Jeanne était passée par là. L'avait-elle abandonné avant de sortir ? Un instant il fut tenté d'actionner le mécanisme pour vérifier l'endroit où il se trouvait, mais il jugea l'affaire trop risquée. Et si, jouant de malchance, c'était dans la chambre de Marthe qu'il se retrouvait projeté ? Comme Jeanne cette nuit-là ? Un frisson lui glissa le long de l'échine. « Si près du but », songea-t-il. Elle se trouvait si près du but. Refusant de se laisser gagner par cette absurdité, il s'agenouilla pour balayer le sol de la lueur mouvante de sa torche. Des empreintes avaient maculé la poussière.

Recouvrant d'instinct ses aptitudes de guerrier, il eut tôt fait de déduire ce qui s'était passé et de revenir en arrière. Cette fois, plus de doute. Raclant le sol de l'extrémité d'une bougie pour y imprimer une trace brillante tandis qu'on la traînait, Jeanne de Commiers avait tissé un fil d'Ariane dans l'espoir que quelqu'un le suivrait.

22.

Ce fut la puanteur qui en dernier lieu guida ses pas. Jamais sinon il n'aurait remarqué cette ouverture à hauteur de genoux dans le mur dextre du souterrain. Un peu plus avant, les traces de cire s'étaient arrêtées dans le sang. Celui, vraisemblablement, des doigts de Jeanne raclant le dernier morceau de chandelle. Aymar en avait découvert un fragment rougi.

Il s'agenouilla devant l'excavation, en reniflant à la manière d'un fauve. Il s'en sentait l'ardeur, le courage et la hargne.

— La tanière d'un animal qui aura crevé, jugea-t-il en balayant sa torche devant l'entrée.

Il fut tenté de se redresser et de poursuivre son chemin, mais quelque chose l'arrêta. L'instinct, sans doute, celui du chasseur avisé, celui du guerrier. Ou cette lueur, à peine esquissée, qui pointait en haut de la paroi senestre de ce cul-de-sac.

— Un coude. C'est un coude, jubila-t-il, avant de s'étrangler.

L'effet d'optique écarté, l'évidence lui apparut dans toute son horreur. À l'autre extrémité, invisible, de ce boyau, tout à côté de cette lumière improbable, un cadavre se décomposait.

Il abandonna sa torche pour ne pas se brûler, enfila à quatre pattes la portion droite de tunnel avant de se redresser, la bifurcation dépassée. Face à lui, à quelques pas seulement, une porte ouverte béait sur ses gonds rouillés. Par-delà, dans une salle creusée à même la roche, un brûlot dansait dans une coupelle suspendue, au-dessus d'une table massive encombrée de cornues, de bocaux, de plantes séchées et de peaux. C'était de ces dernières sans doute que l'odeur de décomposition venait. Aymar s'en trouva ragaillardi. Ruse efficace pour écarter les importuns. Autant qu'il pouvait en juger de là où il se tenait, un athanor occupait le fond du trou. Le repaire d'un alchimiste, conclut-il en portant la main à son épée. Il la dégaina d'autorité. Quel que soit celui ou celle qui hantait ces lieux, il lui ferait rendre le trésor qu'il gardait.

Fort de cette certitude, il franchit le seuil, balaya la pièce du regard jusqu'à la forme chétive, mais vivante, qui, entravée, était assise contre la paroi, front baissé sur ses genoux repliés.

— Jeanne, s'étrangla sa voix dans sa gorge tandis qu'il se précipitait.

Jeanne de Commiers leva les yeux. Ils s'illuminèrent.

— Jacques, mon Jacques, tu m'as retrouvée, hoqueta-t-elle, à bout de forces et de courage, contre le pourpoint de cuir.

Aymar ne voulut pas la détromper. La pièce était sombre, la menace pressante. Faisant fi des recommandations qu'il s'était données, il trancha net la corde au-dessus des poignets. Jeanne les laissa retomber autour du cou de son sauveur.

— Soif… gémit-elle, soif…

Il n'eut pas le temps de réagir, d'esquiver, que Jeanne de Commiers écrasait ses lèvres desséchées sur les siennes, pour boire à sa bouche tout l'espoir qu'il lui rendait.

« C'est son époux qu'elle embrasse », songea Aymar.

Son cœur se chargea de faire taire ses scrupules. La seule fois sans doute qu'il le pourrait. L'enlaçant éperdument, il lui rendit son baiser.

*

Jacques de Sassenage était déjà en selle avec Philibert de Montoison, ses fils Louis et François, Guy de Blanchefort, Djem et Nassouh, dans la cour du castel lorsque Philippine et Algonde gagnèrent les écuries.

Les courtisans qui s'étaient invités à cette sortie trépignaient sur des chevaux harnachés à leurs couleurs. Certains d'entre eux, cédant aux suppliques des dames en litière, traînaient encore sur le parvis avant de les rejoindre. Les échanges se teintaient de gloussements depuis les portières, ou de mondanités au pied des marches, tandis que dans un va-et-vient ininterrompu, des valets chargés de plats et d'outres garnissaient d'abondance le chariot bâché du pique-nique.

Le zénith sans nuages annonçait une journée parfaite, propre à dénuder les chevilles des jouvencelles dans l'onde fraîche de la rivière, tandis que troubadours et musiciens, habités de muses sous les frondaisons, tueraient le chant des oiseaux au profit du rire des violes et des crécelles.

Accrochant à leur visage le masque joyeux de leurs congénères, Philippine et Algonde, juchées chacune sur leur monture favorite, gagnèrent le groupe de tête.

— Nous n'attendions plus que toi, ma fille, l'accueillit gaiement Jacques de Sassenage, les deux mains sur le pommeau.

— Pardonnez-moi, père… Un léger contretemps, lui servit-elle dans un sourire gaillard avant de saluer les autres d'un gracieux mouvement de tête.

— Les vapeurs sont le privilège des dames, ma chère, lui répondit aimablement le grand prieur d'Auvergne. Et combien naturelles quand on sait l'émoi que provoque une date d'épousailles.

Djem sursauta, au plus grand plaisir de Philibert de Montoison qui approcha son cheval du sien.

— Vous serez des nôtres s'entend, prince Djem…

Celui-ci, la mort dans l'âme, hocha la tête.

— Quand ? demanda-t-il d'un ton faussement détaché.

— Le 25 de ce mois de juillet, assena Philibert de Montoison avec cruauté avant de fixer Philippine droit dans les yeux, pour lire en elle le reflet de sa douleur.

Loin de lui donner ce plaisir, elle redressa le buste et accrocha sur ses lèvres un soupçon de malice.

— Avec la peste à nos portes, bien présomptueux celui qui assurera d'être là demain.

— Diantre ! ma sœur, ne parlez pas de malheur !

— Loin de moi cette idée, Louis, tout au contraire, la journée est radieuse. Et plus que jamais je veux vivre au présent. N'est-ce pas votre avis, père ?

— Assurément ma fille, lui accorda Jacques de Sassenage dont les pensées couraient depuis l'aube aux côtés d'Aymar de Grolée. Allons, donnons le signal du départ si nous voulons goûter pleinement aux plaisirs de cette escapade.

D'un geste de la main, il fit signe au sire Dumas qui, avec son escorte, assurait la sécurité. Un cor retentit aussitôt, rassemblant les cavaliers autour des litières.

Djem se porta à hauteur du cheval de Philippine, que Philibert de Montoison tenait par la bride.

— Le franc est une langue merveilleuse dont j'apprécie chaque jour davantage les nuances, très chère Hélène.

— Qu'est-ce à dire ? lui sourit-elle avec au coin de l'œil cette promesse indéfectible de l'aimer à jamais.

— Voyez le mot « présent »… Quel que soit le sens dont on l'entoure, il reste un cadeau que votre « présence » à tous me fait, appuya-t-il en saluant Philibert de sa barbe en pointe de lance.

Philippine éclata d'un rire clair. Trois semaines. C'était peu assurément, mais bien assez pour trouver le moyen de se libérer.

*

— Il ne faut plus tarder, Jeanne. Aurez-vous la force de marcher ? demanda Aymar en recouvrant son souffle.

S'attarder encore, malgré la douceur de l'instant, c'était à coup sûr les condamner.

— Je la trouverai. Emmenez-moi. Loin, très loin.

Il s'écarta d'elle et l'aida à se lever. Après un rapide coup d'œil en arrière, il dénoua les liens qui, bien que libérés de l'anneau piqué au mur, lui maintenaient encore les mains jointes. Tandis qu'elle les frottait pour ramener un peu de sang dans ses doigts gelés, il fureta dans la pièce, finit par trouver un tesson de pot brisé. Il le ramassa et s'en vint frotter les fils de la corde tranchés trop net par sa lame, pour les émousser. Ensuite de quoi il abandonna le morceau par terre, soutint Jeanne jusqu'à la porte puis balaya ses empreintes pour ne laisser que celles de Jeanne bien visibles dans la poussière du sol.

— Je vais passer devant, dit-il lorsqu'ils furent parvenus au coude que formait le boyau.

C'est au moment où il voulut se mettre à quatre pattes que Jeanne, le visage avalé par la pénombre, le retint par le bras.

— Soyez prudent, Aymar de Grolée.

Son cœur tressauta dans sa poitrine.

— Vous saviez…

— J'ai oublié beaucoup de choses tout au long de ces années, mais pas le goût des baisers de Jacques. Et à y regarder de plus près, ma foi mon cher ami, tout comme votre voix, vous n'avez guère changé.

Il baissa la tête, honteux de l'avoir abusée.

— Pourquoi….

— Ne pas vous avoir repoussé ? C'est vous qui êtes là, pas lui. Allez à présent. Je ne veux pas rester une seconde de plus dans cet endroit.

Plus tard, se dit-il en rampant jusqu'à la sortie du boyau, guidé par la flamme de sa torche restée dans le souterrain. Plus tard, je lui expliquerai. Plus tard. Pour l'heure, et bien qu'il restât sur ses gardes, Aymar de Grolée voulait garder au cœur ce présent inespéré.

Vers midi, à l'instant même où Marthe descendait de litière pour rejoindre les dames de compagnie de Sidonie sur un joli bord de rivière, Aymar de Grolée asseyait Jeanne de Commiers devant lui sur sa selle et lançait au grand galop son coursier, le cœur battant comme un jouvenceau de la serrer de nouveau contre lui.

Le Piémont était à une dizaine de jours de cheval. Il aurait le temps de tout lui raconter.

*

Mounia avait beau garder les yeux grands ouverts sur la ligne sombre de l'horizon, c'était ensanglantée qu'elle la voyait.

Elle inspira une bouffée d'air iodé. Une de plus. Une encore. Réfréna l'envie de basculer par-dessus bord. Morts. Ils étaient tous morts. Enguerrand, son amour, Aziz, son père, Fatima sa mère. Pourquoi pas elle ?

Elle avait repris connaissance quelques heures plus tôt, le roulis sous ses pieds, une odeur de sardine dans le nez, des crissements de mâture et de mouettes dans les oreilles. On l'avait embarquée, inconsciente. Seule dans l'obscurité de la cale où on l'avait enfermée, elle avait été rattrapée par le chagrin, comme une houle infernale. C'étaient un carré de jour brutalement découvert dans le toit et des pas dans l'escalier qui avaient éteint ses sanglots. Mounia n'était pas de celles qui admettent de laisser leur faiblesse les condamner. Un falot avait balayé la pièce, révélant trois hommes.

— L'heure est venue de payer, Mounia, avait annoncé Hugues de Luirieux.

Son bourreau n'aurait aucune pitié, elle le savait. Elle n'avait rien dit. S'était laissé suspendre par les poignets à une poutre, les mâchoires serrées. Quoi qu'il lui réserve, il ne pourrait la torturer davantage que ces derniers moments passés en Égypte. Le fouet avait claqué sur ses reins dénudés. Jusqu'à ce qu'elle s'évanouisse de nouveau. Jusqu'à ce que l'eau salée jetée sur ses plaies la ranime dans un hurlement de douleur.

Ensuite, elle avait perdu la notion des choses. Ils s'étaient amusés d'elle, tous les trois, l'avaient humiliée, souillée. Parce qu'elle était au-delà de la douleur depuis que le visage de sa mère s'était figé, Mounia n'avait plus rien senti. Jusque-là, elle s'était toujours demandé ce que voulait exprimer cette notion de sang-froid dont lui avait si souvent parlé Enguerrand. Ce jourd'hui elle savait. C'était un détachement total de la réalité allié à l'instinct de survie. Plus fort que la souffrance, plus fort que la peur. Un corps gelé qui attend le dégel avec la certitude de l'hiver à traverser.

Elle avait attendu, épurée d'émotions, de perception. Cela s'était arrêté.

Resté seul avec elle, Luirieux s'était adossé à un pilier, dans le contre-jour que lui offrait en dansant au rythme de la houle la lanterne suspendue à un crochet.

— Je t'ai sous-estimée, je crois. Malgré ta soumission, visiblement tu n'es pas de la race des vaincues. Rhabille-toi.

Il était remonté, laissant derrière lui la trappe ouverte. Elle avait mis longtemps avant de trouver la force de gagner le pont. La matinée entière à baigner son corps dans l'eau qui restait au fond du seau, étouffant la morsure du sel entre ses dents serrées. S'attendant à perdre l'enfant qu'elle portait comme elle avait perdu son père. Ils n'avaient rien soupçonné. C'était mieux ainsi. De fait, ses seins s'étaient affirmés, sa taille ne s'était pas épaissie. Elle avait guetté la douleur au ventre. Rien n'était venu. Ses longs cheveux noirs démêlés à la force de ses doigts, elle les avait noués, déchirant un morceau de jupon pour attacher sa tresse. Frotté son visage à ses jupes. Affirmé sa mâchoire, son regard. Choisi d'afficher l'indifférence plutôt que la haine, mais garder au cœur, comme un trésor, la soif de vengeance. Tôt ou tard elle viendrait. S'ils l'épargnaient. Même si elle se demandait pourquoi ils le feraient.

Le navire battait pavillon grec, mais Mounia comprit, à peine eut-elle gravi l'échelle, que c'était des barbaresques qui le tenaient. Comment Hugues de Luirieux et ses hommes avaient pu s'acoquiner avec des pirates, elle refusa d'en rien savoir, mais aux regards libidineux qui se posèrent sur elle, elle comprit qu'elle serait leur jouet durant la traversée. Elle refusa de se poser d autres questions.

Il fallait choisir. Maintenant.

Subir ou sauter par-dessus bord.

Vivre peut-être ou mourir sûrement.

Elle s'était accrochée au bastingage.

Elle inspira une nouvelle fois.

— Tu ne le feras pas.

Luirieux.

Elle ne se retourna pas. Ni questions, ni réponses. Ce que voulait cet homme en vérité lui était égal. Il se colla contre son dos, la plia légèrement sur le rebord. Elle résista. Il fouilla de son nez la chevelure bouclée, inspira le parfum de sueur et de sang qui s'y était imprimé.

— Jusqu'à tantôt j'ai cru que je te haïssais, Mounia. Une haine qui montait de mon vit à mon âme, comme une lame qui m'empalait depuis ton départ de Rhodes. Mais c'est pis encore.

Il emprisonna les mains chevillées au bastingage dans les siennes. Les broya en se plaquant plus fort contre ses reins.

— La vérité, c'est que tu m'as empoisonné le cœur et que je pourris de toi chaque jour davantage.

Il la mordit à la nuque. Doucement d'abord, puis sauvagement. Les yeux rivés sur l'horizon, Mounia ne bougea pas.

— Tu ne sauteras pas, je le sais. Nous sommes semblables. La même aptitude à la vengeance. Je l'ai insufflée dans tes veines comme un vent mauvais. Par elle nous sommes liés toi et moi. Pour toujours.

Il libéra ses doigts meurtris sous la tenaille. S'écarta.

— Je vais te vendre, Mounia. À Bayezid. Le bruit court qu'il te veut à prix d'or pour son harem, mais je ne garderai rien pour moi. Tout est pour le capitaine de ce navire. Tout. Sauf toi. À partir de maintenant et jusqu'à ce qu'on accoste, tu es à moi. À moi seul.

Le sang-froid. Ni émotions. Ni perceptions. C'était toujours là. En elle. Une bulle d'eau gelée dans laquelle seuls ses souvenirs surnageaient. C'était tout ce qui lui restait.

— Autre chose encore. Il est vivant.

Fissure. Brutale. Elle déglutit. Tangua sous un mouvement de houle intérieure avant de se reprendre. Il mentait.

— Enguerrand est vivant, Mounia. Il est ici.

L'envie de se jeter sur lui pour lui arracher les yeux la submergea une fraction de seconde, mais elle la domina.

Il se mit à rire dans le vent d'ouest qui, gonflant soudainement les voiles, donna une impulsion au navire.

— Tu vois, je sais comment t'atteindre, briser ta carapace. Là est mon pouvoir sur toi, Mounia. Ma vengeance et ta prison. L'amour que tu lui portes et ta haine envers moi.

Ne rien dire. Ne rien trahir. Trop difficile cette fois. Il avait gagné. Elle pivota.

— Que feras-tu de lui?

— Qui sait ? ricana-t-il en reculant.

Son visage abîmé de vice l'était autant de cruauté cette fois que de douleur.

Depuis la dunette, le chef des pirates la fixait de son regard borgne. Brisée malgré sa détermination, Mounia reprit sa place, face au couchant. Elle avait envie de hurler, là, maintenant, à en perdre le souffle. Elle se contenta de pleurer en silence avant de se reprendre une nouvelle fois. Enguerrand était en vie. Elle aussi. Le monde n'était pas assez vaste pour les empêcher de se rejoindre là où leur destin les attendait. Les Anciens y veilleraient.

Elle écarta ses bras, renversa la tête en arrière et, se réchauffant d'un coup de cette certitude, se mit à rire. Comme une damnée.

Quelques hommes, éberlués, se signèrent.

Quant à Hugues de Luirieux, qui gravissait les marches de l'escalier pour rejoindre le capitaine, il se figea pour la regarder, figure de proue défiant l'abîme.

Il le savait. Les mensonges avaient cela de bon. Elle ne sauterait pas.

23.

Les chevaux étaient de pure race. La robe entre le fauve et le noir, l'œil vif, le crin brillant. Sous leur apparente sérénité perçait leur tempérament farouche. Un simple geste par-dessus les barrières du clos qui les retenait, loin de les attirer, leur mettait l'oreille et les naseaux en l'air avec la fierté d'une jouvencelle qu'il faut apprivoiser.

— Puis-je? demanda Djem à l'éleveur, un homme d'une trentaine d'années, aussi vif que ses bêtes.

— C'est un honneur, prince...

Avant que quiconque ait pu l'en dissuader, Djem posa un pied sur la traverse la plus basse et enjamba la suivante dans un mouvement souple. Il retomba sur ses pieds à l'intérieur du parc. Une seule bête recula, surprise. Les autres se contentèrent de le fixer avec la même attitude orgueilleuse. Djem s'avança vers le cheval qui, entre tous, avait fait bondir son cœur à son arrivée. Plus haut de garrot que les autres, parfait de proportions, il se tenait à l'écart, en bordure du bras de rivière, dédaigneux et hautain.

Royal.

De se voir méprisés, les autres baissèrent la tête pour fouir l'herbe que leurs sabots n'avaient pas encore piétinée.

220

Prisonnière à quelques pas de là, entre son frère Louis et Philibert de Montoison, Philippine se retenait de s'élancer de même. Jacques de Sassenage eut moins de réserve. Moins de témérité aussi. Abandonnant les autres, il rejoignit Djem en passant par l'entrée que lui ouvrit un palefrenier.

Son choix à lui aussi était fait. Il visa la bête la plus proche de celle que Djem caressait entre les yeux. Marcha dessus avec détermination.

Djem tourna la tête vers lui.

— Seul à seul, lui dit Jacques. Maintenant.

Djem ne se posa pas de questions.

Surprenant l'animal qui, d'instinct, l'avait reconnu pour maître, il empoigna la crinière à la manière sarrasine. Jacques aussi, ainsi qu'il l'avait appris ces temps derniers. D'un même élan, ils se juchèrent sur le dos des bêtes, à cru, qui se mirent à piétiner d'impatience.

— Je vous le ramène, hurla Jacques par-dessus son épaule.

Avant même que le grand prieur d'Auvergne, Philibert de Montoison, Philippine et ses frères aient compris, les chevaux poussés aux flancs franchissaient le cours d'eau dans une gerbe de gouttelettes, sautaient les barrières qui fermaient l'enclos de l'autre côté et partaient au grand galop en direction de la forêt.

Jacques et Djem les immobilisèrent en tirant sur le crin, dans un ensemble parfait, à peine le couvert des arbres atteint.

— Nous avons peu de temps, Djem. Blanchefort s'apprête à vous déménager de Rochechinard, lui annonça Jacques, décoiffé par la course.

Djem blêmit.

— Quand ?

— Sitôt les épousailles.

— Pourquoi les avoir autorisées ?

Jacques haussa les épaules.

— Pas le choix. Pour l'instant. Rien n'est fait, Djem. Hélène vous aime. La seule chose que j'ai besoin de savoir, c'est jusqu'où vous êtes prêt à aller pour la sauver.

Quelques minutes plus tard, ils revenaient au galop et sautaient à bas devant Guy de Blanchefort renfrogné.

— Allons mon ami, ne faites pas cette tête-là, s'amusa Djem. Un cheval est tout l'inverse d'une épouse, c'est avant qu'il faut l'essayer.

Jacques de Sassenage éclata de rire en détachant une bourse rebondie de sa ceinture pour la lancer à l'éleveur.

— L'affaire est conclue mon bon. Pour les deux.

La main droite sur le cœur, Djem abaissa la tête, en signe de remerciement.

— Votre générosité me touche, une fois de plus.

— Ce n'est pas de la générosité, mais de l'amitié.

Lui enroulant le bras autour des épaules, Jacques le ramena vers Philippine, qui, entraînée par ses frères et sous l'œil vigilant de Philibert, s'amusait des pas gourds d'un poulain dans un enclos voisin.

— Alors, prince Djem, que pensez-vous des chevaux royannais ? lui demanda-t-elle, se désintéressant aussitôt du nouveau-né.

— Ils sont à l'image de son peuple, damoiselle Hélène, aussi bien tournés de robe que de caractère.

— En ce cas, rosit Philippine, je vous laisse à leur compagnie. J'aurai à cœur, quant à moi, de chevaucher à vos côtés, père. Si vous le permettez.

— Et comment ! Avant longtemps tes épousailles te feront quitter la Bâtie pour le castel de Montoison et j'en serai bien privé.

La rage au cœur de le voir si déterminé à cette idée, Philippine accepta le bras qu'il lui arrondissait.

Laissant les autres caracoler en tête, entraînés par la nouvelle monture de Djem, Jacques de Sassenage prit l'amble à ses côtés sur le petit chemin ombragé de coudriers qui longeait la boucle de la Bourne.

À distance, devant, Philibert de Montoison et Guy de Blanchefort venaient de s'engager dans une conversation théologique dont le vent leur porta quelques bribes.

« Il fait diversion pour me laisser l'occasion de vérifier ses dires », songea Philippine avec colère.

Elle la retourna contre son père.

— Vous m'avez trahie. Pourquoi me forcer à l'épouser ?

— Me crois-tu donc si cruel ? lui objecta Jacques dans un triste sourire.

Sa rage retomba. Elle baissa les yeux.

— Alors quoi, père ? Il est venu me voir ce matin pour m'annoncer cette horrible nouvelle et me parler de… ma mère.

Jacques dodelina de la tête, agacé par la confirmation de ce dont il se doutait depuis longtemps. Marthe et ce chien étaient bel et bien de connivence pour leur nuire. Il soupira.

— J'aurais préféré te l'apprendre moi-même à la faveur d'un moment choisi.

Elle se mit à trembler sur sa selle.

— Il a prétendu… Oh ! mon Dieu ! Père, est-ce possible ?

— Elle est en vie, oui.

— Mais la tombe, sœur Albrante, la mère supérieure ?

— Mensonge. Tout ne fut que mensonge durant ces six dernières années. Je n'ai appris la vérité qu'il y a peu.

Philippine sombra dans un long silence consterné. Tout cela n'avait pas de sens. Sœur Albrante les aimait toutes deux. Comment avait-elle pu… Et surtout…

— Pourquoi ? gémit-elle, face à ce sentiment de trahison qui occultait la réalité.

Prenant le temps mais sans la ménager plus avant, Jacques de Sassenage entreprit de lui conter tout ce qu'il savait. Sa mère, amnésique, recouvrant la mémoire, les manigances démoniaques de Marthe, celles, bénéfiques, d'Algonde pour la protéger, et pour finir l'odieux chantage.

— Ta mère nous sera rendue saine et sauve au lendemain de tes noces, Hélène.

Un flot de larmes lui piqua les yeux.

— Alors je suis perdue, murmura-t-elle, brisée de tant de manipulation, de fatalité.

À en juger par les rires et la musique qui leur parvenaient, ils approchaient du lieu du pique-nique. Jacques de Sassenage attrapa la bride de la monture de sa fille, la forçant à s'arrêter. Une profonde détermination passa dans ses yeux, loin de l'abattement qui plombait Philippine.

— Non, tu ne l'es pas, Hélène. Mais je ne peux rien te dire de plus sans vous mettre en danger, toi et ta mère. Je te demande de te soumettre et de garder confiance jusqu'au dernier moment, tu m'entends ? Jusqu'au dernier moment.

Tant de certitude dans ce visage fier. Jamais son père ne lui avait menti. Philippine s'arma de courage.

— Jusqu'au dernier moment, je le promets.

Il hocha la tête.

— Une chose encore. Garde ce secret pour toi et toi seule. Si les choses venaient à mal tourner, je ne veux pas que tes frères et sœurs pleurent leur mère une seconde fois.

Était-ce l'idée de la perdre avant de l'avoir retrouvée qui lui fit enfin ressentir la vérité ? Le cœur de Philippine bondit dans sa poitrine. Sa mère était vivante. Captive mais vivante.

— Elle m'a si souvent manqué, murmura-t-elle.

— À moi aussi tu sais.

Ils se mirent à rire. Un rire léger de connivence, d'espoir et de confiance. Un petit rire qui chassait de leur cœur les souffrances passées.

— Allons à présent. Il nous faut donner le change à ces monstres.

— Puis-je rassurer Djem quant à mes épousailles ? Je ne veux pas qu'il se tourmente.

— C'est inutile. Il sait.

Comprenant alors la raison de leur cavalcade, Philippine recouvra d'un coup sa gaieté. Puisque son père et l'homme qu'elle aimait s'étaient alliés contre Philibert de Montoison et cette Harpie, alors elle n'avait plus de raison de douter.

— Il faudra quand même qu'Algonde m'explique toutes ces choses qu'elle a si bien voulu me cacher, décidat-elle tandis que son père s'écartait.

L'instant d'après, ils quittaient la route pour s'enfoncer sous le couvert des arbres. À l'approche de la rivière, la scène qui s'offrit aux yeux de Philippine acheva de lui mettre du baume au cœur.

Paradant sur son cheval que les autres avaient voulu admirer, Djem portait beau son visage enturbanné tandis qu'au-delà des nappes couchées sur l'herbe et chargées déjà d'abondance, les troubadours debout sur les petits îlots de galets répondaient de leurs instruments à l'onde qui murmurait.

Au milieu d'eux, d'une voix pure et ensorcelante, Algonde s'était mise à chanter.

La journée s'étira mollement à l'ombre des arbres. Le vin et la bière rafraîchis dans le courant avaient appesanti les nuques sous les bras repliés sitôt ripaille achevée. Les musiciens, entraînés par quelques courageux dans une farandole en amont, avaient laissé place au bruissement d'une cascade.

Pris par la chaleur accablante de ce 7 juillet, damoiselles et damoiseaux s'accordaient à se taire, jouissant d'un battement de cils échangé à défaut d'une étreinte que d'autres, plus âgés, consommaient sans vergogne plus loin dans la forêt. Guy de Blanchefort s'était isolé en prière derrière une rangée de buis; Philibert de Montoison, assoupi sous un ormeau. Sidonie et ses amies clapotaient sur la berge, confiant ragots et commérages au courant, sous l'œil toujours aux aguets de Marthe, assise, mains jointes, contre une racine proéminente.

Quant à Djem et Nassouh, après avoir longuement charmé leur auditoire de souvenirs, fleuris des senteurs de leur pays, ils avaient accompagné Jacques de Sassenage et ses fils dans le sous-bois, attirés par des traces fraîches de chevreuil que les deux lévriers de Louis avaient relevées.

Profitant de ce permissif désordre, Philippine entraîna Algonde à l'écart des oreilles indiscrètes, au beau milieu de la rivière, peu profonde en cette saison, sous le prétexte de suivre des yeux le frétillement des truites sous les rochers plats.

— Là, lui dit-elle, vois comme elles sont grosses. Je ne serais pas surprise que ces garnements en attrapent une d'ici à ce que nous repartions.

De fait, sous la surveillance étroite de quelques servantes, une dizaine d'enfants qui étaient de cette sortie se pliaient dans l'eau jusqu'aux épaules pour tenter, à la main, une pêche miraculeuse.

— Plongeais-tu comme eux avec Mathieu dans le Furon?

Un peu de nostalgie rattrapa Algonde tandis que, se moquant de l'eau qui battait ses pieds dénudés et sa jupe de lin, elle se juchait sur une pierre qui affleurait la surface.

— Je crois bien que nous avons tout tenté à leur âge, mais ces diablesses sont si vives que nous rentrions plus souvent bredouilles que nantis.

— N'est-ce pas à cause d'une truite que tu t'es retrouvée sous la montagne, avec Mélusine? amena Philippine en s'installant à ses côtés.

Les orteils d'Algonde envoyèrent un peu d'eau gicler plus loin. Elle ne se souvenait pas de lui en avoir jamais parlé. Instinctivement, elle fut sur ses gardes.

— Tout cela est bien loin.

— Pas tant que ça...

Le regard de Philippine s'arrêta un instant sur Marthe qui, la main en visière, regardait dans leur direction, avant de se perdre à nouveau dans les reflets miroitants.

— Père m'a tout raconté, Algonde.

— Tout quoi ?

— Toi. Mélusine. Marthe. Tout ce que tu as jugé bon de lui confier. Tout ce que tu as préféré ne pas me dire pour me protéger. Une infime partie de ta vérité, je suppose.

Pas de rancœur dans la voix. Juste un constat.

— Une infime partie, en effet, avoua Algonde.

— Tu savais pour ma mère ?

— Depuis peu.

Un profond soupir souleva les épaules de Philippine.

— J'ai toujours pensé que tu n'étais pas comme les autres, mais de là à supposer que tu étais une fée... Et Mathieu dans tout ça ? Possède-t-il quelque pouvoir lui aussi ?

Algonde tourna vers elle un regard malicieux.

— Celui de me rendre heureuse. Uniquement. Ce qui n'est pas le cas d'Elora.

— La lumière bleue...

— Tu l'as vue ? s'étonna Algonde.

— À sa naissance. Et puis aussi lorsque tu étais malade. Elle vous a soulevées toutes deux, au-dessus des draps. L'instant d'après ta fièvre était tombée. J'ai cru à un miracle.

— La magie en est un. La sienne est très puissante.

Elles se turent un instant. Le temps de nouer leurs doigts sur la pierre. Complices.

— Pourquoi ai-je tant d'importance pour Marthe ? pour toi ? demanda Philippine en penchant la tête de côté.

— C'est une longue histoire.

— Nous avons tout l'après-midi devant nous.

Algonde leva les yeux vers le ciel. Quelques nuages filaient au gré d'une brise tiède. L'heure des aveux. C'était mieux ainsi, sans aucun doute. Pour autant, Philippine accepterait-elle ce que le destin réservait à son fils ?

« À moi de la convaincre », se dit Algonde en prenant une profonde inspiration.

— Il était une fois, commença-t-elle, dans les brumes d'Avalon, trois sœurs qu'une malédiction liait...

24.

Le courage dont avait fait preuve Jeanne de Commiers pour gagner l'issue du souterrain l'avait quittée à peine juchée en selle. Si Aymar de Grolée n'avait glissé son bras autour de sa taille, elle aurait chuté sitôt le galop amorcé. De fait, elle ne se souvenait pas du paysage qui défilait devant ses yeux, ce qui la confortait dans l'idée qu'elle avait dû s'évanouir une bonne partie du trajet.

Le col du mont Noir passé, Aymar s'engagea vers le nord sur des sentiers de chèvre, puis ils longèrent les gorges du Nan, avant, enfin, de rejoindre l'Isère.

L'endroit était paisible, bordé d'aulnes gracieux et tapissé de bruyère. Deux îlots rocailleux envahis de canards sauvages brisaient le cours de la rivière. Un peu à l'écart et en amont, plantée sur une butte pour se protéger de la montée des eaux, mais à l'abri d'un chêne centenaire, une bicoque de rondins complétait le tableau. Un homme en sortit. Un pêcheur qui avait accepté quelques jours plus tôt de les faire traverser et qui les accueillit d'une courte révérence.

Tandis qu'il menait leur monture dans une petite annexe, Aymar prit dans une sacoche des vêtements d'homme et enjoignit Jeanne de s'en couvrir, en place de sa robe souillée.

Migraineuse, rattrapée par sa faiblesse, Jeanne se laissa choir sur le banc de bois accolé à la modeste bâtisse.

— À quoi bon ? Malgré nos précautions, Marthe aura tôt fait de me retrouver.

La forçant à se lever, Aymar la secoua aux épaules.

— Ni elle ni personne. Regardez-moi, Jeanne. Vous ai-je jamais menti par le passé ?

— Jamais, il est vrai.

— Pas davantage ce jourd'hui. Activez-vous.

Une fois changée, les cheveux pris sous un chapeau pour en masquer la longueur, elle fut menée par Aymard sur la grève, où l'homme les attendait déjà à bord de son esquif.

Sans plus attendre, ils embarquèrent.

Jeanne avait caché ses ongles noircis dans ses manches, mal à l'aise soudain de sa crasse sous ces vêtements propres. S'il n'avait tenu qu'à elle, elle se serait volontiers lavée, mais elle savait que le temps leur était compté. Elle se contenta de se pencher par-dessus bord pour les rincer.

Aymar avait sorti une miche de pain, la lui tendit. Les yeux rivés sur ses souliers qui la meurtrissaient, elle s'efforça de mâcher lentement quand, réveillé, son estomac lui ordonnait de se bâfrer. Le vin la requinqua un peu. Parvenue sur l'autre rive, elle se sentait mieux.

Aymar avait remis une bourse rebondie à l'homme sitôt qu'il eut repoussé la barque à l'eau, la laissant dériver avec la vieille robe de Jeanne au fil du courant pour faire croire qu'elle s'y était noyée.

— Alors c'est entendu, l'ami. Tu quittes la région sur-le-champ.

— Et jamais n'y reviens.

L'instant d'après, il avait disparu.

— Et le cheval ? s'inquiéta Jeanne.

— Il est à l'abri des loups mais pas des hommes. Cela fait plusieurs fois que des maraudeurs volent le bois du pêcheur à la faveur de la nuit. Ils feront une bonne affaire, cette fois, et nous aussi.

Ce disant, il l'entraîna le long de la berge, la soutenant aux épaules pour l'aider à marcher. Il avait vu l'état de ses pieds couverts de vermine tandis qu'ils chevauchaient. Sa souffrance aussi, il l'avait anticipée.

Le coin était désert. Une autre rivière, plus petite, se jetait dans l'Isère à l'endroit où ils avaient accosté, formant un marécage foisonnant de gibier d'eau. Une belle frange de roseaux drainait l'onde pure. Aymar siffla deux coups brefs, un plus long. Surgissant de nulle part, un colosse, vêtu à la façon des maraîchers, apparut au milieu des tiges brunes. Il leur fit signe. Occupée à la douleur que lui arrachait chaque pas, Jeanne se laissa mener à lui sans rien demander.

— Fais le guet à dextre, souffla Aymar à Barbe, son homme de main.

À peine s'était-il éloigné que Jeanne découvrit cette petite boucle d'eau prisonnière des joncs, bassine naturelle masquée de tous. Une serviette propre et un pain de savon attendaient dans un panier. Un autre était chargé de fruits, de fromage et de pain. Enfin, sur un carré d'herbe, chemise, braies et sous-vêtements prenaient le soleil et l'odeur de l'été.

Des larmes piquèrent les yeux de Jeanne tandis qu'elle se tournait vers son sauveur.

— À partir de maintenant, nous n'avons plus rien à craindre. Prenez le temps qu'il vous faut.

Elle n'eut pas celui de le remercier. Déjà, il avait tourné les talons pour, lui aussi, se mettre en faction.

Deux heures plus tard, elle était une autre femme et l'appelait pour qu'il la rejoigne. Il lui oignit encore les orteils d'onguents, les banda précautionneusement, sans mot dire, heureux de la retrouver telle que par le passé, malgré son allure masculine, malgré l'affadissement de ses traits et quelques rides au coin des yeux. Elle allongea une main pour caresser une repousse de barbe sur sa joue, lui sourit.

— Vous sentez-vous prête à reprendre la route ? demanda-t-il avec sollicitude.

— Où me conduisez-vous ?

— Vous souvenez-vous de Louis II de Saluces ?

Elle fouilla sa mémoire.

— Un parent de Jacques, je crois… Ses terres sont dans le Piémont.

Elle porta la main à ses lèvres, effarée soudain.

— Oh ! mon Dieu ! Si loin…

— Il le faut, Jeanne.

Des larmes perlèrent à ses yeux.

— J'aurais tant aimé revoir mes enfants…

Elle les baissa avant d'ajouter.

— … le voir.

Aymar sortit une lettre de son pourpoint, la lui tendit.

— Lui aussi Jeanne, répondit-il, lui aussi.

À présent que la nuit descendait lentement derrière eux, serrée de nouveau contre Aymar de Grolée, Jeanne savait combien son époux l'avait pleurée des années durant avant de se remarier. Combien ses enfants faisaient sa fierté. Combien il espérait son retour. Combien enfin, il souffrait de n'être pas lui-même venu à sa rencontre.

Elle savait tout cela, mais à l'instant de s'en réjouir, les battements fous du cœur d'Aymar de Grolée contre elle activèrent son sang dans ses veines, l'obligeant à fermer les yeux de honte. Elle ne devrait pas, non, c'était impossible. Elle ne devrait pas éprouver autant de joie de cette promiscuité.

*

Marthe fulmina d'avoir été jouée. D'un geste de colère, elle balaya sans même les toucher les pots de verre qui encombraient la table. Ils se brisèrent au pied de l'athanor, éteint depuis longtemps. D'un pas vif, elle se dirigea vers le fond de la grotte, jeta la main dans une anfractuosité baignée d'ombre et ramena le flacon pyramide entre ses ongles recourbés. Au moins Jeanne ne l'avait-elle pas récupéré. Marthe n'imagina pas un seul instant que sa prisonnière ait pu se libérer seule. Elle remit la fiole dans sa cache et, sans même se donner la peine de se lancer sur les traces de l'évadée, regagna à vive allure le château de la Bâtie.

Jacques y dormait auprès de Sidonie lorsqu'elle fit irruption dans leur chambre. Il s'éveilla en se sentant soulevé avec force de sa couche. L'instant d'après, comme les verrines dans la grotte, il se fracassait contre un petit coffre bas et Sidonie hurlait.

— Silence ! lui intima Marthe dans sa fureur hautaine.

— Décidément c'est une manie ! maugréa Jacques, le rouge de la colère aux joues, en essayant de se dépêtrer du meuble démembré sous l'impact.

Marthe claqua des doigts une première fois, et une torche s'enflamma contre un mur. À la seconde, ce furent des cendres qui se transformèrent en brasier dans la cheminée.

Elle fixa un œil mauvais sur les morceaux de bois autour de Jacques. Ils s'embrasèrent et il n'eut que le temps de se jeter sur le côté pour n'être pas brûlé.

— Veux-tu donc enflammer le château tout entier ? gueula Sidonie, effrayée.

— S'il le faut, et la contrée avec. Je t'avais prévenu, Jacques de Sassenage !

— Prévenu de quoi ? de vos manières infectes ? de vos maléfices ? de vos sortilèges ? Point n'était besoin de me les rappeler, je m'en souviens fort bien, merci ! débita-t-il, ulcéré, tout en éteignant le début d'incendie avec l'eau d'une cruche attrapée hâtivement sur une tablette.

Ensuite de quoi, et bien qu'il fût moulu de contusions, il se planta devant elle, les poings sur les hanches.

— Allez-vous me dire à présent ce qui justifie que vous transformiez ma chambre en bûcher ? Pour autant que je m'en souvienne, vos ordres ont été exécutés !

Marthe pinça des narines et le fixa droit dans les yeux pour sonder son âme.

— Comme si vous ne le saviez pas !

Mais aussitôt dit, elle recula sous le coup de la surprise. Jacques de Sassenage ignorait où Jeanne se trouvait.

— Vous ne le savez pas.

Jacques croisa les bras, fronça les sourcils, bomba le torse.

— Alors je sais, je ne sais pas… Et quoi donc qui vous embarrasse au point de me bousculer ?

Marthe les toisa tous deux avec dédain.

— Un mouvement d'humeur qu'il me fallait passer, dit-elle en regagnant la porte.

Jacques la rattrapa par le bras, l'œil aussi terrible et soupçonneux qu'elle l'était.

— Un instant. Il n'est rien arrivé à Jeanne, n'est-ce pas ?

— Rien. Comme je vous l'ai dit, elle est en sécurité. Ce qui n'est votre cas que parce que je l'ai décidé. Retournez vous coucher.

Elle se dégagea d'un mouvement d'épaule.

— Et ne vous avisez plus de me toucher, menaça-t-elle en détachant chaque syllabe comme un poignard qu'on aurait lancé.

À peine eut-elle franchi la porte que torche et cendres redevinrent aussi froides qu'avant son irruption.

Jacques se remit au lit. Instinctivement, Sidonie se blottit contre lui.

— Folle, elle devient folle, se lamenta-t-elle.

— Chuuut… c'est terminé, chuchota-t-il en lui caressant les cheveux, l'esprit en paix.

Demain, il assurerait Algonde que ses conseils avaient porté.

« À l'inverse de moi, Marthe ne peut lire spontanément dans l'esprit des gens, lui avait-elle expliqué en aparté. C'est un acte magique à part entière qui exige pour elle la pleine soumission de sa victime et un contact physique. Jusque-là cela lui était facile, la peur qu'elle génère créant d'elle-même une situation de vulnérabilité. Mais peu de choses suffisent pour couper court à son introspection. Le sommeil tout d'abord, trop chargé de rêves pour qu'elle puisse faire la part du vrai et du faux. La colère aussi, qui crée un champ de force et l'empêche de passer, et enfin l'inquiétude pour un être cher. Peu importe qu'Aymar de Grolée délivre Jeanne, tant que vous, monsieur le baron, ignorerez où elle se trouve, tant que vous vous inquiéterez d'elle, tant que vous rendrez Marthe responsable de son état, lors vous ferez barrière à la vérité. »

Aymar de Grolée venait de le vérifier. Marthe s'était laissé berner, preuve que sa toute-puissance pouvait être déjouée. Il soupira d'aise. Son vieil ami avait réussi, il ne pouvait plus en douter.

— Qu'allons-nous devenir ? trembla Sidonie qui ne savait rien de cette entreprise et continuait de croire que rien ne les sauverait.

— Ce qu'elle voudra. Pour l'instant seulement.

Il lui releva le menton.

— Je t'ai fait une promesse, celle de te tirer de ses griffes. Le jour viendra, il est proche crois-moi, où je le pourrai.

Sidonie s'écarta pour mieux le regarder. Son visage serein la détendit d'un coup.

— Tu n'es pas innocent à sa colère n'est-ce pas ?

Jacques se mit à rire.

— Si, totalement, mais au vu de ses réactions, j'ai idée de ce qui a pu la provoquer.

— Et quoi donc qui te réjouisse ainsi alors que tu devrais trembler ? s'inquiéta-t-elle de nouveau.

— Jeanne lui a échappé.

Sidonie sentit son cœur se gonfler de joie et tout aussitôt se serrer.

— Si c'est le cas, le pire est à craindre, Jacques. Marthe la tuera dès qu'elle l'aura retrouvée.

— Ce n'est pas encore fait, ma belle. Non, ce n'est pas encore fait, affirma-t-il, guilleret, en la couchant sous lui.

— Jacques, se défendit Sidonie…

Il ne l'avait plus touchée depuis qu'il avait découvert la vérité pour sa femme, se satisfaisant de servantes la plupart du temps même si la nuit, il dormait à ses côtés. Et à dire vrai, cette situation l'embarrassait de jour en jour davantage. Le souvenir de Jeanne le hantait cruellement. Mais il avait appris à aimer Sidonie au fil des années et il l'aimait encore. Et, malgré lui, il la désirait.

— Ce n'est pas… bien… le repoussa Sidonie en détournant la tête.

La bouche de Jacques se posa dans le galbe du cou.

— Le bien, le mal, l'amour, la haine… ce jourd'hui ne font plus qu'un, Sidonie. Nous avons besoin l'un de l'autre.

Des larmes lui piquèrent les yeux. Elle les ferma.

— Je ne peux pas, Jacques. J'aurais l'impression de la trahir. Et c'est ce que tu ferais.

— As-tu cessé de m'aimer ?

— Non. Tu sais bien que non.

Il caressa le pourtour de son visage, l'effleura de ses lèvres.

— Tu me manques, Sidonie. Ta peau, ton souffle. Ces nuits qui n'en sont pas me brûlent au matin. Je ne peux plus me satisfaire de tendresse quand nous avons tant partagé.

— Tu dois penser à elle. Plus à moi, objecta-t-elle contre son cœur, contre son corps qui hurlait.

Jacques roula sur le côté en soupirant.

— J'y pense. Chaque jour. Et c'est là tout mon dilemme.

Il lui prit la main et la porta à ses lèvres. Elle tremblait.

— J'espère son retour tout autant que je l'appréhende. Parfois j'ai l'impression que c'était hier qu'elle se pendait à mon bras, parfois c'est l'inverse. Son absence a un parfum d'éternité. J'ai tant usé ma souffrance à l'annonce de sa mort que c'est elle qui m'a usé. Tu m'as reconstruit, tu as retissé les fils de ma vie, lui as redonné un sens. Tu n'as pas pris sa place, Sidonie, tu as fait la tienne.

Elle déglutit, troublée.

— Tu l'aimes toujours, pourtant. Je l'ai lu dans tes yeux à l'abbaye. Tu l'aimes toujours, Jacques. Comme avant.

Il ne répondit pas. L'angoisse n'avait cessé de lui broyer le cœur à l'idée que Marthe touche un seul des cheveux de Jeanne, à l'idée de la perdre encore, c'était vérité. Mais il ne parvenait à l'imaginer dans ses bras, quand il avait tant besoin d'y blottir Sidonie.

— Peut-être les choses ne sont-elles plus ce qu'elles devraient, murmura-t-il pour lui-même.

Une bouffée de bonheur gagna le cœur de Sidonie, asséché depuis de longues semaines.

Pour autant, elle refusa de se réjouir. Jeanne de Commiers méritait le bonheur que Marthe lui avait volé.

Sidonie ferait ainsi qu'elle l'avait décidé. Elle s'effacerait. Et pour mieux s'en convaincre, résolument, elle se tourna de l'autre côté.

*

Marthe battit l'ensemble des souterrains de long en large, sans trouver trace de sa captive. Elle dut concéder cette intelligence à Jeanne de Commiers. Non seulement elle avait réussi à rompre ses liens, à se fabriquer une torche avec les vieilleries que contenait la pièce, à l'allumer au brûlot, mais aussi et surtout elle avait récupéré tout ce qui pouvait s'enflammer pour enfumer les trois boyaux principaux et masquer son odeur.

Elle finit par regagner l'air libre, la gorge en feu, furieuse. À pied, sans appui d'aucune sorte et dans l'état où elle était, Jeanne n'avait pu aller bien loin. Elle aurait tôt fait de la rattraper.

Marthe battit la campagne la nuit durant avant de se rendre, à l'aube, à l'évidence que sa prisonnière s'était volatilisée.

Cette fois, plus de doute. Quelqu'un l'avait aidée.

Si ce n'était Jacques de Sassenage, qui y avait intérêt ?

« Présine, songea Marthe. Ce ne peut être que toi, mère. Oui, je ne vois que toi pour me défier. »

Elle serra les poings de rage et hurla à la lune.

Le besoin de sang frais afflua dans sa bouche. Dévalant les sentes comme un animal, elle se mit en quête d'une pucelle à massacrer.

25.

De son plein gré.

C'était la condition qu'avait mise Hugues de Luirieux pour décider du sort final d'Enguerrand. Mounia s'activait donc en sa couche chaque soir, sans plaisir, sans culpabilité. Un corps sans âme qui s'offrait, se pliait au gré des fantaisies de son tortionnaire. Aux violences succédait la caresse, à la caresse, la tendresse.

Elle ne parlait pas. Ne pensait pas. Ne respirait pas.

Attendait. Comme une catin. Pour sauver l'homme qu'elle aimait.

Au matin, elle regagnait la proue du navire, inspirait l'air du large, refusait d'entendre les commentaires graveleux des matelots. Elle demeurait ainsi le nez au vent la journée durant. Ravagée d'inquiétude, de questions.

Où le détenaient-ils ? Dans la cale sèche ? le carré des hommes ? Dans quel état était-il ? Elle l'avait quitté inanimé, moribond. Il était si improbable qu'il ait survécu à une chevauchée à dos de chameau. Et quand bien même, le roulis n'allait-il pas l'achever ? Dès qu'une barre de nuages bouclait trop hardiment dans l'azur, que la mer s'agitait, elle se liquéfiait d'angoisse.

— Je veux le voir, avait-elle exigé au matin du deuxième jour de traversée.

— Non, lui avait répondu sobrement Luirieux qui se rhabillait au pied de la paillasse, laissée à leur disposition en soute, derrière une rangée de tonneaux d'eau potable.

— Pourquoi ?…

Il avait bouclé sa ceinture sur ses braies sans répondre. Les seins et le ventre nus, elle s'était agenouillée sur la couverture. Avait insisté.

— Tu as eu ce que tu voulais… Et tu l'auras jusqu'à plus soif. Laisse-moi le voir. Juste le voir.

Il s'était empli les yeux de sa silhouette balayée par les lueurs dansantes d'un falot, de sa chevelure noire, abondante, qui cascadait jusqu'aux reins zébrés par les lanières du fouet. L'œil, gourmand, s'était fait douloureux puis de nouveau, cruel.

— J'ai adouci ta punition, Mounia, je ne t'ai pas absoute.

— Qui me prouve que tu ne mens pas ? s'était-elle révoltée.

Les yeux sombres de Luirieux s'étaient étirés, rétrécis. Un pli amer avait durci le coin de sa bouche.

— Rien. Rien ne le prouve. Mais il faudra t'en contenter.

Et pour s'assurer qu'elle ne lui fausserait pas compagnie pour visiter le navire dès qu'il s'endormirait, la nuit suivante, après l'amour, il lui avait lié les poignets.

En cette fin d'après-midi du 17 juillet 1484, des côtes se devinaient à l'horizon. Demain, à la même heure, ils débarqueraient. Mounia avait compris qu'elle n'en saurait pas davantage. Hugues de Luirieux pouvait se réjouir. Si les coups et les humiliations l'avaient laissée indifférente, le doute qu'il avait instillé en elle l'avait détruite. Quitter ce navire sans avoir seulement pu s'assurer qu'Enguerrand y était prisonnier serait un déchirement qui la tuerait. Elle chancela. Il ne fallait pas. Il ne fallait pas abdiquer. Son pubis heurta la coque, lui rappelant la promesse qu'il portait. Au moins cet enfant-là l'empêcherait-il de subir celui d'un autre. C'était à lui qu'elle devait s'accrocher.

— Peaux bleues à bâbord, beugla soudain un des pirates, juché dans la mâture, comme il avait hurlé « Terre ! » quelques minutes plus tôt.

Les marins se mirent à gueuler, s'apostrophant les uns les autres. Mounia tourna la tête. À la vitesse de l'éclair, ils s'étaient précipités pour remonter le filet mis à la traîne, tandis que d'autres s'armaient d'arbalètes. Comme ces derniers, Mounia sonda les flots assombris par le couchant. Elle finit par les apercevoir. Trois énormes ailerons qui fendaient la surface.

Les traits se mirent à pleuvoir, s'enfonçant sous la surface.

Pourquoi les requins s'en prenaient-ils au navire ? s'étonna Mounia. Seul le sang les attirait d'ordinaire. Abandonnant son poste, elle longea la coursive. Demeurant un peu à l'écart pour ne pas gêner, elle regarda quelques poissons ramenés sur le pont frétiller dans un glacis d'eau salée. La plupart étaient en charpie.

Six matelots, tendus sous le poids du filet, appelèrent à l'aide. Visiblement une de leurs prises avait provoqué ce carnage et attiré les peaux bleues. Le flot bouillonna plus violemment contre la coque, un des ailerons s'enfonça sous la surface, touché par une flèche. En une fraction de seconde, les deux autres se retournèrent contre lui. Si Mounia s'horrifia de la violence de la lutte, les matelots en profitèrent pour accélérer la cadence, les pieds calés, les muscles bandés par l'effort. Le filet pesait lourd. Le poisson continuait de se déverser au fur et à mesure qu'il remontait. À l'image du soleil qui déclinait, l'eau s'auréolait de pourpre. Le requin blessé se débattait dans un dernier souffle contre les siens, tandis qu'autour de lui, autour d'eux, les traits continuaient de s'abattre.

— Murène ! s'époumona un des hommes en apercevant le fond du filet. Ils hésitèrent un court instant. La remonter ou perdre la pièce.

— Hardi ! hardi ! lança un des pirates en réaffirmant sa prise sur les mailles.

Il décida les autres. Encore quelques minutes de combat contre la bête vorace et gigantesque qui s'agitait, prisonnière des rets, avant qu'elle ne s'abatte avec fracas sur le pont, les faisant tous reculer sous sa menace.

Dans le mouvement, Mounia se heurta à Luirieux, juché, un instant plus tôt, sur la dunette. Le capitaine qui y était resté hurla ses ordres.

En quelques secondes ce fut la curée. La murène ondula sur l'eau résiduelle, cherchant davantage un repli qu'à attaquer. Les premières flèches la clouèrent au sol. Un des pirates, le plus sanguinaire de tous, que Mounia avait pu voir à l'œuvre lors de l'abordage d'un marchand, l'enjamba en riant et leva son sabre. À l'instant où il lui sectionna la tête, Mounia détourna la sienne contre le pourpoint de Luirieux qui l'avait saisie aux épaules.

— Viens, lui dit-il, cette petite distraction m'a mis en appétit.

Mounia frissonna.

La dernière fois. La dernière nuit.

Luirieux ne lui épargnerait rien.

Comme ces poissons privés d'air qui se mouraient lentement, elle se résigna et le suivit dans la soute.

*

Cela faisait dix jours que, escortés de Barbe, Aymar et Jeanne avaient quitté la forêt des Coulmes. Tous trois avaient traversé des plaines, des cours d'eau et des forêts avant d'atteindre les premiers sommets. Là, il leur avait fallu longer des ravins escarpés, suivre des gorges profondes, gravir une crête, puis une autre et une autre encore, redescendant chaque fois dans des vallées enchanteresses fleuries de rhododendrons et d'orchis vanillés. Ils s'étaient délectés de la pureté des sources, baignés à la faveur d'une petite cascade ou rafraîchis à l'eau d'un torrent.

Le premier guide qu'ils avaient trouvé les avait conduits à un village haut perché. Ils y avaient passé la nuit, accueillis chaleureusement par les habitants. Le lendemain, un autre avait pris le relais pour les mener. Chaque soir, le même rituel recommençait. Seuls ces hommes nés au milieu des rochers savaient les sentes qu'il fallait emprunter sans risque, les orages qui pouvaient éclater, les plantes qu'on pouvait cuisiner. Ils étaient fiers de cette responsabilité, fiers de pouvoir la partager.

Peu à peu, Jeanne et Aymar avaient relâché leur vigilance, s'accordant aux paysages somptueux qui s'offraient à leurs yeux, aux parfums d'herbes et de menthe sauvage que la chaleur de l'été renforçait. D'un doigt pointé, leur guide leur montrait un troupeau de moutons qui fleurissait de taches blanches un flanc de montagne, plus loin c'étaient des vaches, ici des chamois, plus haut des bouquetins qui descendaient en cascade sur les rochers.

Jeanne reprenait goût à la vie. Goût à la liberté. Sitôt qu'elle avait été plus alerte, Aymar lui avait trouvé une monture pour qu'elle puisse avancer à son rythme. La bienséance le voulait. Mais l'un et l'autre, sans se le dire, avaient regretté ces premiers jours de promiscuité.

Au moment des haltes, laissés en tête à tête, ils parlaient longuement. Jeanne voulait tout savoir de ses enfants, de Jacques, de Sidonie. Aymar lui racontait ces six années durant lesquelles la vie à la Bâtie s'était organisée sans elle. Tristesse, petits bonheurs l'envahissaient jour après jour tandis qu'elle se réappropriait l'histoire des siens. D'apprendre que ses filles avaient été élevées à Saint-Just, juste sous ses fenêtres, sans qu'elle en ait conscience, lui avait broyé le cœur, tout autant qu'elle s'était réjouie de savoir à quel point sœur Albrante les avait choyées. Entendre parler de Philippine la ramenait à Marthe, à la mort cruelle de la religieuse, à ses visions d'autrefois. La douleur revenait alors, piquant de larmes le gris de ses yeux. Oubliant ses résolutions, Aymar s'approchait, l'attirait contre son épaule et la berçait doucement.

— Tout finira par s'arranger, affirmait-il, le cœur battant à se rompre.

Peu à peu, Jeanne avait fini par le croire. Par reprendre foi en ce qu'elle était. Sans pudeur, à son tour elle lui avait expliqué. Ses visions, la certitude qu'elle pourrait le moment venu tromper la Harpie, ne gardant que pour elle le moyen, improbable, qu'elle avait vu dans ses rêves.

Désormais Aymar était heureux. De sa confiance recouvrée, de son rire qui s'accrochait à ses rides précoces et la rendait plus belle. Plus désirable encore. Ils n'avaient pas reparlé du baiser échangé dans la grotte. Jacques de Sassenage était entre eux, mais il voyait bien que Jeanne ne le regardait plus comme avant et surtout qu'elle baissait les yeux trop vite lorsqu'il les contemplait.

Il lui avait tout dit de ses intentions. Épouser Philippine pour la mettre à l'abri si le prince Djem ne le pouvait.

— L'aimez-vous ? avait demandé Jeanne.

— Vous savez bien que non, avait-il répondu.

Elle avait rougi, souri légèrement. Lui aussi. À quoi bon en exprimer davantage ? Il ne lui avait pas caché ses sentiments autrefois, avant qu'elle n'épouse Jacques. Ce qui était impossible hier n'était pas possible davantage ce jourd'hui. Demain, en retrouvant sa place et son rang, Jeanne reprendrait ses distances. Lors, il jouissait de sa présence comme d'un cadeau, refusant de voir que le temps passait et que le Piémont se rapprochait.

Ce 17 juillet 1484, Aymar de Grolée mit pied à terre devant une maison basse qu'on lui avait indiquée à l'entrée du village comme appartenant au bourgmestre.

Sans hésiter il actionna le marteau de la porte. Derrière lui, dans la rue et sous l'œil intrigué des habitants, Barbe aidait Jeanne de Commiers à descendre de cheval.

Une petite femme replète à l'allure de servante vint ouvrir au bout de quelques minutes. Aymar s'inclina devant elle en guise de bonjour.

— Je suis le sire de Bressieux, auriez-vous l'amabilité de m'annoncer à votre maître ?

L'air amusé, elle pencha la tête de côté pour jauger son équipage, puis s'écarta pour le laisser passer.

— Si vous voulez patienter un moment, dit-elle avant d'enfiler un petit corridor.

Modeste de dimensions, la demeure du bourgmestre n'en était pas moins coquette et sentait l'importance. Aymar suivit du coin de l'œil les pas de Jeanne devant le perron. Grimée en homme avec sa chemise ample, son pourpoint, ses braies et ses bottes, elle avait l'allure d'un hobereau, qu'aurait démentie l'ampleur de sa poitrine à un regard appuyé. Se délassant les bras par de petits moulinets d'épaules devant un massif de marguerites, elle répondait avec gentillesse aux questions de garnements qui, moins farouches que les grands, avaient suivi leurs chevaux sitôt qu'ils avaient franchi le gué.

— Soyez le bienvenu sous mon toit, messire…

Aymar de Grolée détacha ses yeux de la croisée. Âgé d'une quarantaine d'années, l'homme qui s'avançait vers lui était de très petite taille. Comparé à Aymar, il avait l'air d'un nain. Le crâne dégarni donnait plus d'espièglerie au regard noir et de curiosité aux oreilles, légèrement pointues. L'habit, bien coupé, était sobre, le sourire franc, la main tendue. Il fut instantanément sympathique à Aymar de Grolée.

— Je me rends au château de Revel, chez mon ami le marquis de Saluces, dit-il en serrant à peine les doigts enfantins dans sa paume épaisse, s'inquiétant de les meurtrir.

Il reçut en retour une franche poignée.

— Et avec la nuit qui vient, vous craignez les loups sur votre chemin, comprit aussitôt le bourgmestre.

Aymar de Grolée hocha la tête.

— Sommes-nous loin ?

— Vous venez d'entrer sur ses terres, mais Revel est à une journée de route encore. Fiona m'a dit qu'une dame vous accompagnait… Je vous laisse le soin de jauger du nombre de chambres que vous désirerez.

Aymar s'égaya devant tant de perspicacité.

— Ma foi, messire, votre servante a un œil avisé. Et vous, une belle générosité.

Le bourgmestre éclata d'un rire clair en se tournant vers la petite dame qui, aussi joviale d'allure qu'il l'était, revenait en frottant ses mains sur son tablier.

— Viens donc ici, Fiona, que je te présente à notre invité.

Avant même qu'Aymar de Grolée ait compris l'impair qu'il venait de commettre, leur hôte la prenait par la main et déclarait, la voix gorgée de fierté :

— Point de servante ici, mais un trésor délicatement gardé. Mon épouse. Ma dulcinée, messire.

La main sur le cœur, Aymar de Grolée s'inclina avec honte devant elle.

— Pardonnez-moi, dame Fiona.

— Et de quoi donc, messire ? Si je voulais qu'on me traite comme une princesse, je m'habillerais comme telle, mais mes confitures n'auraient pas le goût et la saveur que tout le village leur reconnaît. Allez donc chercher votre dame. J'ai mis de l'eau à chauffer pour son bain. À voir son allure, je gage qu'elle sera ravie de s'y glisser.

Définitivement conquis par ces deux-là, quelques instants plus tard, Aymar les présentait à Jeanne et à Barbe. Fiona se déclara enchantée de leur offrir l'hospitalité. Quant à son époux, il s'inclina presque jusqu'à terre. Lorsqu'il se releva, ses yeux pétillaient.

— Je fus prénommé Grand Pierre à ma naissance, dame Jeanne. Une erreur, vous en conviendrez, que les habitants d'ici, nonobstant mes fonctions, ont eu à cœur de rectifier. Tant que vous demeurerez sous mon toit, ayez la grâce de m'appeler Petitot ainsi que mes amis le font.

Tombée aussitôt sous le charme de ces gens dont la langue du Piémont roulait, Jeanne de Commiers le lui accorda bien volontiers avant de soupirer d'aise devant la jolie chambre aux senteurs de fleurs séchées qu'on lui avait réservée.

Lorsqu'elle reparut pour dîner, plus fraîche et reposée qu'elle ne l'avait été depuis longtemps, Aymar et Petitot partageaient une discussion animée et joyeuse, confortablement installés dans la cuisine qu'embaumaient un chaudron de confiture d'airelles et un autre de soupe au lard. Le verre de liqueur que s'apprêtait à vider Aymar lui resta au bord des lèvres devant le charisme de Jeanne. Ayant abandonné son accoutrement au profit d'une des robes qu'elle avait achetées deux jours plus tôt afin d'être digne de paraître chez le marquis, les cheveux ramenés en tresse sur le léger décolleté, elle était telle soudain que par le passé.

— Dame Jeanne, votre beauté est un cadeau pour cette maison, s'exclama le bourgmestre, lui volant le compliment.

— Je voulais lui faire honneur, sire Petitot, pour vous remercier.

Aymar de Grolée avala sa liqueur. Leurs regards se croisèrent, se troublèrent. Ils les détournèrent aussitôt, pas assez vite pour échapper à la vigilance de leurs hôtes.

— Avez-vous faim, dame Jeanne ? demanda Fiona, ramenée devant le feu pour tourner la confiture.

— À dire vrai, je suis affamée, avoua celle-ci comme Barbe entrait par une petite porte de côté.

— Les chevaux sont bouchonnés, messire, annonça le colosse en se frottant les mains l'une contre l'autre, le nez en l'air, empressé autant de la soupe qui mijotait que des airelles qui glougloutaient.

Fiona bomba son torse malingre.

— Papa, dit-elle en se tournant vers son époux, entraîne donc ces seigneuries plus loin que je termine ma mijotée.

Jeanne s'interposa. La douceur de ce foyer lui réchauffait l'âme par sa simplicité.

— Laissez-moi vous aider. Je ne suis pas très douée, mais...

Fiona secoua la tête.

— Au risque de vous tacher ? Dieu m'en garde ! Mais si la compagnie de petites gens vous sied, ma foi, j'en serai flattée, ajouta-t-elle devant son air navré.

Déjà son époux entraînait Aymar de Grolée et Barbe. Elles se retrouvèrent seules devant la fournée. Fiona ouvrit un coffre et en sortit une pile d'assiettes. Elle n'hésita qu'une seconde avant de les tendre à Jeanne. De toute évidence, cette noblesse-là était bien différente de celle qu'elle connaissait. Et Fiona n'avait pas sa pareille pour apaiser le cœur de ceux qui souffraient.

Le visage de Jeanne s'éclaira tandis qu'elle prenait la pile des mains de dame Petitot. Elles s'activèrent, l'une au couvert, l'autre à sa cuisine, en silence. Quelques minutes. Puis, n'y tenant plus, Fiona se tourna vers Jeanne.

— Vous pouvez me raconter, si vous le voulez. Nous les gens de peu n'avons pas la malice des grands pour se goberger du malheur. Et puis surtout, nous savons garder les confidences...

Jeanne la fixa. Elle se sentait bien ici. Elle s'installa sur le banc, devant une des assiettes. Demain son voyage s'achèverait. Elle avait cru en quittant le souterrain que ce serait délivrance. Ce soir elle avait le cœur lourd, malgré la belle surprise de ce gîte.

Son visage dut le traduire, car, abandonnant spontanément ses marmites et toute bienséance, Fiona vint lui entourer les épaules de son bras trop court.

— Ne dites rien, va. Je crois bien avoir deviné, dit-elle à mi-voix.

— Je doute…

Fiona soupira.

— Les cœurs battent de la même manière, dame Jeanne, quel que soit l'endroit où ils sont nés. Je l'ai bien vu tantôt lorsque vous êtes entrés. Il n'est pas votre époux, mais vous vous aimez…

Jeanne voulut la détromper sur ce dernier point. Elle en fut incapable et se fustigea. C'était incompréhensible, impossible. Jacques lui avait tant manqué.

— Jamais je n'aurais imaginé que cela arriverait, laissa-t-elle tomber d'une voix morte.

Contre toute attente, et quelles qu'en soient les raisons, il lui fallait bien se l'avouer.

Elle était tombée amoureuse d'Aymar de Grolée.

*

Mounia s'éveilla en sursaut. On secouait vivement Hugues de Luirieux endormi sur la paillasse à côté d'elle. Se tournant de trois quarts à l'instant où son bourreau ouvrait un œil, elle reconnut un de ses hommes, penché au-dessus de lui.

— Nous sommes à quai? s'étonna Luirieux en se redressant.

Mounia recolla l'oreille contre son bras replié. Elle était épuisée, douloureuse de partout, et n'aspirait qu'à se rendormir jusqu'au moment de débarquer.

— Il nous a échappé, lâcha l'homme en baissant la voix.

Instantanément Mounia se tendit sous la couverture, mise en alerte. Luirieux bondit sur ses pieds.

— Comment ça, échappé?

— Il a plongé.

Le cœur de Mounia s'affola dans sa poitrine.

— À combien sommes-nous des côtes ?

— Trois milles au moins.

Il y eut un silence.

— Dans son état, il ne les atteindra jamais, lâcha Luirieux avec certitude.

— D'autant que ces eaux sont infestées de peaux bleues, comme on a pu en juger.

Mounia étouffa un cri dans sa gorge avant de se redresser, hagarde.

— Enguerrand... murmura-t-elle, un sanglot dans la voix.

L'homme baissa les yeux, tourna les talons. Luirieux la fixa d'un œil morne.

— Je ne suis pas responsable de sa stupidité, martela-t-il avec humeur avant de sauter dans ses braies.

L'instant d'après, elle restait seule dans l'obscurité, oscillant entre le doute et l'espoir, entre la consternation et la révolte. Bouleversée.

Hugues de Luirieux s'approcha du bastingage pour rejoindre son compagnon qui battait les flots noirs d'un regard vide.

— Ai-je été convaincant ? demanda ce dernier.

— Autant qu'il le fallait, lui assura Luirieux en s'installant à ses côtés.

L'homme laissa échapper un petit rire.

— Elle ne va pas s'en remettre.

— Tant mieux. Cette petite garce n'a eu que ce qu'elle méritait.

— Et s'il avait survécu, là-bas ? demanda-t-il encore.

Hugues de Luirieux haussa les épaules.

— Il respirait à peine quand nous l'avons quitté. Et quand bien même il se retrouverait sur mon chemin un jour ! Il recevrait la même punition que je lui ai infligée, à elle. Je lui dirais qu'elle est morte….

— Et ensuite ?

Hugues de Luirieux ricana, satisfait de la ruse qu'il avait employée pour tenir Mounia à merci durant la traversée.

— Ensuite… je l'achèverais.

26.

Il avait la sensation d'avoir un ballot de lentilles dans la bouche. La langue, lourde, les tournait et retournait sans cesse dans l'espoir de les déglutir sans y parvenir jamais. Il ne parvenait pas davantage à ouvrir les yeux, comme si un poids compactait ses paupières. Quant à son corps tout entier, il s'enfonçait tant dans la matière qu'il paraissait mort. Il ne souffrait pas, sauf quand il inspirait. Un trait de feu lui traversait alors la poitrine, de sorte que par réflexe, il prenait le moins d'air possible pour respirer.

Privé de mouvements, il l'était aussi de mémoire, abruti par les substances qu'on le forçait à boire à intervalles réguliers. Parfois pourtant quelques images lui venaient, de sang, de violence, de géant momifié et de cartes, de cartes en nombre dans des étuis cylindriques en or. Deux visages aussi, l'un chassant l'autre, dont les noms chantaient : Mounia. Algonde. Tous deux éveillaient en lui douceur, tendresse puis souffrance au point qu'il se hâtait de les rejeter.

Ce 18 juillet 1484, la vie d'Enguerrand de Sassenage était toujours en suspens dans l'antique cité d'Héliopolis. Une femme veillait sur lui. Un petit bout de femme de quatorze ans à peine, qui ne savait rien de lui, sinon que son père et ses frères l'avaient ramené une nuit du palais voisin abandonné.

À l'instant d'être balancé, inconscient, avec les autres cadavres, dépouillés, dans un trou creusé en hâte, par trois fois Enguerrand avait prononcé le nom d'Osiris. Cette pauvre famille de fellahs avait eu à cœur de le sauver.

De tout cela Enguerrand ne savait rien. Tout comme il ignorait qu'en ce jour Mounia venait de s'agenouiller devant Bayezid, le front bas, indifférente de nouveau à tout ce qui pourrait lui arriver.

*

Dans le palais de Topkapi, situé au sommet de la pointe du sérail, assis sur d'épais coussins tapissiers, eux-mêmes posés sur un tapis de soie représentant la prise de Constantinople par son défunt père, le sultan Bayezid écoutait avec intérêt le sire de Luirieux, hochant parfois la tête pour marquer son contentement.

Ses espions lui avaient depuis longtemps raconté la trahison de cette femme à l'égard de son frère Djem. Les partisans de celui-ci la recherchaient depuis des mois pour la punir. Lui-même avait lancé les siens contre une belle récompense, certain que cet acharnement était la preuve qu'elle détenait des informations. Il devait donc se réjouir de l'avoir enfin récupérée, même s'il lui coûtait de verser rançon, une de plus, à ces chiens de Francs. Pour ne pas le regretter, il se devait de vérifier qu'on ne voulait pas le tromper.

— Assez de palabres, décida-t-il brusquement en bondissant sur ses pieds comme un félin.

La phrase entamée par Hugues de Luirieux mourut sur ses lèvres. Il le savait. Bayezid n'avait pas cru un mot de ce qu'il lui avait raconté. Tout reposerait sur les dires de Mounia. Bien qu'elle ait depuis longtemps compris son intérêt, Luirieux se méfiait d'elle, de son apathie trop marquée depuis qu'ils avaient accosté. Il masqua son inquiétude, pendant que le sultan descendait avec souplesse les quatre marches de marbre rose. Ramené à sa hauteur, il dépassait encore Luirieux d'une tête. Indifférent à sa présence, Bayezid se planta devant Mounia.

— Lève-toi, femme, ordonna-t-il.

Mounia obéit. Si l'enfant en elle n'avait hurlé son besoin de vivre, elle serait morte dans le sillage d'Enguerrand, fauchée par les requins. Dès lors qu'elle y avait renoncé, à quoi bon se rebeller ?…

Bayezid détacha avec délicatesse le voile avec lequel on lui avait masqué le visage. Charbonnés, les yeux en amande paraissaient plus grands encore, d'une profondeur douloureuse qui donnait à l'ovale des traits une beauté de fauve en captivité. Même la bouche peinte de rouge évoquait celle d'un carnassier.

« Malgré sa docilité, cette femme est pétrie d'obscure vengeance », songea Bayezid, immédiatement conquis.

Croisant les mains dans le dos, il se mit à tourner autour d'elle, s'attardant sur le buste haut, la chute des reins sous-tendus sous les couches successives de voile dont on avait eu soin de la parer. Fin connaisseur, il dut reconnaître à son frère un goût parfait en matière de femmes.

— Comme vous pouvez en juger, elle a été bien traitée, reprit Hugues de Luirieux, qu'une pointe de jalousie piquait malgré lui.

D'un geste de sa dextre aux doigts lourdement bagués de pierres précieuses, Bayezid lui intima de nouveau l'ordre de se taire.

— Es-tu celle qu'il prétend que tu es ? demanda-t-il à Mounia en s'arrêtant devant elle.

— Oui, puissant sultan.

— Pourquoi as-tu trahi mon frère ?

— Il refusait de me toucher, répondit-elle en le fixant droit dans les yeux.

— Un autre que lui l'a-t-il fait ?

Vivre ou mourir. Cette fois encore, l'enfant choisit pour elle.

— Non. Aucun autre à part mon époux, le prince Djem. Pour me punir.

Il hocha la tête de satisfaction.

— On raconte qu'un homme t'a aidée à fuir Rhodes, le même que celui qui t'a sauvée des sbires de mon frère. Est-ce vrai ?

— Oui, répondit-elle sans ciller.

Répéter ce qu'avait dit Luirieux. Rien d'autre. Ce n'était pas vraiment mentir, juste escamoter quelques mois de félicité. Juste refermer une tombe. Celle dans laquelle son cœur s'était emmuré.

— Il est mort des mains du sire de Luirieux quand il nous a retrouvés, quelques jours plus tard.

Bayezid se retourna vers le chevalier.

— Pourquoi l'avoir gardée si longuement captive quand tu savais que je la voulais ?

— Pour brouiller les pistes, mon sultan. Philibert de Montoison, que je représente comme vous le savez, ne voulait prendre aucun risque. Si les hospitaliers étaient venus à apprendre que nous la détenions, il aurait été démasqué et n'aurait pu continuer à vous servir en terre de France.

L'argument était convaincant mais le sultan ne s'y laissa pas prendre. Il le toisa d'un regard de mépris.

— Dis plutôt qu'il regardait grossir la rançon que je promettais ! Je n'ai aucune confiance en ce chien. Pas davantage en toi, d'ailleurs. Quelle preuve ai-je que tu n'es pas une vulgaire catin ? fustigea-t-il Mounia à son tour.

Sans hésiter, relevant la tête de défi, elle porta la main à ses voiles et les arracha d'un coup sec, dénudant les fines cicatrices du fouet sur ses reins.

— Lacère-t-on les catins avant de les vendre ? demanda-t-elle.

Luirieux se décomposa.

Bayezid s'étrangla.

— Détournez les yeux, vous autres, s'emporta-t-il à l'intention de son chambellan et de son grand vizir qui se tenaient à quelques pas.

Ravie de son effet, Mounia se couvrit de nouveau. Une idée venait de germer en elle, une idée qui pouvait l'aider à vivre, mieux que ce que Luirieux espérait. Se tournant vers lui, la main froissant le tissu devant ses cuisses, elle se mit à ricaner.

— À la vérité, mon sultan, si votre frère m'a épousée, ce n'est pas pour grossir son harem, mais parce que, instruite par mon père, je détiens des secrets millénaires.

Luirieux blêmit plus encore. Qu'était-elle en train d'inventer pour se venger ? Ne pouvant intervenir sans lui donner plus d'intérêt, il serra les poings sur sa colère. Si, à cause de ces manigances, Bayezid refusait de l'acheter, cette fois il l'étranglerait lentement, c'était décidé. De fait, le sultan esquissait un sourire. Il se rapprocha d'elle.

— Des secrets millénaires ? Toi ?… une femme ?

— Oui, puissant sultan.

Bayezid la gifla d'un revers de main, lui entaillant la lèvre inférieure de ses bagues. Mounia accusa le coup sans bouger.

Fort de la réaction du sultan, Luirieux se précipita.

— Elle divague, mon sultan. Elle a tenté de nous échapper. Je l'ai fait flageller pour lui ôter l'envie de recommencer.

Cela, Bayezid le croyait davantage. Pour autant, et malgré ses manières, cette petite garce lui plaisait.

— Baisse les yeux, lui ordonna-t-il.

À l'inverse, Mounia releva plus haut le menton. Furieux de se voir narguer devant ses conseillers, il la prit à la gorge et la souleva sur la pointe des pieds.

— Vas-tu te soumettre, chienne, ou faudra-t-il que je t'étrangle pour te coucher à mes pieds ?

— Je suis descendante de pharaon, je n'ai pas peur de mourir, hoqueta-t-elle avec dignité sans lâcher le tissu qui la couvrait.

Les sourcils de Bayezid se froncèrent tandis qu'il fouillait ce regard déterminé. Cette femme en imposait. Davantage que nombre de ses guerriers. À cet instant, il sut qu'elle disait la vérité. Pour autant, il ne pouvait la laisser impunie.

Étendant le bras, il la projeta avec violence sur le côté. Les reins de Mounia battirent le sol sans ménagement. Elle eut pourtant la force de les garder couverts et de relever la tête, une fois encore.

— Chacun leur tour, votre frère, les hospitaliers. Oui, chacun leur tour, ils m'ont torturée. Je n'ai rien dit. Au lieu de me battre comme ils ont su le faire, demandez-vous plutôt pourquoi je viens de parler !

Interloqué autant par sa froide assurance que par l'air gêné d'Hugues de Luirieux, le sultan Bayezid la laissa se relever.

— J'étais en route pour Istanbul quand ces hommes m'ont capturée. J'ai réussi à les convaincre qu'ils s'étaient trompés. Tous. Pour qu'ils me mènent là où je voulais aller, ajouta-t-elle.

Elle lui sourit, baissa les yeux en signe de soumission avant de les relever de nouveau pour darder sur son bourreau tout le poids de sa haine.

— Payez-le, mon sultan. Je vaux cent mille fois plus que vous ne lui donnerez. Si j'avais réussi à l'en faire douter, à présent il le sait.

À voir la mine déconfite que Luirieux tirait, Bayezid s'en trouva convaincu. D'un signe de tête, il ordonna à son grand vizir d'acquitter ce qu'il devait.

Incapable d'un mot, lui qui n'en était jamais embarrassé, Hugues de Luirieux salua le monarque puis emboîta le pas à l'être ventripotent. Mounia avait raison. S'il avait ce jour obtenu ce qu'il voulait, une somme replète, sa vengeance avait perdu toute saveur.

Il venait de mesurer ce que lui coûtait d'avoir vendu la seule femme qu'il ait aimée.

*

Au château de Revel, Jeanne avait, depuis quatre jours, recouvré son rang. Louis II de Saluces et son épouse Jeanne de Montferrat l'avaient accueillie affectueusement en la serrant dans leurs bras et l'avaient fait passer, auprès de leurs gens comme de leurs amis, pour une parente lointaine qui venait ici se remettre de son récent veuvage. Bien évidemment, pour ce faire, ils l'avaient présentée sous le faux nom d'Adélaïde d'Assincourt. Identité fabriquée de toutes pièces et qui présentait l'avantage, en n'étant connue de personne, d'éviter les impairs.

Dans l'abri sûr de ce castel qui dominait de ses tours hautes la vallée du Pô, Jeanne aurait dû se sentir heureuse. De nouveau elle était tourmentée.

Ce soir, alors qu'ils terminaient de dîner joyeusement et qu'elle laissait choir sous la table un os à l'intention d'un des lévriers du marquis, Aymar avait annoncé son départ. À l'aube.

— Déjà, messire ? s'était-elle écriée avant de se mordre la lèvre inférieure sous les regards tournés vers elle.

Louis II de Saluces, qui savait l'attachement de Jeanne à son époux et sa grande piété, n'y avait vu que l'inquiétude normale d'un être perturbé par ce qu'elle avait vécu. Lui-même était attristé de la nouvelle.

— Nous serions heureux de vous garder encore, mon cher ami, l'avait-il sauvée, en levant son hanap en direction de son invité.

— Croyez bien que je m'en réjouirais si cela était possible, mais une promesse me tient et il me faut l'honorer sans plus tarder.

Jeanne avait baissé les yeux sur son tranchoir. Elle n'ignorait pas de quoi il s'agissait et ne pouvait s'y opposer. Jacques devait être impatient de savoir qu'elle se trouvait en sécurité.

— Les hommes d'honneur sont de plus en plus rares par ces temps et je suis fier de vous compter parmi mes amis, mon cher Aymar. Faisons donc de cette dernière soirée une belle feste ! Qu'elle vous tienne le cœur pendant que vous chevaucherez. Holà ! échanson, avait appelé le marquis en levant son verre à bout de bras, sers-nous de cet hydromel que je garde en cave pour les grandes occasions.

Comme tous, Jeanne avait trinqué, chanté à l'appel du maître des lieux qui, debout en bout de table, avait enlevé une viole des mains d'un ménestrel. La langue piémontaise était belle, suave, ronde. Gouleyante à souhait. Jeanne avait appris le couplet, puis le refrain, tapé des mains en cadence, trompé sa tristesse sans une seule fois accorder un autre regard à Aymar de Grolée.

Elle était seule à présent dans sa chambre perchée au sommet d'une des tours. Il régnait sur ces terres une chaleur accablante. L'orage menaçait. Elle grelottait pourtant dans son lit haut perché. Les couvertures ramenées sur ses genoux repliés, elle avait le cœur lourd sans parvenir à pleurer. Malgré leur gentillesse et leur prévenance, ces gens, qui autrefois avaient été de sa parentèle, lui étaient aujourd'hui des étrangers. Elle redoutait de se sentir seule quand elle avait tant partagé avec Aymar au long de cette chevauchée. Seule au milieu d'un parterre de gens. Seule dans la multitude. N'avait-elle pas quitté une prison pour une autre ? Ne serait-elle pas mieux à combattre plutôt qu'à se terrer ? Ces questions lui broyaient le ventre.

Lorsqu'on toqua à la porte, discrètement, elle ne trouva pas le courage de sortir du lit et jeta un faible « Entrez ! »

sans imaginer un seul instant qu'Aymar de Grolée la pousserait.

La découvrant couchée, il demeura à distance. Ici, dans ce lieu, ils étaient repris par les convenances, leur complicité de fuyards n'avait plus de raison d'être. Il s'inclina, la main sur le cœur.

— Pardonnez mon intrusion tardive, dame Jeanne, mais vous nous avez quittés si vite à table que je ne pouvais m'absenter sans…

— Approchez-vous mon ami, le coupa Jeanne en tendant vers lui une main tremblante.

Il lui accorda deux pas, gêné.

— J'ai pensé que peut-être vous aimeriez me confier un message pour Jacques.

Jeanne soupira.

— Vous ne m'avez guère laissé le temps d'y songer. Ne pouvez-vous repousser votre départ d'une journée au moins ? Le temps que je l'écrive…

— Les élans du cœur ne prennent que quelques minutes…

Elle ne put le nier.

— Tournez-vous.

Il se dirigea vers la fenêtre ouverte et balaya la nuit d'un regard triste, attentif au bruissement de l'étoffe derrière lui. Levée, Jeanne se dirigeait vers une écritoire, à l'opposé. Il perçut le glissement du tiroir sur ses charnières, le froissement du papier étalé, le tintement du capuchon de l'encrier relevé, puis le crissement de la plume. C'était une bonne chose qu'elle lui écrive. Une bonne chose, se dit-il pour ne pas s'avouer qu'il n'avait trouvé que ce prétexte pour venir la saluer. Des éclairs fulgurants, silencieux encore, crevaient par moments un plafond d'encre. Pas de lune, pas une étoile, juste ces traits de lumière dans la nuit brûlante. Et le vent qui hurlait par rafales la lugubre mélopée des pierres disjointes. Il inspira à plusieurs reprises, la gorge nouée de quitter sa terre. La seule et unique terre dont son âme s'abreuvait depuis près de trente années. Jeanne.

Le sceau écrasa le parchemin. Une poignée de secondes encore et c'en serait terminé. Il s'inclinerait, lui souhaiterait une heureuse nuit, passerait la porte. C'était son devoir. Il l'avait bien fait.

Les pas menus se rapprochèrent de lui. Il pivota. Du menton seulement. Bienséance. Elle était en chemise de nuit.

Il saisit le pli qu'elle lui tendait, s'attarda sur ses traits en contre-jour. Auréolé de la lumière de la chandelle, le visage de Jeanne paraissait trembler autant que la flamme elle-même au souffle du vent.

— Quelques mots seulement… J'ai tant à raconter, s'excusa-t-elle presque de ne pas avoir trouvé ceux qu'elle cherchait.

— Il en sera heureux.

Banalités. Il se sentait stupide. Stupide, vraiment.

— Et vous, Aymar, le serez-vous ? murmura-t-elle d'une voix à peine audible.

Il déglutit.

— Votre bonheur m'a toujours contenté, vous le savez bien.

— Et s'il n'était plus dans ce billet ? osa-t-elle encore, le cœur battant si fort qu'il semblait vouloir jaillir de sa poitrine.

Le sien lui fit mal. Il détourna de nouveau la tête.

— Taisez-vous, je vous en conjure… C'est votre époux… et mon ami… chuchota-t-il, bouleversé.

Une rafale plus forte lui souffla au visage, coucha la flamme, la noya. Ils se retrouvèrent dans l'obscurité la plus noire.

« Garde tes distances », hurla la raison du sire de Bressieux. « Écarte-toi », supplia celle de Jeanne.

Ivres de trouble, ils s'effleurèrent.

— Il ne faut pas, murmurèrent-ils ensemble avant de se jeter dans les bras l'un de l'autre et de nourrir leur souffrance d'un baiser.

À l'aube, ils le savaient, tout serait terminé.

*

Philippine de Sassenage se tordait les mains avec désespoir tout en piétinant les dalles. Située au premier étage d'une des tours de l'aile ouest, non loin des appartements de Djem, la petite chapelle abritait saint François d'Assise dans son retable. Sans cesse, à la lueur des cierges qu'elle avait allumés, Philippine jetait un regard anxieux sur la sculpture de bois peint. Prière silencieuse en quête d'un miracle. Trois jours. Il ne restait que trois jours avant que l'évêque de Grenoble, déjà dans les murs, ne bénisse son union avec Philibert de Montoison. Trois jours avant qu'elle ne perde Djem définitivement. L'accord du grand maître permettant la conversion du prince à la religion catholique ne viendrait pas. Il n'y fallait plus compter. Et quand bien même, il serait trop tard pour annuler ses noces. Sa robe était faite, les victuailles emmagasinées, et déjà les invités arrivaient des quatre coins du Dauphiné.

Garder confiance. Jusqu'au dernier moment, lui avait dit son père. Elle avait beau essayer, elle n'y parvenait plus. Rongée d'angoisse, elle ne dormait que de rares et courts moments, grignotait davantage qu'elle ne mangeait. En une semaine, il avait fallu retoucher par deux fois les coutures de ses linges tant elle s'amenuisait.

Sans compter que Philibert ne la lâchait plus d'une semelle, empêchant tout échange avec Djem. À croire que ce sinistre individu flairait leur entente et voulait à tout prix l'empêcher. Philippine ne savait plus quel Dieu invoquer pour espérer encore. Ce soir, n'y tenant plus, elle avait fait porter un billet à Djem par l'intermédiaire d'Algonde et de Nassouh.

Trompez la vigilance de vos gardes. Rejoignez-moi, hier il était trop tôt. Demain il sera trop tard...

Un reste de convenance lui avait fait choisir l'asile d'une église pour cette rencontre, prévenant ainsi tout danger de caresse qui les eût perdus. Elle voulait seulement le voir, se blottir une fois encore contre lui, goûter le sel de ses lèvres, retrouver l'odeur de sa peau et des capiteux mélanges d'épices dans le creux de son cou. Juste cela. Rien d'autre. Elle y avait réfléchi longuement depuis qu'Algonde lui avait tout raconté. La malédiction de Présine à ses filles, la prophétie. Philippine ne voulait pas donner naissance à un enfant velu. Elle ne voulait pas donner naissance à un fils qu'on lui arracherait. Elle ne voulait ni perdre Algonde, ni perdre Djem. Et estimait que le seul moyen était de ne pas fauter avec l'homme qu'elle aimait si elle ne pouvait l'épouser. Puisqu'il fallait qu'elle se soumette à Philibert pour sauver sa mère, elle le ferait, mais elle n'offrirait rien d'autre à Marthe. Rien d'autre à ce porc. Elle trouverait bien quelque poison à lui administrer pour s'en débarrasser. Elle en était là, à ressasser ces résolutions comme un ultime refuge, lorsque la porte de la petite chapelle grinça légèrement sur ses gonds. Son cœur s'emballa dans sa poitrine.

L'instant d'après, Djem apparaissait dans l'encadrement et elle courait se jeter dans ses bras.

— Folie, murmura-t-il en couvrant sa chevelure de petits baisers. Folie, mon amour... ma lumière... l'aube de mes nuits...

Elle s'écarta juste assez pour tendre ses yeux vers les siens. Du bonheur en étoiles les illuminait.

— Je ne pouvais pas, Djem. Je ne pouvais plus...

Il ne la laissa pas davantage s'excuser. Lui non plus ne vivait plus depuis quelques jours. L'attente le creusait. L'angoisse aussi. Il prit ses lèvres avec la fougue d'un pur-sang avide de plaines à découvrir, de monts à escalader. Plus de langage fleuri, de banalités codées, de faux-semblants. Ils n'avaient plus le temps.

— Je vous aime tant, murmura-t-elle dans ce souffle qu'ils reprenaient entre deux baisers avides.

— Je vous aime aussi, Hélène, ma vie, mon âme.

Ils s'étreignirent avec la force des naufragés, longuement, férocement, sans échanger d'autres mots. Conscients qu'ils contenaient l'essence même de tous les autres. Imprononçables.

Et puis Djem l'écarta, délicatement, déchiré de le devoir si vite.

— Je ne peux rester davantage sans vous compromettre. J'ai soudoyé les gardes mais je ne veux pas risquer qu'ils me vendent aussi à leur maître.

Elle s'accrocha à lui, les yeux noyés.

— Ne partez pas. Non, point encore. C'est si peu. Si peu, Djem.

Il la reprit contre lui, lissa ses cheveux noués sur le côté, perdit ses lèvres dans leur parfum de rose, chercha le creux de l'oreille.

— Il le faut, mon Hélène. Gardez confiance, je vous en conjure. Je ne vous quitte que pour mieux vous retrouver.

Elle s'écarta, bouleversée.

— Quand ? Dans trois jours je serai épousée.

Il secoua la tête. Chuchota, les yeux dans les siens, brûlants de l'éclat des cierges.

— Je ne peux rien vous dire. Rien encore. Tout ira bien, je vous le promets.

Il s'écarta, recula jusqu'à la porte en la maintenant loin de lui par la force de ses bras tendus. Lâcha ses poignets pour relever le loquet et s'enfuit dans l'obscurité du corridor comme l'homme traqué qu'il était.

Philippine sentit ses forces lui manquer. Titubante, elle parvint devant l'autel, s'y agenouilla, les mains jointes, les joues inondées, et se mit à prier.

Trois jours.

Elle y mit toute sa piété.

27.

Ce 25 juillet de l'an de grâce 1484, le veilleur passa sous la fenêtre ouverte de la chambre de Philippine, balançant sa lanterne et sa voix monocorde.

— Dormez, gens de bien et de qualité, dormez l'esprit léger ! Avant de s'éloigner d'un pas lent.

Assise en tailleur sur le lit, les yeux cernés à l'extrême, Philippine savait que cette dernière nuit ne lui apporterait pas davantage de sommeil que les précédentes. C'était fini. Envolés, ses espoirs maintenus à grand renfort de prières. Tout était prêt pour les noces. Pas un recoin du château n'était épargné des gens en nombre que son père y logeait. La table du banquet était dressée, fleurie pour plus de six cents convives. Les marmitons travailleraient encore la nuit durant sans doute, tout comme les panetiers, mais nul ne le verrait. Les amuseurs avaient pris place dans la grande salle de festoie. Couchés à même le sol sur des couvertures, ils dormaient sans doute déjà pour mieux les régaler demain.

Suspendue par les épaules à un cintre de bois, près de son lit, la robe écarlate de la mariée resplendissait à la lumière des bougies de tout l'éclat des pierreries enchâssées dans les broderies. Le dernier essayage avait été consenti par Philippine après le dîner.

Elle était seule depuis. Algonde avait raccompagné la couturière. Elle n'avait pas reparu, malgré ses coups de sonnette. S'il n'y avait eu dans sa chambre petite Elora couchée dans son berceau sous la garde de sa nourrice, Philippine aurait pu croire qu'Algonde l'avait abandonnée. Son absence ne la rassurait pas pour autant. De fait rien ne la rassurait. Elle n'était qu'angoisse et devait se retenir pour ne pas se jeter sur sa toilette d'épousailles et la lacérer. La seule chose qui l'en empêchait était la crainte de représailles contre sa mère.

Elle était épuisée. Son père, qu'elle était allée embrasser dans son bureau au soir venu, l'avait engagée à se reposer.

— Demain tout ira mieux, crois-moi, lui avait-il certifié en lui tapotant la joue.

— Tu m'avais promis… avait-elle commencé.

Il l'avait fait taire d'un regard sévère.

— Et je tiens toujours mes promesses. Allons ma fille, le front haut et le sourire aux lèvres. Je n'ai d'autre conseil à te donner.

Sur ce, il l'avait congédiée. Se moquait-il d'elle ? Ne l'aurait-elle si bien connu, elle l'aurait pensé. Alors quoi ? Voulait-il tromper Marthe par ces préparatifs ? Possédait-il quelque atout dans sa manche à brandir au nez de l'évêque ? À la vérité, elle ne savait plus quoi penser, qui croire ni à quel saint se vouer. Elle ne voyait qu'une chose. Les heures s'égrenaient au balancier de la pendule dont le tic-tac tout proche la glaçait.

Un sanglot lui monta en gorge. Elle aurait voulu l'expulser dans un torrent de larmes, mais rien ne vint sinon des coups frappés à sa porte.

— Qu'est-ce ? demanda-t-elle, affermissant sa voix.

— Philibert. Puis-je entrer ?

La nausée la prit tant qu'elle dut s'agripper d'une main au montant du lit pour chasser son vertige

— Non. Allez-vous-en… C'est malheur de voir la toilette de son épousée avant les noces, argua-t-elle pour s'en débarrasser.

Un rire lui répondit derrière l'épaisseur de l'huis.

— Soit. Je ne voudrais en rien le provoquer. Je voulais seulement vous souhaiter une heureuse nuit et vous dire combien je me réjouissais. C'est fait, je vous quitte.

Un silence. Un toussotement.

— Une chose encore, ma mie. Afin de garantir votre sommeil, j'ai pris sur moi de placer un garde à votre porte, j'espère que vous m'en saurez gré.

Pour toute réponse, dans un sursaut de révolte, elle projeta avec violence contre le bois le bougeoir de son chevet. Il se disloqua sous l'impact. Les pas s'éloignèrent. Elle était prisonnière. Cet être n'était que malfaisance. Il n'avait aucune pitié. Aucune. Cette fois les sanglots l'emportèrent. Neuf coups sonnèrent à la pendule. Une heure de plus de passée.

Trois autres s'écoulèrent encore. Par-delà la croisée, il faisait nuit noire. Enroulée en boule dans sa couverture, Philippine s'était tant mutilé ses jolis ongles peints, à les ronger, que du sang maculait les draps. Le bout des doigts en feu, elle continuait pourtant, comme un animal pris dans un collet qui, malgré la douleur, se dévorerait une patte dans l'espoir de se libérer.

À la demie de minuit, la porte de communication avec la chambre d'Algonde s'ouvrit discrètement. Philippine n'entendit pas venir sa chambrière, trop absorbée par sa douleur physique et morale que rien ne voulait guérir. Elle sursauta lorsqu'une main se posa sur son épaule.

— Lève-toi, ordonna Algonde.

— C'est l'heure ? Déjà ? se mit-elle à trembler en mordillant plus fort son index, certaine d'avoir perdu le compte. D'avoir tout perdu.

Algonde écarta les draps, lui sortit les doigts de la bouche et, découvrant le carnage, les embrassa.

— Pardon de t'avoir laissée ainsi te morfondre, mais je n'avais pas le choix. Allons, debout, il faut t'habiller. En silence pour ne pas alerter le garde, de l'autre côté.

Philippine obéit, par réflexe, et se dirigea d'un pas résigné vers sa robe de mariée.

Algonde l'arrêta par le coude, un sourire aux lèvres.

— Essaie plutôt ceci, c'est davantage de circonstance.

Philippine fronça les sourcils devant les vêtements de laquais qu'on lui tendait, et tout à la fois s'aperçut qu'Algonde elle-même était en livrée d'homme. L'incongruité de la chose lui donna à penser qu'elle rêvait. Algonde se hâta de la détromper en la prenant par les épaules.

— Tu ne te maries plus, est-ce donc si difficile à comprendre ? chuchota-t-elle à son oreille.

Philippine la fixa, la bouche ouverte.

— Non ?

— Non. Mais il faut se hâter.

Philippine hocha la tête. Si c'était un rêve elle n'en voulait pas d'autre ! Quelques minutes plus tard, son miroir en pied lui renvoya une image d'elle qu'elle ne reconnut pas. Rien ne la différenciait d'un des serviteurs de cette maison.

Elle avait repris ses esprits, nourrie au fil des minutes du regard tendre d'Algonde. Chargé de promesses. Elle s'en voulut d'avoir douté des siens mais garda pour plus tard excuses et regrets.

— Le garde ? demanda-t-elle.

Algonde se dirigea vers la fenêtre ouverte, jeta un œil en contrebas.

— De ce côté c'est dégagé.

Philippine fut prise d'un vertige.

— Tu ne comptes tout de même pas que je…

— Djem l'a déjà fait.

L'objection de Philippine mourut sur ses lèvres. Elle comprenait tout, soudain. Ils allaient fuir, l'un et l'autre. Ensemble. Cette évidence la gonfla d'une énergie nouvelle. Algonde se pencha sous le lit et récupéra une corde qu'elle y avait dissimulée dans la journée. Elle la noua solidement au meneau puis enjamba la croisée.

— Laisse-toi glisser le long. Je t'attends en bas.

Philippine la regarda descendre puis lui faire signe depuis le sol avant de se rencogner dans l'ombre.

À son tour, elle enfila une paire de gants pour se protéger les mains, respira un grand coup, serra la corde, passa le rebord et ferma les yeux.

Sitôt que ses pieds eurent touché l'herbe, Algonde repoussa le chanvre contre le mur.

— Vite, chuchota-t-elle en l'entraînant par la main.

Rasant la muraille, elles tournèrent l'angle du bâtiment avant de se mettre à courir vers le couvert des arbres du parc.

Algonde la mena sans faillir jusqu'à l'ancien pigeonnier désaffecté où elle avait dissimulé l'œuf noir. Non loin se trouvait une poterne dans la muraille de l'enceinte extérieure. Petite porte barrée de deux traverses en temps normal pour décourager les intrus, elle était ouverte lorsqu'elles parvinrent à proximité.

Sitôt le seuil franchi, Philippine retrouva Nassouh déjà en selle et Djem qui piaffait d'impatience, plus sûrement que les deux chevaux qu'il tenait par le licol. Philippine les reconnut sans peine, c'étaient ceux que son père et lui avaient achetés à Auberives-en-Royans. Elle se jeta dans les bras de son aimé.

— Plus tard, tempéra Algonde. Il vous faut partir.

— Mais toi ? s'effraya soudain Philippine en s'écartant à contrecœur.

— Je sais où te trouver. Et lui où te mener. Ne tardez pas davantage. Le sire de Montoison ne sera pas long à se lancer sur vos traces même si je masque celles-ci.

Philippine l'embrassa sur la joue avant de se mettre en selle. Un dernier signe de la main, et ils tournaient bride dans la nuit étoilée.

*

Algonde se changea dans le pigeonnier, puis, redevenue elle-même, gagna d'un pas vif les communs du château où l'on s'activait en tous sens. Sous l'appentis, Mathieu suait à grande eau devant les fours, chargeant et déchargeant les plaques au rythme des miches façonnées par les panetiers. Il lui tournait le dos et elle profita de quelques minutes pour le regarder travailler, reprise par le souvenir des heures heureuses où, l'aube pointant sur le château de Sassenage, elle surveillait avec lui la cuisson des brioches. Certes, privé de l'usage normal de sa main droite, il n'avait plus la dextérité exceptionnelle d'autrefois, mais il ne dépareillait pas au milieu des quatre autres.

Elle sourit, huma le parfum chaud des croûtes dorées à point et s'arracha à sa nostalgie. Trop occupé à sa tâche, Mathieu ne l'avait pas remarquée. Inutile de le déranger tant qu'elle n'aurait pas parlé à son patron. Elle s'enfonça sous le porche et franchit le seuil de la bâtisse, blanchie du sol au plafond de fine poussière.

Le ventre rond noué d'un tablier contre sa table de travail, le maître panetier, un homme chauve au visage bonasse, pétrissait la pâte de ses mains larges et expertes. Elle s'approcha de lui, comme il en plongeait une dans un sac ouvert de farine pour saupoudrer sa miche qui lui collait aux doigts.

— Qu'est-ce que c'est ? demanda-t-il en reconnaissant Algonde, un brin d'inquiétude dans le ton.

La nuit s'étirait et comme tous, serviteurs zélés au château, il avait le sentiment qu'il n'arriverait jamais à ce que tout soit prêt pour le banquet de noces.

— Je dois vous prendre Mathieu une petite heure.

Le visage se ferma. Un de moins à la fournée n'arrangeait pas ses affaires.

— Et qui le réclame ?

— Dame Hélène, mentit Algonde.

Point d'autre explication. L'homme savait se contenter depuis longtemps des caprices de ses maîtres.

— Une heure, pas davantage. Plus et je ne réponds de rien. Dites-le à notre dame.

Algonde le lui assura, quitta la place, le nez chatouillé par les projections de farine, et toqua sur l'épaule de Mathieu à peine moins blanc. Le visage de son époux s'éclaira de la trouver derrière lui.

— Pose ton palet. J'ai besoin de toi.

Il écarquilla des yeux.

— Maintenant ?

— Je me suis arrangée avec ton patron.

Mathieu ne chercha pas à en savoir davantage. Il fit glisser sa plaque dans la gueule béante, referma sur elle la porte du four avec un crochet muni d'une poignée de bois, posa ses outils contre un mur, dénoua son tablier puis, tout en s'essuyant le visage d'un coin de tissu, se défaussa auprès d'un confrère.

Algonde l'entraîna aussitôt en direction du corps de logis, vers la réserve de bois qui séchait sous un toit de tuiles soutenu par quatre poteaux. L'endroit était désert à l'exception d'un écureuil, lequel détala pour grimper le long d'un tronc d'arbre tout proche. Algonde contourna le tas avalé par l'obscurité et, s'adossant à un des piliers, croisa les bras sur sa poitrine.

— L'heure est venue de choisir, Mathieu, dit-elle d'un ton grave.

Un instant, il en resta bouche bée.

— Choisir quoi ?

— Ton camp. Définitivement.

Il s'assit avec lassitude sur une petite pile de rondins solidement entassés en pyramide.

— Je croyais l'affaire entendue. Je te l'ai dit. Elora et toi m'avez convaincu l'autre soir.

De fait, depuis que leur fille les avait baignés de sa lumière, Algonde et lui s'étaient retrouvés comme avant. Du moins l'avait-il cru. Il se prit à en douter et fouilla

271

l'obscurité ambiante pour tenter de déchiffrer l'expression d'Algonde à quelques pas de lui. Il n'y parvint pas et se sentit mal à l'aise de son silence prolongé.

— Si c'est là tout ce que tu avais à me dire, cela aurait pu attendre, grommela-t-il.

Quittant son appui, elle vint s'asseoir à ses côtés, nicha sa main dans la sienne, abîmée par l'épervier.

— Non, mais là est l'essentiel. La confiance. En possèdes-tu assez en moi ?

Il lui enroula son bras autour des épaules, l'attira à lui. Elle nicha son oreille dans le creux de son cou.

— Que dois-je faire pour te le prouver ?

— Marthe ne doit pas deviner que tu as changé d'avis et je tiens l'occasion de la perduader de ta constance.

Le front de Mathieu se plissa.

— Je ne suis pas certain d'être capable de la tromper.

— Qui parle de cela ? lui objecta Algonde. Non, je veux que tu ailles la trouver et lui dises la vérité, puisque c'est ce que je vais te révéler.

— À cette heure ? grinça Mathieu, écœuré à cette seule perspective.

Algonde porta ses doigts raides à ses lèvres et les embrassa.

— Je sais ce qu'elle te fera en retour, mais cela ne compte pas. Notre avenir ce jourd'hui dépend de toi.

— En ce cas, décida-t-il, ne perdons pas davantage de temps. Je t'écoute.

*

Tandis que Mathieu se trouvait chez Marthe, Algonde regagna sereinement ses appartements par le souterrain qu'elle avait finalement découvert dans le secret de sa cheminée, depuis une autre entrée située sous la tapisserie de la salle de musique. Lorsque Jacques de Sassenage lui avait avoué la vérité concernant son épouse Jeanne, elle s'était souvenue du cri qu'elle avait entendu derrière la paroi, une nuit. La date correspondait à celle de la mort de sœur Albrante. Elle s'en était aussitôt ouverte au baron. C'était son témoignage, elle le savait, qui avait permis l'évasion de Jeanne. Algonde s'y serait bien employée elle-même, mais elle avait craint que la Harpie ne reconnaisse son odeur dans les boyaux et déplace sa prisonnière. Il valait mieux l'utiliser à d'autres fins. Elle en avait une. Dresser l'un contre l'autre Philibert de Montoison et Marthe et, de fait, se protéger.

À huit heures exactement, passée dans la chambre de Philippine, elle en ouvrit la porte qui donnait sur le couloir pour se retrouver nez à nez avec le garde en faction derrière.

— Où est partie dame Hélène ? lui demanda-t-elle, l'air le plus innocent possible.

Il se liquéfia.

— Mais nulle part…

Algonde le toisa de la tête aux pieds.

— Comment nulle part ? Elle n'est pas chez elle, c'est donc qu'elle est sortie.

Le malheureux se tourna aussi sec vers son confrère qui veillait devant l'huis d'Algonde un peu plus loin. L'autre secoua la tête avec incompréhension. Ni l'un ni l'autre n'avaient rien vu.

Algonde pinça les lèvres d'un air entendu qui les mit encore plus mal à l'aise.

— Je vous assure que le sommeil ne nous a pas pris, dame Algonde, se justifia le premier.

— Gardez cela pour qui vous emploie. Moi, je crois ce que je vois.

Sur ce, elle leur claqua la porte au nez et s'activa à préparer le bain de Philippine comme si de rien n'était. Elle venait juste d'apporter un baquet d'eau chaude lorsque la porte s'ouvrit en grand, laissant passer Philibert de Montoison, livide.

— Où est-elle ? gronda-t-il en fondant sur elle.

Algonde haussa les épaules.

— Qu'en saurais-je ? La pièce était vide quand je suis arrivée et le lit défait.

Ils s'affrontèrent du regard. Algonde ne baissa pas le sien.

— Elle n'a pas pris son petit déjeuner en bas, j'en reviens.

Algonde osa un œil vers la pendule. Huit heures vingt.

— Elle l'a commandé pour neuf heures ici. Sans doute a-t-elle eu envie de prendre l'air.

— Ce n'est pas dans ses habitudes.

— Se marier non plus, le moucha Algonde.

Furieux, il repassa la porte comme il était venu.

Algonde étouffa un rire joyeux. La première manche lui appartenait et elle comptait bien se réjouir des suivantes. Marthe n'avait rien dit, comme elle s'y attendait, trop heureuse à l'idée que Djem et Philippine fautent enfin loin des regards de son protégé. Tout était pour le mieux. Il suffisait d'attendre. Et de s'amuser.

À neuf heures précises, le plateau du matinel arriva en même temps que Philibert. Cette fois, il trouva Algonde qui scrutait la fenêtre dont le meneau avait été débarrassé de la corde. Elle tourna dans sa direction un visage rongé de doute.

— Je suis inquiète, se contenta-t-elle de dire, pour qu'il fût convaincu qu'elle l'était véritablement.

Il repartit en courant.

« Cette fois c'est gagné », songea Algonde en perdant de nouveau son regard vers les jardins qui s'animaient. Une fraction de seconde, ils s'émoussèrent pour laisser place au visage de Philippine, lumineux malgré les marques de sa fatigue. Algonde étendit les bras pour s'étirer. Chevauchant à perdre haleine, celle que Philibert recherchait connaissait enfin le bonheur.

Assailli d'un doute détestable, ce dernier traversa les longueurs interminables de couloirs jusqu'à l'aile ouest et s'adressa aux hospitaliers qui veillaient à la porte des appartements du prince.

— Il n'est pas sorti encore, lui répondit-on.

Pris d'angoisse, Philibert en força le seuil. La pénombre régnait dans la chambre. D'un pas vif, il gagna la fenêtre pour écarter les rideaux, inondant de clarté la couche, intacte. Il jura. Passa dans la salle voisine, faisant hurler de pudeur les épouses du prince qui vaquaient à leur toilette à demi nues dans leur harem.

Il fonça sur Almeïda et, laissant les autres se cacher derrière des paravents près des baignoires, lui secoua violemment le bras.

— Où est le prince ?

— Je l'ignore, messire, il a refusé ma compagnie hier soir.

Il la planta là, investit les appartements mitoyens de Nassouh, en ressortit les poings serrés. Comme pour Philippine, personne n'avait rien vu ni entendu, mais tous trois s'étaient volatilisés.

— Qu'on batte le château et les jardins alentour, le plus discrètement possible. Dans une heure au plus tard je veux être fixé, ordonna-t-il, refusant d'alerter ou d'accuser quiconque tant que le doute demeurait. Il se pouvait encore qu'ils soient enlacés quelque part et que le tchélébi fasse le guet. Auquel cas, c'était sur lui que le ridicule tomberait.

Tandis que le soldat partait à la course, Philibert se précipita chez la seule personne suffisamment au fait des souterrains pour avoir guidé les fugitifs. La seule qui y avait intérêt et était assez diabolique pour l'avoir manœuvré.

28.

Marthe l'accueillit sans surprise au seuil des appartements du baron Jacques et de Sidonie, occupés à s'apprêter.

— Qu'as-tu donc fait, sorcière ? tonna Philibert avec humeur depuis le couloir où elle le laissa planté.

— Cesse de vociférer, lui intima-t-elle seulement avant, tout simplement, de lui claquer la porte au nez.

Rendu plus furieux encore par cet accueil, Philibert de Montoison passa par l'autre côté et força son logement. Elle l'y attendait déjà dans la sobriété glaciale de sa chambre, les bras croisés.

Il promena devant son visage affreux un doigt menaçant.

— Où sont-ils ?

— Là où ils devraient être depuis plusieurs semaines déjà. Occupés à te cocufier !

Le sang quitta le visage de Philibert. Ainsi donc il ne s'était pas trompé. Leur fuite était bien l'œuvre de cette diablesse. Il recula.

— Ce mariage n'était donc pas ce que tu voulais ?

Marthe avait beau jeu. Elle le devait à Mathieu qui était venu la prévenir d'avoir vu filer Nassouh et les deux tourtereaux au fond du parc, alors qu'il s'était écarté du fournil pour déféquer. Ce garçon était plus fiable que l'individu sans scrupules qui se dressait devant elle. Elle passa une langue gourmande sur ses lèvres au souvenir de la récompense qu'elle lui avait donnée avant de tendre sa main vers le sire de Montoison, de la refermer lentement et de la descendre jusqu'à terre. Suivant le mouvement et sans qu'elle l'eût touché, Philibert se retrouva à genoux, manquant d'air comme si on le tenait au col.

— Nous avions passé un arrangement, il me semble. N'avais-je pas dit que je voulais un fils de ces deux-là ? Ne l'avais-je pas dit, Philibert de Montoison ?

— Si... fait... approuva-t-il, étranglé.

— Ton orgueil est un mauvais maître, mais je le suis plus encore. Une rotation de plus et tu meurs à mes pieds. Une seule.

Elle s'accroupit et amorça le mouvement, satisfaite de la panique en ses yeux, de son visage qui bleuissait.

— Je n'aime pas qu'on me trompe. Je n'aime pas qu'on me menace.

Un quart de plus. Les yeux se voilèrent, la langue sortit dans un râle.

Elle maintint la pression une fraction de seconde puis écarta les doigts brusquement, le libérant. Philibert de Montoison s'écroula sur le plancher. De la pointe de son pied, elle le fit rouler sur le dos, hagard, le souffle court.

— Ils sont au vieux pigeonnier, à l'extrémité nord-ouest de l'enceinte extérieure. Je n'ai qu'une parole. Puisque j'ai eu ce que je voulais, dans deux heures tu seras marié.

Elle tourna les talons, sûre de son fait, et retourna auprès de Sidonie qu'elle devait coiffer.

Philibert fut long à récupérer assez de forces pour s'y précipiter. Mieux valait qu'il fût seul pour régler cette affaire. Il gagna l'écurie. Un de ses hommes en sortait, la mine grave.

— Il manque trois chevaux. Les meilleurs, lui servit celui-ci.

— Fais seller les nôtres, ordonna Philibert d'une voix rauque encore.

Sitôt montés, ils les talonnèrent de concert dans la direction indiquée. Dix minutes plus tard, ils visitaient les lieux, trouvèrent des vêtements de laquais abandonnés mais pas âme qui vive à l'exception d'une chouette endormie.

Explorant les alentours, ils découvrirent la poterne et les traces de sabots trop hâtivement masquées de l'autre côté.

S'il n'avait eu autant de rage au cœur, Philibert aurait ricané de satisfaction de croire que Marthe aussi avait été jouée.

Il pivota vers l'homme qui l'accompagnait.

— Retourne au château. Préviens Guy de Blanchefort et le baron. Qu'ils se hâtent derrière moi avec force armée et annoncent que les noces seront retardées.

— Dans quelle direction dois-je leur dire d'aller ?

Philibert de Montoison huma l'air déjà lourd de cette matinée, les yeux rétrécis, le front plissé de réflexion, avant de se décider.

— Le Piémont. Bien que le duc de Savoie se soit fait discret ces derniers mois, Djem sait pouvoir compter sur son soutien. Il n'y a que chez lui, à Turin, qu'ils peuvent se réfugier.

L'instant d'après, ils se séparaient. Il était dix heures, et Philibert de Montoison en cravachant sa monture se demanda combien d'avance ces chiens-là possédaient.

*

Debout sur la terrasse en mosaïque au sommet de la tour est du palais royal, Mounia dominait les toits de la ville d'Istanbul. Les deux mains appuyées sur la balustrade de marbre blanc, voilée d'un vert d'eau de la tête aux pieds, elle suivit un vol d'oies qui filait vers le Bosphore, long serpent miroitant bordé de bosquets, sur lequel glissaient felouques et chebeks. Derrière elle, par-delà la porte cintrée drapée de rideaux de mousseline pourpre, dans la chambre, trois esclaves s'activaient à refaire le lit. Le parfum des pétales de rose répandus en jonchée flottait jusqu'à Mounia pour se mêler à ceux du palais, créant un subtil mélange de fleurs et d'épices.

Indifférente au manège des servantes et à la beauté du lieu tant de fois convoité puis assiégé, l'Égyptienne réfléchissait. Avec la froideur que le massacre des siens lui avait léguée.

Convaincre le sultan Bayezid avait été, somme toute, facile. L'avidité des hommes, et plus encore des rois, quelle que soit leur race, faisait d'eux sans faillir des conquérants. L'histoire des Hautes Terres, celle de son père, bien que tronquée du rôle de l'enfant qu'elle portait et de la découverte du mastaba, si elle ressemblait aux contes de Schéhérazade, avait suffisamment d'accent de vérité pour s'imposer comme telle. Bayezid l'avait écoutée longuement sitôt le départ d'Hugues de Luirieux, après l'avoir menée dans un jardin bruissant du doux murmure de six fontaines. Était-ce la haine que lui avait inspirée le chevalier ou le regard de Bayezid sur elle ? Mounia ignorait ce qui l'avait décidée à parler. Elle avait seulement fait son choix une fois de plus. Se laisser mourir de chagrin dans le feutre du harem ou s'imposer et prendre sa revanche. Asseoir l'héritage de son père comme but ultime. Elle le devait aux siens. Elle le devait à son fils.

Elle s'était offerte au sultan dans cette même chambre où, depuis une semaine, il la gardait pour lui. Bien qu'elle soit toujours officiellement pour Bayezid l'épouse de son frère Djem, Mounia savait qu'il était épris d'elle. Sans doute l'avait-il été au premier regard. Elle n'avait eu qu'à jouir de lui. Ou du moins le laisser croire, car son corps ne ressentait plus rien. Révélé par Enguerrand, il s'était éteint avec lui. Mounia n'imaginait pas que cela change un jour. C'était aussi bien ainsi. Garantissait sa lucidité. Son objectif. Affermissait sa détermination face, elle s'en doutait, aux pièges que lui tendrait la première épouse du sultan dès lors qu'elle se verrait menacée. Pour l'heure, Bayezid ne l'avait pas encore présentée.

Il était sorti à l'aube, l'embrassant éperdument sur le pas de la porte, lui promettant de la surprendre à son retour. « Un bijou de plus sans doute », s'était dit Mounia en refermant le battant. Il la couvrait de présents. D'or, de diamants, de soies, de bibelots précieux, et même d'une boîte à musique qu'il avait prise dans le trésor de son père. Preuve s'il en était que Mounia avait déjà trouvé sa place. Ce n'était pas celle dont elle avait rêvé. Elle aurait volontiers échangé tout ce faste contre une nuit, une seule, dans la pinnettu de Catarina. Elle n'oublierait jamais, mais elle n'avait plus le choix. Cette page de sa vie devait être tournée.

Le léger claquement de la porte derrière elle lui indiqua que les esclaves avaient quitté les lieux. Mounia fixa l'azur qu'aucun nuage ne venait obscurcir. Elle n'avait pas eu le temps, avalée par la rapidité des événements et par l'angoisse ensuite pour Enguerrand sur le navire, de revenir sur leur découverte, à l'intérieur de la sépulture du Géant. C'était trop incroyable à la vérité et c'était sans doute ce qui les avait perdus. Encore sous le choc de cette révélation, ils n'avaient pas eu l'esprit assez clair pour anticiper l'attaque. Elle chassa cette pensée en serrant les mâchoires. Elle ne voulait plus ressasser cette scène. Ses cauchemars, la nuit, s'en chargeaient bien assez.

Combien de temps faudrait-il à Bayezid pour la laisser retourner en Égypte ? Fouillant discrètement dans les affaires de Luirieux, elle avait retrouvé le flacon pyramide, sans doute récupéré sur Houchang alors qu'elle était inconsciente. Elle avait attendu le dernier moment, alors qu'il discutait avec le capitaine, pour descendre en soute et le reprendre. Hugues de Luirieux se doutait-il qu'il revêtait une importance autre que celle de contrepoison fabuleux ? Quoi qu'il en soit, cet individu ne pouvait plus rien contre elle. De fait, Bayezid le lui avait confirmé, il avait quitté le pays.

Elle aurait aimé pouvoir faire de même, s'échapper de cette cage dorée. Bayezid lui avait autorisé la libre circulation dans le palais et son enceinte. Mounia s'était empressée dès le premier jour de le vérifier. On l'avait laissée aller et venir à sa guise, des bains de vapeur aux jardins luxuriants, sans qu'elle ressente la moindre surveillance. Pour finir, elle s'était approchée d'un des portails. Comme par magie, un eunuque armé d'une lame courbe à la ceinture s'était alors interposé, s'inclinant devant elle avec déférence, mais fermeté. Mieux valait ne pas réessayer et composer au mieux avec ces nouvelles données.

Glissant sa main sous ses voiles, elle saisit le flacon et le plaça devant le soleil. Le bleu profond du verre filtrait tant son éclat que la pyramide semblait presque noire dans l'azur du ciel. Comment son père, si féru d'astrologie, n'avait-il pas fait le rapprochement plus tôt ? Il avait fallu ouvrir le sarcophage du Géant, découvrir l'étui de diorite entre les mains momifiées et s'émerveiller du parchemin qu'il contenait pour comprendre que les trois grandes pyramides étaient bien plus anciennes sur le plateau de Gizeh que l'Histoire ne le prétendait.

Prévenue par le parfum capiteux de Bayezid bien avant son pas derrière elle, Mounia remit discrètement le flacon dans sa cache. Elle s'était abstenue d'en parler de crainte que Bayezid ne le lui prenne.

Accrochant un éclat factice dans ses yeux, elle pivota pour accueillir le sultan et se jeter dans ses bras. Il ne devrait jamais, non jamais s'imaginer qu'elle feintait si elle voulait qu'il élève son fils comme le sien. Si elle voulait parvenir à ses fins.

Bayezid l'étreignit avec chaleur, conquis autant par sa beauté que par son caractère trempé.

— J'aimerais que tu m'accompagnes, dit-il après l'avoir embrassée voluptueusement. Hors la limite de ces murs.

L'œil de Mounia pétilla de satisfaction.

— Votre confiance m'honore, mon sultan.

Bien moins séduisant que son frère Djem, Bayezid n'en possédait pas moins un charme puissant qu'une allure d'athlète accompli servait. Le sourire révélant une dentition parfaite s'étirait davantage sur la dextre, creusant une fossette dans sa joue. Aucune femme jusqu'alors n'y avait résisté. Comment aurait-il pu douter en conséquence de ce regard qui le dévorait ?

— Je veux croire que tu m'aimes autant que je t'aime. Et te remercier aussi.

— Me remercier, puissant sultan, se mit à rire Mounia, et de quoi donc ?

— De la légende que tu m'as rapportée. Ce jourd'hui, grâce à ce que je veux te montrer, j'ai bon espoir qu'elle soit vraie.

Le cœur de Mounia s'emballa dans sa poitrine. Était-il possible que, de la manière la plus improbable qui soit, son destin l'ait rattrapée ?

*

— Ne pouvons-nous nous reposer un peu ? Je suis épuisée, insista Philippine. Le soleil était au zénith. Ils étaient en selle depuis près de douze heures, avaient changé trois fois de montures, deux de vêtements, ne s'accordant que le temps de boire ou manger les denrées emportées. Toujours habillée en homme, bien qu'elle ne soit plus en livrée,

Philippine ne sentait plus ni ses reins, ni ses jambes, ni son dos, ni ses bras. De fait, il n'y avait plus une seule partie de son corps qui ne fût douloureuse.

Djem pencha la tête de côté, échangea un regard avec Nassouh. Si tout se passait comme Algonde l'avait prévu, ils pouvaient se prévaloir de neuf à dix heures d'avance, mais l'un comme l'autre savaient la ténacité et l'endurance des hospitaliers. S'ils rognaient trop la marge, ils seraient rattrapés avant d'atteindre Turin. Nassouh hocha le menton. Philippine ne tiendrait pas davantage. Djem tira sur le mors et, quittant la route, obliqua vers la droite en direction d'un ruisseau qui courait en contrebas.

— Ici, nous serons bien, décida-t-il, arrachant un soupir de soulagement à la damoiselle.

Sautant à bas de sa monture, il l'aida à mettre pied à terre sur les petits galets qui tapissaient les abords du cours d'eau. Laissant à Nassouh le soin des bêtes sitôt qu'elles se seraient abreuvées, Djem fit quelques pas aux côtés de Philippine, pressée de détendre ses cuisses tétanisées.

— Je regrette de devoir vous imposer cette cadence, ma douce, mais…

— Chuuuut, le coupa-t-elle en posant un doigt sur ses lèvres.

Elle l'ôta aussitôt, honteuse de ses ongles mutilés, rongés jusqu'à la chair. Se drapa d'un sourire tendre.

— Sans votre courage, à cette heure je serais épousée. Ne regrettez rien mon amour. Non, ne regrettez rien.

Il l'attira contre lui, la repoussa aussitôt. Du monde circulait sur la route qui pouvait les surprendre et s'indigner de l'étreinte de deux hommes. Philippine fit le même calcul. Dans cette tenue, elle ne pouvait se permettre de frivolité. L'un et l'autre, sans se concerter mais pressés pareillement d'un peu d'intimité, enveloppèrent du regard le paysage vallonné.

— Allons par là, l'enleva Philippine en désignant, légèrement en amont, un bosquet touffu cerné d'arbres d'un côté, de rocs de l'autre. Djem adressa un signe à Nassouh qui venait d'attacher les chevaux à une racine d'ormeau mort, à l'ombre d'un bloc de granit, puis allongea de nouveau son pas aux côtés de son aimée.

— N'aurait-il pas été plus judicieux de partir vers l'ouest ? Personne n'y aurait songé, laissa échapper Philippine que cette question tourmentait depuis que Djem l'avait assurée qu'on les poursuivrait jusque chez le duc.

— Nous aurions eu quelque répit sans aucun doute, mais il aurait été plus traître encore. Vous avez bien remarqué le regard des gens que nous croisons. La couleur de ma peau me distingue sous ces vêtements anodins. Mon accent aussi. Les espions de Bayezid sillonnent la contrée, ma tête est mise à prix. Où que nous allions, il se trouverait toujours quelqu'un pour nous vendre. Croyez-moi, Hélène, votre père et moi avons longuement pesé nos chances de réussir. Elles tiennent en un seul facteur. La vitesse.

Il l'aida d'une main à gravir la volée de rochers. Derrière s'ouvrait un cercle d'herbe au milieu des noisetiers et de jeunes ormeaux. Ils s'y assirent, côte à côte, les yeux dans les yeux. Il leva une main soignée, longue et fine, caressa d'un doigt l'ovale du visage, le dessin des lèvres.

— J'ai tant rêvé de ce moment, murmura-t-il avant de l'attirer jusqu'aux siennes et de la coucher sous lui dans cet écrin que la verdure leur offrait.

Lorsqu'il s'écarta enfin pour lui laisser reprendre souffle, ils brûlaient d'un même désir. Il se contenta pourtant de replacer une mèche de cheveux, qu'en roulant à côté d'eux le chapeau de Philippine avait arrachée du chignon.

— Dors, mon amour, je veille, murmura-t-il en prenant appui de son oreille dans sa paume.

Fourbue autant de sa chevauchée que de l'angoisse qui l'avait rongée jusqu'à leur échappée, elle n'eut qu'à baisser les paupières pour sombrer.

*

L'incongruité de la présence d'une femme en l'antique bibliothèque d'Istanbul bouleversait, malgré ses efforts, les traits de son gardien. Refusant de regarder Mounia, il frottait l'une dans l'autre les paumes de ses mains tout en répondant à la question de son monarque quant à l'origine du livre ouvert devant eux sur un lutrin et de deux autres de même facture, posés sur l'épaisse table de travail.

— Nombre de textes ou de cartes anciennes archivés ici proviennent de la grande bibliothèque d'Alexandrie. Achetés à prix d'or peu après l'incendie qui la détruisit, les ouvrages sauvés des flammes firent l'objet d'un important trafic. D'autres furent copiés du temps de sa splendeur. Celui-ci est fort précieux. À ma connaissance, il n'en existe plus d'autre de par le monde.

— Bien, laisse-nous à présent, le remercia Bayezid.

L'homme, de petite taille, au teint gris, se retira en trottinant telle une souris qui aurait creusé son nid dans l'épaisseur des pages. De fait, le lieu, éclairé de fenêtres basses pour éviter les rais du soleil, révélait des murs et des couloirs entiers de rayonnages. Mounia n'avait encore rien vu de semblable et se sentait bien petite dans ce sanctuaire aussi silencieux qu'une tombe.

— Mon père Mehmed II aimait cet endroit. La première chose qu'il fit après avoir conquis la ville fut de vérifier que rien ici n'avait été détruit ou pillé. Mustapha est né dans ces murs et en connaît chaque recoin. De plus, il m'est entièrement dévoué comme il l'était à mon père. Ce matin, je lui ai demandé si quelque part se trouvait la trace d'une civilisation égyptienne prédynastique. Il a longuement réfléchi puis m'a sorti ces trois livres. Je n'ai pu hélas, pas plus que lui, réussir à les déchiffrer. Peut-être le pourras-tu… espéra Bayezid en invitant d'un geste Mounia à se pencher sur l'écriture cursive.

Le visage de celle-ci s'éclaira aussitôt tandis que son index suivait les déliés de la plume.

— C'est du grec. Il s'agit de l'histoire détaillée de l'Égypte, écrite par un certain Manéthon qui vécut à Héliopolis au troisième siècle avant notre ère, s'enflamma-t-elle en relevant les yeux.

Bayezid s'inclina, la main sur le cœur. Son érudition confirmait à elle seule les dires de Mounia. Il lui sourit avec bienveillance.

— Mes affaires me demandent ailleurs. Mustapha se tiendra à ta disposition. Prends le temps qu'il faudra en ces lieux. Quant à moi, je t'attendrai en ma couche à la nuit tombée. Si tu n'y viens pas…

— J'y viendrai, le coupa-t-elle en lui prenant la main pour la baiser.

Il n'était plus pour elle question de fuir. Bayezid l'avait compris qui, avec la connaissance, lui offrait la liberté. Elle le regarda s'éloigner le long de l'allée centrale, adoucie soudain de sa générosité avant de se reprendre.

« Ne t'y trompe pas, se fustigea-t-elle, cet être n'hésiterait pas à trancher la tête de son frère s'il reparaissait, et la tienne si tu le trahissais. »

Forte de cette certitude, elle tira un tabouret de dessous la table et commença de lire ce qui, de toute évidence, constituait un témoignage des temps premiers.

29.

La nuit tombait devant eux aussi sûrement que les yeux de Philippine, à demi couchée sur l'encolure. S'ils ne s'arrêtaient pas aussitôt, ce serait elle qui dégringolerait de sa selle. Pourtant, elle refusait de se plaindre et faisait son possible pour demeurer dans le galop de Djem, laissant Nassouh tenir le sien, en arrière-garde. Elle n'aurait pas imaginé en quittant la Bâtie que ce fût si éprouvant, si difficile, et regrettait amèrement ces nuits d'insomnie qui avaient épuisé ses forces jusqu'en ses réserves. À cause d'elle, les haltes se faisaient de plus en plus longues et leur avance s'amenuisait. Djem n'en parlait pas, mais à son visage grave, elle devinait ses doutes d'atteindre au but avant d'être rejoint par les hospitaliers. Elle voulait y croire encore, de toutes ses forces, refusant d'avoir chevauché si loin, d'avoir espéré autant pour retomber finalement dans les griffes du sire de Montoison. Sans compter les conséquences pour Djem.

— Guy de Blanchefort comptait me déplacer dès demain, lui avait-il avoué au dîner, chichement composé d'une tranche de lard grillé et de fruits à la faveur d'un ciel étoilé.

Sans nul doute, s'ils étaient rattrapés, lui et Nassouh seraient bouclés dans un cachot. Guy de Blanchefort ne lui pardonnerait pas de l'avoir doublement trahi.

Philippine redressa le buste. Ne pas y songer. Djem s'inquiétait sans doute pour rien. Il fallait bien que leurs poursuivants dorment eux aussi ! Les hospitaliers n'étaient jamais que des hommes, que diantre !

Djem ralentit progressivement jusqu'à s'écarter de la route et emprunter un petit chemin qui menait à une ferme. Un garçonnet traînait encore dans la cour pour distribuer des épluchures aux cochons. Il leva vers eux un visage inquiet.

— Bien le bonsoir à toi mon garçon, dit Philippine, ragaillardie par l'idée d'une soupe chaude.

Une femme parut sur le seuil, l'air soupçonneuse.

— Que voulez-vous ?

— Rien de mal. Nous sommes des marchands. Auriez-vous un peu de bouillon et un coin d'étable à nous offrir ? Nous vous paierons bien.

Elle détacha une bourse à sa ceinture et la lança au garçonnet, toujours sur ses gardes, qui la rattrapa au vol. D'entendre les écus sonner sous l'étoffe, il se radoucit et se tourna vers sa mère.

— C'est bon.

La femme hocha la tête.

— Débarrassez-vous donc, dit-elle avant de se rencogner dans la maison de pierres sèches.

Tandis que Philippine, descendue de cheval, s'engouffrait sous la porte basse à son tour et que le garçonnet entraînait les bêtes vers l'étable, Djem prit Nassouh à part.

— Les vraies difficultés sont à venir, dit-il en désignant de la tête les crêtes alpines baignées du couchant. Il faut à Hélène un véritable repos, sans quoi nous ne franchirons pas les passes.

— Il nous reste peu d'avance, Djem... Trop peu.

Djem le prit par l'épaule pour l'entraîner vers la maison.
— Je sais mon ami. Je sais.
La route était longue encore jusqu'à Turin.

*

Bayezid ne cacha pas son contentement à voir réapparaître Mounia en sa chambre, quelques minutes après le couvre-feu. Il la regarda se dévoiler avec grâce depuis l'oreiller contre lequel il s'était calé.
— As-tu déchiffré de quoi te satisfaire ? demanda-t-il en suivant la ligne de ses hanches légèrement empâtées.
Mounia ne s'en inquiéta pas. Étonnamment fine de constitution, elle était seule à pouvoir mettre sur le compte de sa grossesse le léger renflement que celle-ci provoquait. Montant sur le lit, elle vint impudiquement s'agenouiller sur les draps.
— Ces trois livres composent un ensemble qui raconte le règne des dieux, puis des demi-dieux durant ce que nous appelons Zep tepi, le premier temps, dit-elle en dénouant ses cheveux longs. Ils parlent aussi de la période intermédiaire, celle de l'esprit des morts, et pour finir des rois mortels qui gouvernèrent l'Égypte.
— Et ces Géants auxquels tu fais allusion, les évoquent-ils ? Quelle période ont-ils hantée ? demanda-t-il en l'attirant vers lui.
Mounia se glissa contre sa peau nue.
— La première, l'âge d'or. On les appelle les Neterou et c'étaient des êtres aussi puissants que beaux, à qui leurs pouvoirs magiques permettaient de prendre l'apparence d'un végétal, d'un minéral ou d'un animal. Ce qui explique que les Égyptiens les aient déifiés et représentés mi-hommes, mi-bêtes. Toujours est-il que, traversant la porte des Hautes Terres sur de somptueux navires, ils apparurent sur les rives du Nil après le déluge. Râ Atoum fut le premier roi. Il donna naissance à Chou et Tefnout

qui lui succédèrent, lesquels engendrèrent Geb, le dieu de la Terre, et Nout, la déesse du Ciel. D'eux naquirent ensuite Isis, la déesse de la Magie, Osiris, le grand souverain civilisateur à qui mon peuple doit l'enseignement de l'écriture, de l'élevage…

Elle s'arrêta là, s'arquant sous la caresse pour satisfaire l'orgueil du sultan. De fait, elle n'avait obtenu qu'une seule réponse dans ces premières pages, une réponse qu'elle garderait pour elle. Manéthon parlait d'Héliopolis Innou, le pilier sur lequel était posé le benben, un objet sacré de forme pyramidale aux pouvoirs fabuleux. Selon ce poète qui l'avait contemplé, il serait tombé du ciel. Mounia savait qu'il n'en était rien. Râ l'avait rapporté avec lui des Hautes Terres et était encore de ce monde lorsque Osiris l'employa pour soulever les blocs mégalithiques qui composent le temple de la vallée, la grande pyramide ou encore l'Osireion d'Abydos. Il l'utilisa pour tailler le sphinx sur le plateau de Gizeh. En l'an 10450 avant Jésus-Christ. L'année de la constellation du Lion.

Mounia ferma les yeux tandis que Bayezid se couchait sur elle pour la prendre. Singeant un plaisir qu'elle ne ressentait pas, elle revit la sépulture révélée par son père, leur excitation en découvrant la momie puis le cartouche de diorite et enfin les plans de ces constructions gigantesques, frappés du sceau de celui qui les avait emportés dans son dernier sommeil de Géant. Leur bâtisseur. Osiris. Osiris qui, sa tâche accomplie, confia l'Égypte à sa sœur et femme Isis avant de les quitter toutes deux pour apporter ailleurs les bienfaits des sages des Hautes Terres. Ce fut lui, Mounia le savait désormais à la lecture de Manéthon, qui dressa le premier nuraghe en Sardaigne, lui qui enseigna l'agriculture et l'élevage aux Éthiopiens, lui qui fonda de nombreuses villes en Inde, en Arabie, en Chine, en Occident. Lui enfin qui donna aux hommes à peine évolués de ce monde les premières bribes de leur civilisation avant de revenir chez lui, d'être assassiné par son frère, Seth, et de devenir, selon la légende, une étoile de la constellation d'Orion.

Bayezid jouit en elle et roula sur le côté. Mounia demeura sur le dos, la tête dans ces étoiles-là. La ceinture d'Orion. Les trois pyramides de Gizeh en étaient la reproduction terrestre. Osiris le montrait lui-même sur le papyrus trouvé dans son tombeau. Il les avait fait bâtir selon l'alignement des trois flacons pyramides sur la table de cristal des Hautes Terres. Trois flacons pyramides qui, concentrant l'énergie stellaire d'Orion au travers de leur verre bleu, conféraient pouvoir de vie à la décoction qu'ils contenaient. Trois pyramides de pierre gigantesques dressées vers le ciel pour que les Géants se souviennent d'où ils venaient et pourquoi ils étaient là, pour qu'ils cessent de s'entre-tuer dans des guerres de pouvoir. Cela n'avait servi à rien. Leur race s'était éteinte, le benben avait disparu, Héliopolis Innou avait été muré sans que quiconque sache qu'Osiris dormait tout à côté ; et les pharaons mortels, perdant le sens de l'ouvrage des dieux, se les approprièrent comme Kheops, ou les copièrent maladroitement au long de leur histoire comme Djoser. S'il n'y avait eu Imhotep pour découvrir ce plan improbable, bâtir un palais sur le temple pour protéger le tombeau d'Osiris, et, sous Alexandre, un géomètre pour empêcher qu'il fût démonté, nul sans doute n'en aurait rien su, jamais. De fait, ne restait plus que la prédiction d'un porteur de destin pour laisser croire encore à Mounia qu'il existait un passage en ce monde le reliant à celui des Hautes Terres. Les Hautes Terres ou celles d'Orion ?

Mounia s'endormit sur cette interrogation, si inconcevable qu'elle fût, en priant pour que l'âme de son père, celle de sa mère et celle d'Enguerrand, son Enguerrand surtout, veillent sur l'enfant à venir et lui permettent de trouver son chemin.

*

La paysanne qui leur avait ouvert sa table s'appelait Faustine. Mise en confiance par les pièces qu'elle avait reçues et croquées de sa gueule édentée pour en vérifier l'authenticité, elle expliqua à Philippine, Djem et Nassouh, occupés à racler leurs écuelles de bois, que son époux s'était absenté pour vendre des moutons à la foire aux bestiaux de Saint-Jean-de-Maurienne.

— Faut pas nous en vouloir de l'accueil, bonnes gens, s'excusa-t-elle encore en les resservant d'autorité d'un bouillon un peu trop clair, dans lequel flottaient quelques légumes et un morceau de lard rance.

Au coin de la cheminée, avachie sur une chaise rembourrée d'un tissu paillé, la tête en appui contre le mur derrière et les mains croisées sur ses genoux recouverts d'une couverture, une vieille femme somnolait depuis leur arrivée. Faustine l'avait présentée comme sa belle-mère, aveugle et sourde. Une charge visiblement pour le foyer. L'aïeule clapa des mâchoires, racla quelques glaires avant de les tousser dans un mouchoir et de réclamer à manger.

— On n'est pas à l'abri des malfaisants, reprit petit Jean tandis que sa mère se précipitait pour refermer les doigts de l'impotente sur un bol de liquide.

Philippine qui l'avait suivie du regard le détourna, gênée de pareille déchéance. La pitance était trop maigre et la faim la tiraillait, mais il aurait été indécent de demander à ces gens plus qu'ils ne possédaient. Elle reporta son attention sur Djem qui souriait au garçonnet.

— Il est normal de se méfier. Pour cette nuit vous n'avez rien à craindre, nous sommes armés et serons alertés si l'on vous menaçait, affirma le prince avec naturel.

L'œil de petit Jean pétilla.

— Moi aussi je sais me défendre. Père me l'a enseigné. Je suis un fameux lutteur. Et à la fronde, je ne crains personne.

— Te vante pas et prie plutôt pour que t'aies pas besoin de le prouver, le rabroua sa mère.

L'aïeule avait fini de boire dans un gargouillis de glotte. Tandis que son fils répondait un « Oui, mam » piteux et replongeait le nez dans son écuelle, Faustine enleva le bol des mains de sa belle-mère. Elle fit quelques pas qui l'éloignèrent de la table, se débarrassa de la vaisselle sur un coin de meuble et releva le bras pour ouvrir une porte haute à claire-voie scellée dans le mur, juste au-dessus. Elle en sortit un jambon qui séchait, accroché à une poutrelle qui traversait le placard, revint le poser sur la table et extirpa un long couteau d'un tiroir sous le plateau.

— C'est pas mes affaires, mais vous avez de curieuses manières et allures pour des marchands, dit-elle dans le silence retombé en découpant d'épaisses tranches.

Philippine, qui lorgnait avec gourmandise sur la chair tendre et rosée à point, tressaillit et s'empourpra. Djem et Nassouh échangèrent un regard rapide avant de le reporter sur la paysanne qui avait suspendu son geste, la pointe de la lame en l'air, les doigts serrés sur le manche, l'air soupçonneuse de nouveau.

— Notre cœur est aussi pur que nos intentions, dame Faustine. C'est tout ce qu'il vous faut savoir, lui assura le prince.

Elle hocha la tête, mais son visage s'était de nouveau empreint de gravité derrière son sourire recouvré.

— Qui qu'vous soyez, j'veux pas plus d'ennui qu'j'en ai. Vous dormirez dans la grange et repartirez à l'aube. Si on demande après vous, j'dirai que j'ai ren vu.

— Nous vous en saurons gré, la remercia Philippine en acceptant de bon cœur la tranche de jambon et la miche de pain que Faustine lui tendait.

Elle ferma la porte sur eux et barra soigneusement ses volets sitôt qu'ils eurent terminé de manger, leur promettant lait frais et œufs poêlés à leur lever, au premier chant du coq. Philippine s'étira au milieu de la cour. L'air était doux, la nuit étoilée. Elle avait le ventre repu et la perspective d'une vraie nuit de sommeil la comblait.

— Je vais prendre la garde, annonça Nassouh à la porte du bâtiment, en les quittant pour s'installer un peu plus loin, dans un angle de mur qui lui permettait d'avoir une vue d'ensemble de la cour.

C'était ainsi chaque fois qu'ils s'arrêtaient. À peine quatre heures les nuits précédentes. Deux chacun à veiller. Sachant que le tchélébi le réveillerait pour qu'il le remplace, Djem s'engouffra derrière Philippine qui bâillait.

L'étable était plongée dans la pénombre à l'exception d'un rai de lumière lunaire qu'une ouverture dans le fond de la bâtisse dessinait devant eux. De part et d'autre de cette allée, deux vaches et un mulet se partageaient l'espace.

— Par là, indiqua Djem en prenant Philippine délicatement par le coude.

Était-ce ce lieu apaisé du ruminement des bêtes, ce rectangle d'étoile qui scintillait, ou la certitude que demain leur échappée prendrait fin d'une manière ou d'une autre, ils n'auraient su le dire, mais l'un et l'autre avaient la gorge nouée de ce moment volé.

Djem dénicha plusieurs paillasses sur une plate-forme que les fermiers utilisaient sans doute l'hiver pour se réchauffer de la proximité des bêtes. Pour l'heure, elles leur offraient un nid parfait.

Il grimpa le premier, lui tendit la main en retenant son souffle. Oubliées, ses résolutions pour tromper la prophétie ; oubliée, Marthe et ses noirs desseins ; oublié, Philibert de Montoison. Philippine n'était que feu ardent quand elle croulait de sommeil l'instant d'avant. Elle rejoignit Djem, s'allongea sur le dos à ses côtés, un bras replié sous sa nuque. Son cœur battait à se rompre lorsqu'il s'approcha de ses lèvres pour les embrasser.

Lorsque Nassouh vint chercher Djem à la mi-nuit, il le trouva assis qui contemplait encore, émerveillé, le corps nu de Philippine. Djem fit signe à son ami de la laisser dormir, recouvrit la chute des reins d'une couverture pour la dissimuler, prit ses propres vêtements et sauta à terre pour les enfiler.

Discret, Nassouh s'était déjà éloigné. Djem le trouva à la porte de la grange.

— Ne veux-tu pas dormir ?

— Et toi ? le taquina le tchélébi.

— Je n'ai jamais su être raisonnable.

— J'ai vu.

Un rire discret les rapprocha.

— La nuit est calme. Profitons-en pour nous reposer l'un près de l'autre, comme autrefois. Tu te souviens ? demanda Nassouh.

Oui, Djem se souvenait, mais dans les montagnes d'Anatolie, au plus fort de leurs expéditions nocturnes, ils étaient quatre compagnons. Deux manquaient.

— Anwar était le plus sage d'entre nous. Il se serait réjoui de ce bon tour joué aux hospitaliers.

— Il me manque aussi, tout comme Houchang, assura Nassouh en lui tapotant l'épaule.

Ils gagnèrent l'endroit où le tchélébi s'était jusque-là installé et s'assirent à même le sol, dos à la bâtisse de pierres.

— À combien estimes-tu nos chances ? demanda encore ce dernier en ramassant une coulée de petits cailloux dans sa main.

— Trop minces.

— Elle le sait ?

Djem baissa la tête.

— À quoi bon ? Ce ne sont pas nos corps qui ont parlé, Nassouh, mais nos âmes qui se sont entremêlées. Jamais je n'avais connu plénitude plus grande, complicité plus évidente. Comme si elle et moi n'étions plus qu'une même peau, un même souffle, un même cœur.

Le tchélébi soupira. La fatigue le prenait. À plus haute altitude encore, elle les plomberait tous. Plus qu'il ne fallait. Il renversa la tête en arrière et ferma les yeux.

— Dors, Djem, conseilla-t-il. On se battra jusqu'au bout pour que tu puisses la garder.

30.

Réveillés à l'aube par le chant de trois coqs, Djem, Nassouh et Philippine avaient pris un déjeuner en hâte avant de quitter la ferme. Ils ne s'étaient pas arrêtés depuis. Outre la faim qui, à présent, les tenaillait, les dénivelés constants du sentier de montagne et la chaleur orageuse les avaient épuisés, ainsi qu'ils l'avaient craint, autant que leurs bêtes.

Il était quatre heures de l'après-midi lorsqu'ils durent s'arrêter dans un relais baptisé *Le Bois joli*.

Passé le portail massif à double battant, par-delà la vaste cour intérieure au sol ratissé, la bâtisse tout en longueur formait cuisine et salle à manger au rez-de-chaussée et chambres à l'étage. Perpendiculaires au bâtiment se trouvait l'écurie, qui accueillait une vingtaine de chevaux, et une grange. Il y avait aussi une basse-cour, un potager et un cimetière piqué de deux croix protégées par une toute petite chapelle.

Tandis que le palefrenier, un jouvenceau d'une dizaine d'années au visage grêlé, pansait leurs montures harassées et en préparait d'autres, tous trois vinrent s'attabler dans la grande salle du bâtiment couvert de lierre. Elle était déserte, rares étant les voyageurs qui s'attardaient aux relais hors les heures de repas ou de nuitée.

À l'aubergiste, un homme avenant, ils commandèrent un plateau de fromages et du lait de chèvre, puis s'enquirent de la distance qui les séparait de Turin.

— Deux jours de cheval à peine, les rassura l'aubergiste, avant d'ajouter : C'qui est dommage, c'est qu'vous ayez raté not'duc. Ici à Bardonecchia, c'est toujours un honneur de le voir passer.

D'un même élan, leurs cœurs cessèrent de battre.

— Le duc de Savoie n'est pas à Turin ? s'inquiéta Philippine en forçant sa voix pour la masculiniser.

L'homme gratta son crâne abondamment chevelu, le révélant aussi pouilleux sans doute que la pièce, infestée d'une dizaine de chats.

— Il y sera demain… Vous v'lez pas un trop de pâté de lapin aussi ?

Il demeura avec sa question et sa commande sur les bras, ballants de surprise. Poussés par le même diable, ses trois clients avaient bondi de leurs bancs pour se précipiter vers la porte.

— Eh ben ? leur cria-t-il avant qu'ils ne la franchissent.

— Plus le temps ! lui jeta Philippine, rongée de détresse.

Il leur fallait coûte que coûte rattraper la caravane du duc, qui de toute évidence les devançait de peu.

Sans autres mots échangés, ils se retrouvèrent dans la cour intérieure lorsque le regard de Nassouh accrocha au-delà du portail, sur la route, la silhouette d'un cavalier qui approchait au grand galop. Il était visiblement aussi pressé qu'eux d'atteindre Turin. Deux, trois minutes au plus et il serait dans la place. Nassouh le regarda s'avancer quelques secondes avant de retenir d'une main inquiète le coude de Djem qui venait d'attraper les rênes de son cheval, tendues par le palefrenier. Tandis que la damoiselle se mettait en selle devant la façade de l'auberge, Djem tourna les yeux vers le porche. Comme Nassouh, il fronça les sourcils, résigné.

Cet homme-là, il l'eût reconnu entre mille.

Philibert de Montoison les avait rattrapés.

Djem rendit l'animal au garçon d'écurie, qui s'éloigna avec sans discuter.

— Écarte Hélène, déclara froidement Djem à Nassouh avant de s'avancer au mitan de la cour.

Le tchélébi ne put s'en acquitter.

Déjà, Philippine, alertée par la réaction de Djem, avait perçu elle aussi le danger. Elle sauta à terre et se précipita vers son amant qui, bien campé sur ses jambes légèrement écartées, avait choisi d'affronter son rival.

— Ensemble, jusqu'au bout, décréta-t-elle avec courage et détermination.

Elle aussi voulait soutenir le regard de Philibert de Montoison, légitimer enfin ce qu'elle avait si longuement caché.

Djem hocha la tête. Non seulement il comprenait, mais il n'avait plus le temps de la convaincre.

Il dégrafa son mantel léger et arracha le cimeterre de sa ceinture sous le regard ébahi du garçon d'écurie venu s'occuper des deux autres chevaux. Terrifié, le jouvenceau abandonna les bêtes qui d'elles-mêmes regagnèrent leur abri, pour foncer dans la bâtisse et prévenir le tenancier, son père.

Arme au poing, Nassouh se posta près de Philippine.

Tous trois étaient prêts.

Rongé de rage, Philibert de Montoison tira sur le mors pour immobiliser sa monture dans un nuage de poussière. Crotté par le voyage, son habit de noces qu'il n'avait pas pris la peine de quitter avait aussi méchante mine que lui.

Philippine en frémit. Pour rien au monde elle ne laisserait ce chien la reprendre. L'étreinte de cette nuit était encore présente en son cœur et son corps. Promesses et serments échangés lui donnaient toutes les audaces.

Elle se rapprocha de Djem à le toucher et releva le menton de défi devant le cheval qui piétinait en roulant des yeux fous. L'écume aux naseaux, comme son maître dont les cernes charbonneux accusaient encore la cruauté, il était visiblement épuisé.

— C'est fini, prince. Rengainez vos armes, jeta le chevalier.

Djem ne se laissa pas démonter par si piètre argument et se contenta d'armer plus solidement son poignet. Philippine l'avait compris aussi. Pas de poussière à l'horizon. Si le sire de Montoison constituait l'avant-garde, les hospitaliers étaient loin derrière.

— Plutôt mourir ! vociféra-t-elle, les yeux noirs.

Philibert n'en douta pas un instant.

Il tira son épée du fourreau, sauta à bas et claqua une main sur la croupe de l'animal qui se cabra, les forçant à reculer, avant de démarrer en direction de l'écurie, attiré par ses congénères.

Ils se retrouvèrent face à face. Trois contre un. Poussant Philippine en retrait, Djem fit un pas en avant.

— C'est une affaire entre toi et moi, Montoison. Réglons-la à la loyale, déclara Djem en levant la pointe de son cimeterre.

— Rien ne saurait me plaire davantage…

Nassouh empoigna d'autorité le bras de Philippine. Elle se laissa entraîner vers la porte de l'auberge, les yeux rivés sur ces deux hommes qui allaient se battre à mort pour elle. Philibert de Montoison, pour la deuxième fois. Elle était livide.

Déjà, les lames bien assurées en main étincelaient sous le soleil tandis qu'ils imprégnaient l'espace clos de leurs pas mesurés. Les deux hommes se jaugeaient, les yeux dans les yeux.

— Restez à l'intérieur, intima Nassouh à Philippine depuis le seuil.

Elle se hissa sur la pointe des pieds pour voir au-delà de lui. Retint un cri d'angoisse.

Djem fondait sur Philibert. Les lames s'entrechoquèrent avec fracas. Philippine sursauta. Nassouh la prit aux épaules, rassurant.

— Il ne lui arrivera rien. Je veille.

Et pour l'empêcher de ressortir, il se planta dans l'embrasure de la porte ouverte, les bras croisés.

Face à lui, Djem et son adversaire s'affrontaient à présent dans une même haine.

L'aubergiste et son fils s'étaient rendus chacun devant une des fenêtres qui couraient le long de la salle rectangulaire.

— Qu'est-ce donc que tout ça ? demanda le père.

Angoissée à l'extrême, Philippine ne l'entendit pas et ouvrit en grand la croisée la plus proche de la porte pour ne rien perdre de la scène, renvoyant l'homme à sa propre observation.

Dehors, les rivaux se heurtaient à présent avec violence.

Djem avait compris dès le premier assaut que Philibert voulait gagner du temps. Il en déduisit qu'il en avait peu devant lui avant que l'endroit ne soit cerné. Cela décupla ses forces, sa hargne, s'il lui en fallait encore. Envolée, la fatigue. Les muscles bandés par le plaisir qu'il prenait à cet échange tout autant que par la nécessité d'en finir, il révéla tout son art guerrier.

Philibert de Montoison l'avait vu combattre à Poët Laval, cette nuit épique de la trahison de Mounia. Le chevalier savait que seul, il n'avait aucune chance. Il aurait été mieux inspiré d'attendre les autres, sans nul doute à quelques lieues derrière. Mais à dire vrai, il n'avait pas réfléchi, pressé de changer de monture et de grignoter encore du temps sur eux. Lorsqu'il les avait reconnus dans la cour, il était trop tard pour reculer.

Tout ce qu'il pouvait faire pour se venger était de les retarder le plus possible avant de mourir.

C'était exactement ce que Djem voulait empêcher.

Il taquina tant son adversaire qu'il l'entailla à l'épaule et le força à se défausser légèrement. Sans le savoir, Philibert de Montoison venait de lui offrir l'ouverture qu'il cherchait. Utilisant l'espace concédé par cette échappatoire, Djem se ramassa sur ses genoux et se mit à tournoyer sur lui-même de plus en plus vite à la façon des derviches, le sabre à l'horizontale au-dessus de sa tête.

Philibert de Montoison sauta par le côté pour s'en défendre, mais le tranchant de la lame lui entailla profondément les côtes et le biceps en le repoussant vers l'arrière. Son épée mordit la poussière. Privé de souffle, il tituba, tandis que, redressé à la force des cuisses dans son mouvement tournant, Djem balayait toujours l'air de sa lame.

Philibert de Montoison n'eut que le temps d'un regard fataliste en direction de la façade. La dernière image qu'il accrocha fut le sourire revanchard de Philippine.

Ce 29 juillet 1484, la tête de Philibert de Montoison détachée du reste de son corps roula à terre aux pieds du prince Djem, et Philippine de Sassenage qu'il avait tant torturée horrifia les gens de la maisonnée en poussant un cri de joie.

À peine se fut-elle précipitée derrière Nassouh dans la cour pour sauter au cou de son amant, que l'aubergiste referma le battant. En moins d'une minute, portes et volets rabattus étaient tous barrés de l'intérieur. La distraction passée, ne restait plus que la peur de ces gens d'être à leur tour massacrés.

Philippine ne s'en aperçut pas.

En une fraction de seconde, dans les bras de Djem qui la pressait contre lui, devant ce corps décapité qui tressautait encore, à côté de ce visage ensanglanté aux yeux grands ouverts, elle venait de comprendre que, contrairement aux apparences, Philibert de Montoison avait gagné.

— Il faut partir. Vite, murmura Djem à son oreille d'une voix essoufflée.

Philippine s'écarta pour darder sur lui toute la détresse de son regard.

— Tu pars. Vous partez. Je reste.

Il tressaillit.

— Je vous ralentirais, tu le sais. Or le temps nous est plus compté que jamais et je te veux libre, Djem, je te veux libre pour mieux te retrouver.

— Elle a raison, intervint Nassouh.

Djem le savait, mais tout en lui refusait d'abandonner cette femme qui se sacrifiait.

Philippine leva une main pour caresser le visage défait de l'homme qu'elle aimait, s'imprégner de sa peau une fois encore. Les yeux, d'ordinaire d'un bleu intense pailleté d'or, semblaient une mer déchaînée. Les poils de la barbe, négligée ces derniers jours, mangeaient le haut de ses pommettes creusées d'épuisement.

Algonde avait dit vrai, songea-t-elle. Leur fils naîtrait velu, comme la prophétie le voulait. L'excessive pilosité de Djem sous ses doigts la nuit dernière le prouvait. Oui. Leur fils naîtrait. Il aurait besoin d'un père pour le protéger de cette malédiction dont Philibert de Montoison avait été un des instruments.

Puisant dans cette certitude, elle prit Djem aux épaules, et écrasa son souffle au coin de ses lèvres.

— Va, je t'en conjure. Sauve-toi, mon amour.

Djem étouffa sa supplique dans un long baiser.

Qui pouvait dire quand ils se retrouveraient?

Un bruit de sabots frappa le sol. Nassouh avait choisi deux chevaux frais. Philippine et Djem s'arrachèrent à leur étreinte désespérée. Les mâchoires serrées, Djem prit le

303

licol de la main du tchélébi. Ils enfourchèrent les montures à cru, d'un même élan. Avancèrent de quelques pas sur le gravier de la cour. Dépassèrent Philippine en direction du portail.

Djem tourna la tête en arrière. Il ne parvenait pas à la quitter.

La douleur en elle fut foudroyante. La détermination aussi. Elle se jeta au cul de son cheval et, avec violence, lui frappa la croupe pour le faire détaler. Djem fut emporté. Ils passèrent sous le porche, obliquèrent sur la gauche et disparurent à sa vue.

Philippine resta un long moment immobile dans le silence revenu, la main et le cœur en feu, à fixer le regard sur la route.

Elle finit par vaciller.

Au moment où la porte de l'auberge s'ouvrait pour laisser ressortir le tenancier, elle tombait à genoux sur le sol poisseux de sang, la tête entre les mains.

L'homme se figea sur le seuil avant de se signer.

Quel que soit cet être, s'il se repentait, le cri qu'il poussait n'avait rien d'humain, il aurait pu en jurer.

31.

Lorsque Guy de Blanchefort et Jacques de Sassenage, escortés d'une troupe de trente hommes constituée pour la moitié d'hospitaliers, parvinrent sur les lieux quatre heures plus tard, ils trouvèrent Philippine assise sur un banc contre la façade de l'auberge que le dîner avait remplie de nombreux voyageurs.

À l'exception de quelques rochers affleurant le sol légèrement rougis encore, rien ne trahissait le drame qui s'était joué là.

Inquiet pour la réputation de son établissement, le propriétaire n'avait pas été long à réagir.

L'inconnu esseulé, en larmes au milieu de sa cour, n'ayant pas l'air bien dangereux, sa bonhomie naturelle avait repris le dessus.

Tandis qu'il ordonnait à son fils de rabattre la double porte de l'enceinte pour empêcher quiconque d'entrer dans la cour, lui s'était précipité, avait relevé Philippine et, lui passant un bras sous l'épaule, l'avait ramenée à l'intérieur de la bâtisse. À la faveur du trajet, il avait découvert sous ses doigts la naissance d'un sein, que le gilet de cuir sans manches écrasait. Avec le bon sens des montagnards, il avait aussitôt compris ce qui venait de se passer.

Philippine le lui avait confirmé d'une voix mourante.

— Aidez-moi, aidez-nous, avait-elle supplié pour finir.

Il avait accepté.

Laissant son fils, acquitté de sa tâche, puiser de l'eau au puits qui se trouvait près du potager, il avait précédé la damoiselle à l'étage. Là, dans une des chambres, il avait ouvert le coffre qui recelait les robes de son épouse morte des fièvres l'hiver précédent, l'invitant à choisir celle qui lui plairait.

Lorsque Philippine était descendue une heure plus tard, lavée, coiffée, changée, malgré sa détresse, lancinante, elle était de nouveau elle-même, prête à affronter les hospitaliers.

Elle était sortie de la bâtisse.

Feu Philibert de Montoison avait disparu et le palefrenier achevait de balayer la cour qu'ils avaient abondamment paillée pour absorber le sang répandu.

— Où est le corps ? avait-elle demandé.

Impressionné par sa beauté dans cette robe sobre qui révélait à présent sa féminité, le jouvenceau avait tendu un doigt vers le petit cimetière, derrière le mur de la grange. Philippine s'y était dirigée sans hésiter et avait trouvé l'aubergiste qui plantait une croix sur un nouveau tumulus de terre.

— Mon épouse aurait été heureuse de vous la voir porter. Elle vous va bien, avait-il commenté avant de se tourner vers une des tombes.

Comme lui, Philippine avait joint ses mains devant les sépultures.

— La troisième est celle de notre fille. Elle avait six ans. Perdre les gens qu'on aime, je sais ce que c'est, lui avait confié encore l'aubergiste avant de se mettre à prier.

Philippine avait compris. Personne ne retrouverait Philibert de Montoison, et Djem, s'il était repris, ne serait pas accusé de l'avoir assassiné. Si elle ne le révélait elle-même, Philibert de Montoison pourrait dormir en paix.

En reconnaissant sa fille adossée au mur de verdure de la bâtisse, entre deux fenêtres entrebâillées d'où s'échappaient les conversations des voyageurs et l'odeur des rôtis, Jacques de Sassenage sauta à bas de son cheval. Levée à son tour, Philippine lui tomba dans les bras à mi-chemin.

— Philibert ? souffla-t-il à son oreille, inquiet de savoir que le chevalier les précédait.

Elle baissa la tête contre son pourpoint.

— Enterré, répondit-elle d'une même voix étouffée, d'autant que Guy de Blanchefort s'approchait, l'air grave et furibond sous ses traits tirés.

Visiblement, eux non plus n'avaient guère dormi ces derniers jours. Satisfait de cette réponse, mais n'en laissant rien paraître, Jacques de Sassenage repoussa Philippine pour la gourmander. Il le devait.

— Ma joie de vous revoir saine et sauve n'enlève rien à la colère qui m'étreint, ma fille. Votre conduite inqualifiable trouvera en son temps la punition qu'elle mérite. Pour l'heure, le temps presse.

— Où est-il ? le coupa sèchement Guy de Blanchefort en la couvrant d'un œil sévère.

Derrière lui, les soldats mettaient pied à terre.

Gagner du temps, voilà tout ce qu'elle devait faire, songea Philippine en se drapant dans un voile de hautaine dignité.

— Je n'ai rien à vous dire.

Un soufflet lui balaya le visage. Elle le reçut en pleine conscience des remords qu'il venait de coûter à son père, dressé devant elle de toute son autorité.

— Parle ! lui ordonna-t-il.

Elle les foudroya l'un et l'autre d'un regard de jais mais s'emmura dans le silence.

— Nous n'en tirerons rien, se désola le baron, et je ne peux la fouetter sur cette place.

— Bouclez-la quelque part. Qu'elle ne soit pas dans nos jambes lorsque nous cernerons le prince, décréta

307

froidement Guy de Blanchefort avant de déployer ses hommes d'un geste et de se diriger vers la bâtisse.

Se laissant entraîner par le bras, Philippine se réjouissait intérieurement. Guy de Blanchefort s'imaginait que si elle était là, Djem et Nassouh s'y trouvaient également. Ils ne seraient pas longs à s'apercevoir du contraire, mais c'était autant de gagné.

Dans la salle, aidé comme chaque soir de deux servantes arrivées d'un village voisin, l'aubergiste virevoltait de commande en commande, les mains et les avant-bras surchargés. Un porcelet, entamé généreusement, continuait de tourner dans la vaste cheminée, au rythme lent imprimé à la broche par un garçonnet rouge de chaleur. Sa peau dorée emplissait la pièce d'un fumet délicieux. Malgré l'intrusion des soldats de l'ordre des Hospitaliers, les rires continuaient de rouler, les hanaps de se lever et les mandibules de s'activer.

Jacques de Sassenage libéra Philippine.

— L'oiseau ? demanda-t-il encore, profitant du joyeux brouhaha qui régnait.

— Envolé, dit-elle en se frayant un passage vers l'escalier.

Elle se trouvait à mi-hauteur lorsque la voix de l'aubergiste, à quelques pas, se fit plus forte, sans doute pour qu'elle l'entende et comprenne qu'il s'en tenait à leur accord.

— Les compagnons de cette fille, là-haut, sur les marches ? Y'en avait qu'un. En habit de noces crotté.

Elle n'entendit pas la nouvelle question de Guy de Blanchefort, sans doute interloqué, mais se réjouit d'avance de la réponse tout en continuant sa montée.

— Un Turc ? Par ma barbe, messire, si j'en avais vu un, j'm'en souviendrais ! Non, y'avait que son époux, pas ben causant d'ailleurs. Sont arrivés à la nuit tombée, hier. C'matin, elle était seule à son lever. J'crois bien qu'elle l'a attendu toute la journée. Si vous voulez mon avis, c'diable a filé et elle a pas un sou pour m'payer.

Fort de ces arguments, Guy de Blanchefort les talonna dans l'escalier. Enfermée dans la chambre que l'aubergiste lui avait cédée pour asseoir son discours, Philippine se laissa choir sur le lit, les paumes à plat sur ses jupons, le visage figé. Tandis que le baron s'adossait à la porte, les bras croisés, et que Guy de Blanchefort, après l'avoir agonie de questions, la sermonnait sur les conséquences du silence dans lequel elle demeurait murée, la damoiselle ne pensait qu'à Djem et à sa chevauchée, consciente que chaque minute gagnée l'était aussi pour lui.

Un quart d'heure passa. La joue rougie des deux claques supplémentaires que son père lui donna, elle s'entêtait encore lorsqu'on frappa. Jacques de Sassenage, qui se trouvait le plus proche de l'huis, l'ouvrit sur un des soldats.

— Nous avons retourné l'établissement de fond en comble. Personne. Le palefrenier confirme la version de l'aubergiste. Un cheval manquait lorsqu'il est descendu à l'aube pour les bouchonner.

Cette fois, Philippine le sentit, si elle ne les retenait pas par quelque fable, les hospitaliers allaient aussitôt s'élancer à la poursuite de Djem.

L'idée de sa capture la bouleversa assez pour prêter à son mensonge les armes nécessaires. Sitôt que le battant fut refermé, anticipant tout commentaire ou toute décision, elle éclata en sanglots dans ses mains.

— Il m'a violée… Voilà la vérité. Philibert de Montoison m'a violée avant de s'enfuir dans la nuit noire. Maudit soit-il ! J'espère bien que les loups l'ont dévoré !

Tout en simulant la consternation, Jacques de Sassenage se réjouit intérieurement des talents de mystificatrice de sa fille. Devenu livide, Guy de Blanchefort toussota dans son poing. Cet aveu justifiait l'entêtement de la damoiselle à se taire jusque-là. Il n'était pour autant pas disposé à lui donner la part belle, conscient de l'affront ressenti par son protégé en la voyant s'enfuir avec un autre.

Radouci pourtant par sa confession, le grand prieur d'Auvergne vint s'accroupir devant elle et lui enleva délicatement les mains de devant les yeux.

— C'est un acte grave, j'en conviens, mais sans l'excuser d'aucune manière, songez qu'il serait votre époux devant Dieu si vous n'aviez accompagné le prince dans sa fuite.

Philippine darda sur lui un regard féroce de rancœur.

— Je n'ai fui que devant la cruauté de ce monstre ! Par deux fois déjà il avait tenté avec force violence de me contraindre, me promettant mille supplices de chair une fois épousée. Pour ce qui est de Djem, ce Dieu que vous invoquez m'est témoin qu'il a eu pour moi d'autres égards. Je n'ai rien à me faire pardonner !

Mains croisées dans le dos, près de la porte, Jacques de Sassenage retint un sourire. Sa fille avait décidément l'art de mentir sans se parjurer.

Guy de Blanchefort, quant à lui, soupira. Il connaissait assez Philibert pour accorder crédit aux dires de Philippine. D'autant plus que le témoignage des gens de la maison concordait. Il pressa ses doigts avec chaleur.

— Cette méchante affaire d'évasion réglée, je vous promets que le sire de Montoison devra répondre de vos accusations, ma chère enfant.

— Et que justice sera faite, ajouta le baron de Sassenage.

— Vous ne me forcerez pas à l'épouser ? trembla Philippine en levant vers son père de grands yeux éplorés. Gagner du temps, encore, disaient-ils en filigrane.

— Par ma foi, certifia Jacques de Sassenage.

— Cela étant, ma chère enfant, tout repose sur vous. Les ennemis du prince sont plus nombreux qu'il ne paraît et nous sommes seuls en mesure de le protéger. Je vous en conjure, il faut tout nous dire à présent, la pressa Guy de Blanchefort.

Elle hocha la tête. Sur ses joues marquées d'écarlate, ses larmes mensongères avaient tracé de fins sillons salés, donnant à son visage une allure plus pathétique encore qui la servait.

— Vers midi, hier, épuisés par une nuit de chevauchée, nous nous sommes arrêtés tous trois dans une combe, à quelques lieues d'ici. Djem et Nassouh m'ont laissée me reposer en contrebas de la route, sous un arbre creux, pendant qu'ils partaient chasser quelque gibier pour déjeuner. Tous deux, j'ai pu le constater les jours précédents, sont de merveilleux archers, savez-vous ?

— Au fait, au fait, s'impatienta le grand prieur en hochant la tête.

Elle soupira bruyamment, laissant ses épaules s'affaisser comme si ce souvenir lui coûtait.

— Le fait est que je me suis réveillée en sursaut, secouée par Philibert de Montoison penché au-dessus de moi. Il m'a battue et injuriée avant de me demander où le prince se trouvait. J'étais bien incapable de le lui dire. La forêt coulait aux flancs des montagnes qui nous cernaient. Djem et Nassouh n'ont pas reparu. Sans doute l'ont-ils vu arriver de loin et ont-ils préféré m'abandonner à lui pour mieux se sauver. À l'heure qu'il est, ils ont atteint leur but et sont hors de portée de vos représailles et des siennes, je le crains.

Guy de Blanchefort bondit sur ses pieds. Quoi qu'il en soit, il n'avait plus de temps à perdre et regretta amèrement que Philibert de Montoison se soit attardé auprès d'elle au lieu de se précipiter à Turin, comme le bon sens le voulait. L'orgueil, toujours l'orgueil ! tempêta-t-il intérieurement en se tournant vers Jacques de Sassenage.

— M'accompagnez-vous ?

— Cela va de soi.

— Il faut régler sa note à l'aubergiste... appuya Philippine déjà debout.

— Votre présence à nos côtés, damoiselle, n'a aucune raison d'être. Vous resterez à nous attendre. Sous bonne garde s'entend...

Guy de Blanchefort lui concéda un sourire avant de poursuivre.

— ... pour le cas, évidemment, où Philibert de Montoison reviendrait pour vous tourmenter.

Philippine se tourna vers le baron qui s'apprêtait à sortir.

— Père...

— Il a raison. Tu nous retarderais.

Insister davantage aurait fait douter Guy de Blanchefort de sa sincérité. Elle se rassit sur le lit et regarda douloureusement la porte se refermer. Elle avait fait tout ce qu'elle pouvait. Ne lui restait à présent qu'à espérer que Djem rejoigne le duc de Savoie. Et là encore, que ce dernier ne soit pas assez couard pour le livrer.

32.

— J'attends un enfant.

Bayezid détacha son visage de la croisée basse et le tourna vers Mounia, penchée jusque-là sur une gigantesque carte de peau étalée sur la table d'étude de la grande bibliothèque d'Istanbul. Elle avait seulement relevé le front pour cette annonce, sans préméditation. Le sultan dodelina de la tête.

— Est-il le mien ?

— Je le crains, assura-t-elle dans un sourire.

Il fronça les sourcils.

— Pourquoi ? L'inverse eût été pour toi plus terrible.

— Pour moi sans doute. Pas pour lui. Je sais le sort que réservent à leurs frères les prétendants au trône.

L'allusion à Djem était nette. Bayezid revint à ses côtés. Ils étaient seuls dans la vaste pièce tapissée de livres et de cartouches du sol au plafond. Quelque part, à l'autre bout d'une des allées, le martèlement régulier des pas du gardien résonna dans le silence. D'une main leste, Bayezid attira Mounia contre lui.

— Ainsi sont les coutumes de mon pays. Pour cruelles qu'elles te paraissent, elles doivent être respectées.

— Change-les... suggéra-t-elle dans une moue charmante en nouant ses poignets à son cou massif.

Il se mit à rire.

— Et donner ainsi pleine légitimité aux revendications de mon frère ? Tu serais la première à t'en plaindre.

— C'est vrai, lui concéda Mounia.

Il l'embrassa. Chaque jour qui passait le rendait plus épris d'elle. Mounia était unique et il la traitait comme telle. Contre toute coutume, elle n'avait pas encore mis les pieds dans le harem. La mère de Bayezid même, qui le régissait, était venue se plaindre de la rumeur qui enflait à son sujet. Bayezid l'avait renvoyée en lui affirmant que l'épouse de son frère Djem recevait le traitement qu'elle méritait. Nul doute qu'avec cette grossesse Mounia deviendrait la cible de ces femmes grugées et délaissées. Pour autant, elle ne pouvait davantage dissimuler son état. Elle planta son regard doré dans le sien, d'ébène.

— Donnerais-tu les Hautes Terres à notre fils si je les découvrais ?

Il tiqua avant d'éclater de rire à nouveau.

— Voici ce que j'aime le plus chez toi, Mounia. Tu ne doutes de rien. Jamais.

Elle s'accrocha plus fort à sa nuque.

— Tu ne m'as pas répondu. T'engagerais-tu par écrit à le laisser régner ?

Sa détermination le troubla. Il redevint sérieux.

— Si c'est bien un fils que tu me donnes, je le ferai.

Elle s'écarta de lui et lui tourna le dos pour suivre de l'index les tracés de cette carte énorme de proportions, comme les trois autres, aussi improbables, que Mustapha avait sorties de leurs cartouches, dénichés dans un vieux coffre aux ferrures rouillées.

Depuis quinze jours que Mounia les étudiait chacune leur tour, son opinion était faite. Toutes représentaient le monde dans sa globalité et sa rotondité, toutes faisaient état d'un vaste continent à l'ouest, par-delà l'océan. Des créatures effrayantes étaient dessinées çà et là. Des monstres marins ou terrestres, des oiseaux au bec denté. Toutes s'exprimaient dans la même langue, celle, indéchiffrable, des Géants. Toutes avaient été étudiées au fil des siècles, par d'autres qui avaient laissé des annotations. En grec et en latin pour la plupart, mais aussi en chinois. Toutes ressemblaient à celle d'Aziz ben Salek, le père de Mounia, à l'exception de deux détails d'importance.

Sur la carte de son père, le continent à l'ouest était rattaché à l'Occident par le nord. C'était sur cette bande de terre dont les autres ne faisaient pas état que se découpait l'emplacement des flacons pyramides. Preuve pour Mounia que la carte de son père était bien plus ancienne que celles-ci. Elles avaient sans doute été rédigées après le vol de la table de cristal et des flacons pyramides, par les descendants des Géants privés de retour, qui, comme Osiris, avaient parcouru le monde dans l'espoir de le changer.

Bayezid vint, par-derrière, nouer ses bras autour de sa taille.

— Cette question n'était pas anodine, n'est-ce pas ? susurra-t-il à son oreille.

Mounia fixa ses yeux sur ce grand vide dans l'océan, entre les deux continents. La terre mentionnée sur la carte de son père s'était-elle morcelée avant de disparaître, engloutie par les flots, ou s'était-elle déplacée ? L'Irlande, l'Écosse ou l'Angleterre appelaient cette première hypothèse. La configuration actuelle plus massive des territoires du Grand Nord, la seconde. Mounia préféra garder ces réflexions pour elle, n'ayant aucune confiance en Bayezid, et immobilisa son index sur la ligne des terres qui barrait l'ouest.

Penché au-dessus de son épaule, Bayezid écarquilla les yeux.

— Cela ne ressemble pas à l'Asie, murmura-t-il
Mounia lui montra l'est de la carte.

— L'Asie est ici.

La pression contre son ventre s'accentua, fugacement. Bayezid avait compris.

— Tu les as trouvées, trembla-t-il de convoitise. Les Hautes Terres…

— Dont notre fils sera le roi…

Bayezid ne répondit pas. Se détachant d'elle brusquement, il quitta la place à pas vifs.

Mounia ne se retourna pas. Elle avait joué son atout sans trahir les siens. Restait à attendre, dans la souffrance, toujours aussi poignante, de leur absence, que Bayezid abatte son jeu.

*

Ce même 12 septembre de l'an de grâce 1484, Enguerrand de Sassenage découvrait pour la première fois le regard sombre de son infirmière en cette cité d'Héliopolis qu'il n'avait toujours pas quittée. Sa blessure guérie, elle avait cessé le matin même de lui administrer la décoction qui le maintenait dans un état profond de somnolence Il ouvrit sur son visage voilé de grands yeux surpris.

— Mounia… réclama-t-il.

Sa langue épaissie par le traitement lui colla au palais, déclenchant une toux sèche.

La fille secoua la tête négativement avant de pointer son pouce gauche sur son buste.

— Malika, se présenta-t-elle.

Enguerrand lui sourit. Avec adresse, elle lui releva la tête d'une main pour le faire boire de l'autre.

L'eau, tiède, emporta avec elle la désagréable sensation. Il se sentit mieux. Elle le recoucha puis s'écarta. Enguerrand tourna la tête pour suivre ses déplacements dans la pièce sombre. Seul un rectangle de lumière passait par une ouverture basse sur l'extérieur. Un coin de ciel la partageait avec la blondeur ocrée du sable du désert. Où était-il ?

Déjà Malika revenait avec une coupelle de jonc tressé emplie de dattes. Ses yeux, immenses, étaient espiègles. « À la finesse de ses traits sous le foulard, elle est jeune », se dit Enguerrand en acceptant la main qu'elle lui tendait avant de s'étonner de se retrouver assis en tailleur, comme si ce geste-là n'était que la réplique conditionnée d'autres, longuement répétés.

S'adossant au mur derrière lui, il s'attarda un instant sur ses pieds nus, étonnamment propres, qui dépassaient du bas de sa gandoura, avant de plonger une main molle dans la jatte posée entre ses genoux.

Sitôt qu'il eut mordu la chair sucrée, il retrouva son goût doucereusement pâteux en bouche. C'était de dattes qu'on l'avait nourri. Combien de temps ? Qu'était-il arrivé pour qu'il se retrouve là, seul, sans elle ?

Mounia.

Un grand vide tenait sa mémoire. Il se revoyait avec elle descendre le Nil en crue. Ils devaient rencontrer enfin Aziz ben Salek, le père de Mounia. L'avaient-ils vu ? Il ne se souvenait pas.

La silhouette gracile de Malika lui masqua un instant la lumière du jour. Elle disparut à l'extérieur. Enguerrand posa la jatte à côté de lui sur la couche de feuilles tressées et voulut se lever. Il se découvrit affaibli plus qu'il n'imaginait. Ses jambes et ses bras avaient fondu et la peau le tiraillait entre les omoplates. Il se contorsionna pour se gratter et perçut un bourrelet de chair sous ses doigts.

Cicatrice, lui chuchota son instinct.

De plus en plus perplexe, il s'étira, vacilla un instant, trouva l'appui du mur de pierre sous sa main et avança sur le sol dallé recouvert d'une pellicule de sable. Vers la lumière. Si la pièce était silencieuse, à l'extérieur s'élevaient des rires d'enfants et des bruits de conversation.

Il franchit le seuil. Plissa les yeux sous le franc soleil, avant de mettre ses mains en visière, aveuglé.

En face de lui, lui barrant l'horizon, au-delà des nombreux monticules de sable qu'il devina cacher des ruines, le long rempart d'une enceinte se dessinait. Un éclair, furtif, lui indiqua qu'il l'avait déjà vu par le passé. Mais quel passé? Un sentiment désagréable de tristesse le submergea sans qu'il puisse lui donner de consistance.

Une exclamation. Il tourna la tête. Deux fellahs, l'un jeune, l'autre plus âgé mais tous deux burinés par le soleil, venaient vers lui. Malika les accompagnait. Enguerrand ne comprit rien de ce qu'ils lui dirent, mais à leurs rires édentés et à leur tape amicale sur l'épaule, il conclut qu'ils étaient contents de le voir sur pied.

— Mounia? essaya-t-il encore devant la persistance de cette désespérance en lui.

Les deux hommes secouèrent la tête négativement. De toute évidence, ils ignoraient qui elle était.

Épuisé déjà, Enguerrand accepta leur aide pour regagner sa couche. Il s'y abattit avec plaisir. Avant toute chose, il devait récupérer pour tenter de comprendre ce qui lui était arrivé. Ce qui leur était arrivé.

*

Lorsqu'elle voulut franchir le porche qui menait aux appartements du sultan, juste avant le couvre-feu, Mounia le trouva barré d'un eunuque, qui, armé d'un cimeterre à la ceinture, l'attendait, les bras croisés sur sa bedaine. Elle le connaissait. C'était Moussa, l'être castré que Bayezid avait discrètement attaché à ses pas.

— Écarte-toi, lui demanda-t-elle, je suis attendue.

— Pas ce soir, lui servit-il en s'inclinant respectueusement.

Le cœur de Mounia manqua un battement. Elle insista.

— Je dois voir ton maître, c'est urgent.

— Je regrette. Il ne désire pas ta présence et me charge de te conduire auprès de sa mère qui t'attend.

L'Égyptienne sentit le sol se dérober sous ses pieds.

Était-ce l'annonce de sa grossesse, son insistance à la faire reconnaître ou plus simplement la prétendue localisation des Hautes Terres, qui valait à Mounia cette disgrâce subite ? Difficile à dire. Quoi qu'il en soit, elle ne pouvait que s'y soumettre et manifester, auprès de celle qui régentait le harem de son fils, la plus extrême des servilités.

Déjà, Moussa l'invitait d'un geste à gagner le long corridor qui courait sous les arcades. Tout au bout, par-delà les trois somptueuses cours en enfilade et leurs bassins chatoyants de mosaïques, se trouvait le long bâtiment à deux étages du harem Homayoun. Un moucharabieh de bois blanc habillait sa façade à mi-hauteur, permettant à ses pensionnaires de contempler la luxuriante végétation du jardin intérieur du palais sans que quiconque le soupçonne. Combien d'entre elles avaient regardé avec envie Mounia déambuler avec Bayezid dans les allées bordées de rosiers ? Combien souhaitaient déjà sa mort pour lui avoir volé le cœur du sultan ? Mounia frissonna. Elle allait devoir jouer finement si elle voulait survivre dans cette arène.

Elle s'arrêta devant une porte gardée par deux eunuques, aussi amènes que celui qui l'escortait.

— Déchausse-toi, tu ne dois souiller ce lieu d'aucune manière, lui intima Moussa.

Une fois qu'elle eut abandonné ses souliers dans une panière réservée à cet effet, son geôlier glissa dans la serrure une clef attachée à son cou. Immobiles jusqu'en leurs yeux fixes, telles d'imposantes statues, les deux gardes n'avaient pas même cillé.

La porte s'ouvrit.

Moussa s'écarta pour laisser Mounia entrer.

Fébrile, elle franchit le seuil d'un patio élégant à ciel ouvert, orné, en son milieu, d'un bassin carré peu profond.

— Tu dois le traverser, lui apprit l'eunuque avant de reculer.

Il tira les deux battants sur lui. Mounia sursauta en entendant le loquet retomber. Un regard, furtif, en arrière.

— Inutile. Aucune poignée n'ouvre de ce côté.

Pas d'animosité dans la voix marquée d'une certaine noblesse. Mounia tourna la tête. Apparue comme par magie dans ce lieu, une femme d'une grande beauté bien que marquée par l'âge se tenait, visage découvert, de l'autre côté du bassin : la mère de Bayezid, autrefois première épouse du sultan Mehmed II, éclipsée par la mère du prince Djem et ce jourd'hui de nouveau la Khanoum.

La plus puissante femme du harem. À n'en pas douter.

Contre toute attente, elle souriait et lui tendit la main.

Bien que sur ses gardes, Mounia traversa l'eau vive qu'une petite source renouvelait et vint s'agenouiller devant elle.

— C'est un honneur, dit-elle.

— Est-ce vrai, ce qui se raconte ? Que tu aurais trahi ton époux, le prince Djem, pour rejoindre mon fils que tu aimais en secret ?

Mounia leva vers elle ses yeux fardés.

— Oui, répondit-elle sans hésiter.

La Khanoum décrocha du côté droit du visage le voile qui masquait les traits de Mounia.

— Relève-toi, l'invita-t-elle, le visage éclairé de satisfaction. Les ennemis de mes ennemis sont mes alliés. Tu es sous ma protection. Sois la bienvenue dans ce palais.

*

La malchance avait cueilli Djem une vingtaine de lieues seulement après le relais *Le Bois joli*. Son cheval avait cassé son galop dans une ornière. Sur le moment il n'avait pas semblé s'en plaindre mais, au bout de quelques minutes, il avait commencé à boiter pour finalement claudiquer si sévèrement que Djem avait sauté à bas. La foulure était grave et l'animal était en sueur. Djem aimait trop les chevaux pour laisser celui-ci souffrir inutilement. Il lui avait parlé longuement à l'oreille, comme il savait le faire depuis l'enfance, puis avait sorti son cimeterre pour l'achever.

Refusant de perdre espoir quand Philippine s'était tant sacrifiée pour son salut, il s'était mis à chanter à la gloire de l'animal abandonné aux charognards, laissant Nassouh réguler le pas de sa propre monture, alourdi par ses deux cavaliers.

Peu avant minuit, alors que, contraints de laisser la bête se reposer, ils s'étaient arrêtés en contrebas de la route, un bruit de galop les avait alertés. Une troupe approchait. Ils s'étaient empressés de se mettre à couvert derrière des rochers. Malgré la lune pleine, leurs poursuivants les avaient dépassés sans les voir. Djem et Nassouh s'étaient concertés du regard. Inutile de continuer plus avant désormais. Le cadavre du cheval de Djem avait donné aux hospitaliers tous les renseignements nécessaires pour calculer leur avance.

Djem pouvait le parier.

Dans moins d'une lieue, les hospitaliers se scinderaient en deux groupes. Le premier rejoindrait la caravane du duc de Savoie pour lui rappeler leurs accords passés. Le second reviendrait sur ses pas pour les cueillir.

— Allons, avait-il dit à Nassouh.

Il n'était pas question qu'ils se laissent prendre. Entraînant le cheval par la bride pour ne pas l'épuiser davantage, Djem s'était guidé aux étoiles pour s'enfoncer dans le secret des montagnes.

— Comme en Anatolie, avait souri Nassouh en escaladant le flanc pentu à ses côtés, dans la forêt.

— Nous y retournerons, mon frère, avait promis Djem.

Ils y avaient cru.

Quatre jours.

Au cinquième, leur cheval abandonné depuis longtemps, talonnés par les pisteurs dont s'était nanti Guy de Blanchefort, ils étaient cernés sous un ciel plombé, au sortir d'un petit défilé. S'accolant dos à dos dans un dernier sursaut de défense, ils avaient sorti leurs cimeterres. En réponse, Guy de Blanchefort avait fait armer ses archers. Ensuite de quoi, seul, il s'était avancé.

— Ils viseront vos jambes, Djem. Et le cœur de Nassouh pour vous faire plier. Déposez les armes. C'est fini.

Jacques de Sassenage, le visage émacié, l'avait rejoint.

— Au nom de notre amitié, prince, avait-il insisté.

Pour elle, disait son regard, en vérité.

Pour elle.

Djem avait baissé son bras. Nassouh le sien.

— Philippine nous a tout raconté, sa capture par Philibert de Montoison peu avant le relais tandis que vous chassiez, le départ de celui-ci à la nuit tombée après l'y avoir abandonnée, avait lâché Jacques de Sassenage tandis que deux hommes les ligotaient. Il est étonnant que vous n'ayez pas rencontré le chevalier, avait-il ajouté, devançant, il le savait, la question de Guy de Blanchefort qui s'inquiétait de son protégé.

Inutile d'en dire davantage. Djem avait compris. S'il ignorait comment Philippine avait réussi l'exploit de taire le duel et ses conséquences, de toute évidence, son histoire les couvrait.

— Non, avait-il affirmé, nous ne l'avons pas rencontré.

Ce 12 septembre de l'an de grâce 1484, enfermé dans sa chambre au château de Rochechinard tandis qu'on en préparait le déménagement, le cœur déchiré, Djem gardait le front collé à la vitre, en direction de la Bâtie. Demain, pour la dernière fois sans doute, grâce à l'insistance du baron Jacques ajoutée à sa promesse de ne rien tenter, il reverrait Philippine de Sassenage et lui offrirait le plus beau des diamants de sa collection.

Une pièce d'exception pour un jour d'exception.

Philippine se mariait.

33.

Philippine accrocha un sourire à ses traits tirés et se força à ne pas bouger d'un pouce pour que la couturière puisse ajuster, en toute hâte, un pli de sa robe de noces, devenue, en un peu plus de deux semaines, trop grande pour elle.

L'ouvrière pencha la tête d'un côté puis de l'autre pour juger du tombé, avant de piquer son aiguille dans une pelote de tissu attachée à sa taille.

— Vous pouvez baisser les bras, damoiselle Hélène, lui dit-elle avant d'ajouter : Tous mes vœux de bonheur. Ils sont sincères.

Philippine n'en douta pas.

Autant tous au château détestaient Philibert de Montoison, autant son nouveau promis faisait une belle unanimité.

— Merci, Coratine. Vous pouvez vous retirer à présent.

Jacques de Sassenage, qui attendait en silence, confortablement assis dans un faudesteuil, se leva sitôt la porte refermée.

— Tu es splendide, lui confirma-t-il.

La gorge nouée, Philippine se contenta de hocher la tête. Jacques de Sassenage passa derrière elle pour la prendre aux épaules. Comme le sien, son œil était triste et résigné.

— Si j'avais un autre choix…

Philippine posa sur la sienne sa main qui tremblait.

— Ça ira, père. Il ne faut pas vous inquiéter.

— Je m'arrangerai pour que tu puisses bénéficier de quelques minutes seule avec lui, après.

Une larme s'échappa de la paupière de Philippine. D'un geste volontaire, elle la faucha du dos de sa main avant qu'elle n'atteigne sa joue.

Les cloches se mirent à carillonner joyeusement.

Jacques de Sassenage recula pour lui présenter son coude.

— Il faut y aller, à présent.

Philippine accrocha ses doigts gantés à son bras. Dans l'encadrement de la porte qui venait de s'ouvrir, Algonde les attendait.

Depuis qu'ils s'étaient quittés devant la dépouille décapitée de Philibert de Montoison, Philippine n'avait pas revu Djem. Huit jours durant, elle avait attendu dans l'auberge, chez ses nouveaux amis qui, comme elle, se réjouissaient du temps qui passait et offrait à Djem toutes chances d'avoir atteint son but. Et puis son père avait reparu, seul avec ses hommes. L'espoir s'en était allé. Elle s'était effondrée. Il lui avait appris que Guy de Blanchefort avait suivi un itinéraire plus direct pour rentrer à Rochechinard. Son rêve brisé, elle avait quitté avec tristesse le relais du *Bois joli*. Aucun regard en arrière. Ni de sa part, ni de celle de son père sur la tombe de Philibert de Montoison. Ce rat n'en valait pas la peine.

C'est à la faveur de leurs haltes durant le trajet que, Philippine lui ayant avoué sa faute dans les bras de Djem, Jacques de Sassenage l'avait mise au fait de sa stratégie pour contrer Marthe, réfléchie avec Aymar de Grolée et son jeune frère François quelques mois plus tôt.

Certaine de porter l'enfant de Djem et d'avoir perdu celui-ci à jamais, Philippine avait accepté la solution proposée.

À la Bâtie, rassasiés sur l'ordre de Sidonie des victuailles préparées pour les noces et qu'il aurait été dommage de perdre, les invités s'étaient peu à peu éclipsés. Ne restait que la joyeuse bande de courtisans et de dames de compagnie qui vivaient à demeure sous le toit de leurs seigneuries.

Parmi eux, revenu du Piémont sans difficulté, se trouvait Aymar de Grolée.

Philippine l'avait salué comme les autres, puis, laissant à son père le soin d'expliquer que Philibert de Montoison n'était plus digne d'elle mais que, souhaitant toujours se marier, elle étudierait toute demande qu'on lui ferait, elle s'était retirée dans sa chambre pour pleurer dans les bras grands ouverts d'Algonde.

Marthe n'avait pas été longue à surgir. Sans mot dire, le visage inexpressif, elle l'avait agrippée par le poignet d'une main crochue. L'autre s'était promenée sur son ventre. La satisfaction avait un instant adouci ses traits.

— Montoison ? avait-elle demandé, sans même prendre la peine d'une introspection supplémentaire.

— Mort, avait avoué Philippine. Après m'avoir violée.

Marthe avait haussé les épaules. Philippine enceinte ne pouvait l'être que de Djem. Quant à ce sot, il n'avait qu'à mieux se garder. Le reste, elle s'en accommoderait.

Elle était repartie en toisant Algonde d'un regard carnassier.

Deux jours plus tard, les bans étaient publiés, mais cette fois, plus de feste. On l'avait déjà donnée.

Philippine pénétra le visage haut dans l'église du château. Celle-ci était pleine. De ses prétendants écartés par Jacques de Sassenage et qui se demandaient encore pourquoi; de ses dames de compagnie, excitées de ce revirement de situation; de ses frères et sœurs qui, à l'exception de Louis, pris à part par son père et mis au fait du comportement de Philibert, se réjouissaient. De Djem et Nassouh enfin, désarmés et encadrés sur les bancs, près du transept, par Guy de Blanchefort et ses hommes.

Djem qui fixait le chœur pour ne pas la regarder.

Douloureusement consciente de sa présence, Philippine avança le long de la nef jusqu'à cet homme qui avait bien voulu l'épouser en sachant qu'elle portait l'enfant d'un autre et qu'il ne la toucherait jamais. Cet homme qui lui souriait avec générosité et qu'elle connaissait depuis l'enfance.

Aymar de Grolée, baron de Bressieux.

Acceptant devant l'autel la main qu'il lui tendait, elle se tourna vers le prêtre et attendit d'être mariée.

Sitôt les vœux prononcés et les anneaux échangés, Aymar de Grolée l'embrassa sur le front puis glissa à son oreille.

— Ayez confiance en moi.

Elle noua ses doigts aux siens. Les serra. Pour tenir. Ils se tournèrent vers la foule, levée pour les acclamer.

Elle croisa le regard de Djem, émacié d'une douleur sans nom. Il savait. Il savait la raison de ce mariage. Il savait l'enfant qu'elle portait. Jacques le lui avait révélé à la faveur d'une visite. Il savait que c'était le mieux à faire. Pour elle. Pour eux. Jusqu'à ce que Jacques de Sassenage trouve le moyen et les appuis du roi de France pour que l'on accepte sa conversion. Libéré.

Ils savaient. Tous deux. Et en crevaient.

La pâleur de Philippine, au regard des derniers événements dont nul ne sut véritablement la raison, passa pour normale. Le bras d'Aymar de Grolée subrepticement glissé autour de ses épaules pour l'empêcher de s'effondrer, aussi.

326

C'est ainsi que Philippine de Sassenage quitta l'église sous les bravos et que Djem, puisant loin en ses ressources, se tourna vers le grand prieur d'Auvergne pour lui glisser en aparté :

— Il faut que le sire de Montoison se sente bien coupable pour n'avoir pas trouvé le courage de s'opposer à cet hymen.

— Et vous, prince ? lui demanda Guy de Blanchefort, affranchi par sa fuite des sentiments de son prisonnier.

— Moi ?

Djem eut la force d'un sourire.

— Je suis heureux qu'il ne l'ait pas fait.

*

Le harem Homayoun se révélait d'une grande beauté avec ses bains de vapeur, ses salles de massages, ses fontaines et ses bassins sertis dans de petits jardins clos aux mille senteurs. La vie y était douce, sereine, les pensionnaires ne vivant que dans l'attente de l'ouverture de cette porte par laquelle Mounia était arrivée.

Curieuses, les femmes de Bayezid s'étaient précipitées autour d'elle pour la voir de près, à l'exception d'une. Sa première épouse, Ihda, qui avait attendu que la Khanoum la présente. D'une beauté fulgurante, la Grecque avait dévisagé Mounia avec lenteur, avant de se détourner telle une reine bafouée.

— Elle s'y fera, comme j'ai dû me faire à la mère de Djem. Mais sache qu'elle te hait, comme j'ai pu la haïr, lui avait dit la Khanoum après avoir tapé dans ses mains pour disperser les autres.

Mounia s'était laissé conduire dans un autre patio, dont les murs blancs croulaient sous les jasmins. Une table était dressée, garnie de mets délicieux, à côté d'un cercle de métal suspendu par des chaînes.

— Les eunuques veillent à ce que l'on ne manque de rien, et moi, à ce que leur travail soit bien fait, mais si une envie quelconque te prenait, frappe ce gong.

— Quand reverrai-je Bayezid ? avait demandé Mounia que ce seul désir tenait.

La Khanoum était redevenue grave.

— Tu es la femme de son frère, l'as-tu oublié ?

— Cela n'a pas eu l'air de l'inquiéter jusque-là.

La Khanoum secoua la tête, navrée.

— Au regard de nos lois, l'enfant que tu portes reste celui de ton époux. Bayezid le sait. Il ne te touchera plus jusqu'à sa venue au monde.

Mounia s'était mise à trembler.

— Cela veut-il dire que je ne sortirai pas d'ici avant qu'il soit né ?

— Ainsi sont nos coutumes, Mounia. Il faut les accepter.

— J'ai d'autres ambitions que de rester cloîtrée, s'était-elle dressée avec colère.

La Khanoum avait alors récupéré un petit flacon de sous ses voiles. Prenant la main de Mounia, elle l'avait déposé dans sa paume.

— Voilà pourquoi il te laisse le choix. Garder ton enfant… ou tes privilèges.

Ce jourd'hui 12 septembre de l'an de grâce 1484, l'épaule appuyée au moucharabieh qui dominait les jardins, Mounia regardait le sultan déambuler avec son conseiller le long des allées bordées de rosiers en fleur. Par moments, comme s'il soupçonnait sa présence, Bayezid levait la tête vers elle. Elle comprenait mieux à présent sa réaction subite dans la bibliothèque. Follement épris, il avait fini par oublier qu'elle était, pour tous, officiellement, l'épouse de Djem. Un instant même, il avait accordé à l'enfant qu'il croyait être le sien un privilège interdit. Elle comprenait et savait ce qu'il espérait.

Elle ferma les yeux douloureusement. La nuit avait été longue dans le silence de cette communauté. Dans le silence de son cœur. Mais sa décision était prise, malgré le prix inhumain qu'elle devait payer.

Au bas des huit marches qui ramenaient à cette claire-voie, dans la salle immense où elles distrayaient leurs journées, les femmes riaient, s'aspergeaient d'eau, jouaient comme des enfants. Certaines l'étaient encore. Si jeunes. Vierges qui espéraient trouver un jour la couche royale et se moquaient pour cela d'une vie de captivité.

— Tu n'es pas comme les autres.

La voix était celle de la première épouse de Bayezid qui lui avait déjà donné un fils, Ahmed. Mounia se tourna vers elle.

— Qu'entends-tu par là ? demanda-t-elle pour nourrir une conversation dont elle n'avait aucune envie pourtant.

Ihda s'appuya contre le moucharabieh pour lui faire face. Un regard de biais vers les jardins. Un sourire triste.

— Il n'y a pas si longtemps encore, c'est moi qu'il espérait derrière ce mur. Je les ai toutes brisées. Toutes celles qui se sont imaginé pouvoir prendre ma place. Toutes. Avec ou sans le soutien de la Khanoum.

Mounia la fixa.

— Moi, tu ne me briseras pas.

— Je sais, et je ne m'y risquerai pas. Si j'osais la moindre chose contre toi, on me trancherait la tête dans l'heure.

Mounia sursauta.

— Non. Bien sûr que non. Tu es la mère de son fils aîné. Jamais Bayezid ne te condamnerait.

Ihda eut un petit rire désabusé.

— Tu ne le connais pas comme je le connais. Sa cruauté n'a aucune limite. Aucune, lorsqu'il se croit trahi.

— Djem est de même nature. J'en ai fait les frais.

— On le dit. Et je ne doute pas que ce soit vrai.

Elle s'arracha à son appui et s'écarta avec grâce.

— Nous allons devoir composer, toi et moi. Mais pas pour longtemps. Il t'offre la liberté, ce qu'il ne m'a jamais consenti. Fais-moi la grâce de ne pas t'en réjouir trop fort au moment de quitter ce lieu. Mes privilèges ne seront jamais les tiens, mais ils me sont précieux.

Mounia la laissa descendre deux marches.

— Tu te trompes sur moi, dit-elle.

Ihda pivota d'un quart, surprise.

— Je garde l'enfant.

Un voile de terreur passa sur le visage de la Grecque, vite balayé d'un sourire satisfait.

— C'est ton droit... Et je m'en réjouis, car il ne te le pardonnera pas.

*

À peine Jacques de Sassenage les eut-il laissés seuls dans son cabinet de travail que Philippine se jeta dans les bras de Djem. Il la serra contre lui, les yeux fermés, le nez dans ses cheveux parfumés.

— Mon amour, ma vie, mon âme, murmura-t-il en la couvrant de petits baisers jusqu'à trouver ses lèvres et se taire.

Souffle coupé, ils ne pouvaient pourtant se défaire l'un de l'autre, tant la soif les tenait. La soif et la désespérance. Quelques minutes. Guy de Blanchefort n'en avait pas concédé davantage. Et encore l'avait-il consenti en souvenir de l'amitié qu'il éprouvait pour Djem malgré sa déception et son amertume. Djem avait eu beau lui certifier ne rien savoir de la disparition de Philibert de Montoison, Guy de Blanchefort avait du mal à le croire. Montoison n'était pas homme à renoncer. S'il n'avait reparu, c'est qu'il était mort. « Surpris par les loups, nombreux en ces montagnes », avait suggéré leur dernier passeur. Guy de Blanchefort avait finalement choisi d'adhérer à cette option. Plus confortable. Tout en gardant le doute en son cœur déchiré.

Djem n'avait pas tenté d'infléchir le sort qui l'attendait à Bourganeuf, dans cette tour que les hospitaliers avaient fait rénover en secret pour l'accueillir. Une prison. Solidement gardée. Il ne voulait rien dire à Philippine. À quoi bon ? Ce moment devait se nourrir seulement de tout ce qu'il voulait emporter avec lui là-bas, entre ces quatre murs trop hauts pour qu'il puisse s'échapper. Tout ce dont il aurait besoin pour survivre. Sans elle.

— Ils ne savent pas. Pour Mont… voulut-elle lui dire. Il l'en empêcha.

— Chut… C'est sans importance. Plus rien n'a d'importance. Je t'aime. Je t'aime… Je t'aime. Je veux que tu t'en souviennes, chaque jour, chaque heure, chaque minute. Je veux que tu sentes ma présence à tes côtés. Dans le chant d'un oiseau, le souffle du vent, la chaleur de l'été. Je veux qu'en fermant les yeux, le soir dans ta couche, le parfum de nos étreintes vienne en ton souvenir et donne à tes rêves la couleur de mes baisers.

Elle pleurait, le visage emprisonné dans ses mains, les yeux dans les siens, d'un bleu d'océan à grande marée. Il continuait, buvant après chaque mot une goutte de cette pluie qui coulait.

— Je veux qu'il naisse. Cet enfant. Je veux qu'il grandisse pour te nourrir de moi.

— Je l'aimerai, Djem. Je l'aimerai autant que je t'aime.

— Tu l'aimeras, oui, tu l'aimeras et moi aussi. Moi aussi.

Il la reprit contre lui. La serra à l'étouffer.

— C'est un homme bon. Aymar de Grolée, dit-il encore.

— Jamais un autre que toi. Il le sait.

— Oui. Oui, répéta-t-il, fou de douleur.

Déjà on frappait à la porte.

Ils gémirent d'un même cœur torturé. S'embrasèrent encore. S'étreignirent.

Trois coups supplémentaires contre le battant.

Djem arracha une bourse qui dormait sur son cœur, la pressa sur le sien.

— Pour toi… Parce qu'il est éternel.

La porte s'entrouvrait derrière lui.

Il la repoussa.

— Adieu Hélène.

Jacques de Sassenage le prit affectueusement par les épaules. Ravagée, Philippine ne bougea pas tandis que Djem se laissait emmener.

*

Une semaine plus tard, résigné, Djem déménageait pour Bourganeuf et Philippine, accompagnée d'Algonde et Mathieu, pour Bressieux.

Une semaine plus tard, Bayezid rappelait sa première épouse en sa couche, signifiant ainsi à Mounia l'oubli dans lequel il avait décidé de l'enfermer.

Une semaine plus tard, agenouillé dans la cour d'un palais abandonné, la mémoire revenue et le cœur en cendres, Enguerrand de Sassenage caressait de ses larmes l'endroit où ses sauveteurs avaient enterré en toute hâte quatre corps. Deux hommes, deux dames, avaient-ils dessiné de leur index sur le sable.

S'il avait su que cette nuit-là, au moment d'emmener Mounia, Hugues de Luirieux avait poignardé une vieille femme attirée par le raffut alors qu'elle s'apprêtait à donner l'alerte, sans doute se serait-il mis en quête de celle qu'il aimait.

Au lieu de quoi, certain que sa soif de vengeance le mènerait tôt ou tard sur les traces de son rival, il se fit une promesse. Celle de trouver les Hautes Terres puisque telle aurait été leur dernière volonté.

34.

La lettre du marquis de Saluces arriva ce 16 octobre au château de la Bâtie.

Cher cousin, écrivait Louis II,

Vous n'êtes pas sans connaître les différends qui depuis la mort de mon père m'opposent au duc de Savoie. Considérant ma terre sous la vassalité du roi de France et non plus sous la sienne comme ce fut le cas par le passé, je persiste à refuser de lui rendre hommage. Notre souverain, ce bon Charles le huitième, m'a fait savoir son soutien. Il tarde pourtant, et d'autant plus que le duc de Savoie vient ces jours derniers de me déclarer la guerre. Je crains que le château de Revel, d'où je vous écris et que mon épouse refuse de quitter, ne soit le premier assiégé au printemps. Ainsi que d'autres, Aymar de Grolée m'a confirmé son aide, mais elle sera, hélas ! insuffisante pour tenir tête à la vindicte du duc.

En conséquence, mon cousin, sachant votre attachement, je viens quérir votre secours dans cette lutte légitime…

Jacques leva la tête de dessus le pli qu'il avait parcouru à voix haute, les sourcils froncés. Assise face à lui, près de la cheminée crépitante, Sidonie avait suspendu son travail d'aiguille. Derrière eux, Marthe avait poursuivi le sien.

— Qu'allez-vous faire ? demanda Sidonie.

— Le nécessaire. Une fois repoussées les attaques du duc de Savoie, l'armée que j'aurai levée pourrait venir soutenir l'host de France contre la Bretagne. Mon renfort sera le bienvenu. Dans les deux cas.

— Est-ce raisonnable ? À votre...

Sidonie ne termina pas sa phrase et baissa la tête sur un fard. Jacques soupira. Il avait parfaitement entendu l'allusion.

— L'âge n'a atteint que mon visage, ma mie. Ni mon cœur, ni ma vaillance et encore moins mon courage ne souffrent de sénilité.

Il se leva.

— Je vais de ce pas préparer mon départ pour le Piémont. Il est urgent, avant que l'hiver ne frappe à notre porte, de dresser avec le marquis un plan de défense à soumettre au roi. Y voyez-vous quelque chose à redire ?

Marthe, à laquelle il venait de s'adresser, consentit à lever son regard perçant sur lui.

— Rien. Courez donc au secours de votre cousin, mon cher. Et puisqu'il s'est lui-même proposé d'en être, ayez soin d'emmener le sire de Bressieux. Je serais navrée qu'il se mette, tout comme vous, en travers de mon chemin au moment des couches d'Hélène.

— Sa parole de ne rien empêcher ne vous suffit-elle point ? Elle vaut pourtant bien davantage que la vôtre, persifla Jacques de Sassenage, l'œil noir.

Marthe haussa les épaules.

— Qu'y puis-je, si votre Jeanne a trouvé moyen de se trancher les veines plutôt que d'attendre sagement que je la libère ? Elle est morte. Comme Sidonie, vous devriez au contraire vous en féliciter.

Jacques tourna les talons. Seul le sanglot étouffé de Sidonie, qui avait repiqué son aiguille d'une main tremblante, lui fit mal. Il aurait voulu pouvoir lui dire, mais c'était prendre trop de risques. Aussi avait-il fait semblant d'accepter le mensonge du suicide de Jeanne quand Marthe le lui avait servi, après les noces de Philippine. Sidonie ne s'en remettait pas. Nul doute qu'elle craignait pour lui, pour elle, pour leur jeune fils Claude tout autant que pour Philippine la même sentence de mort, une fois que la Harpie aurait obtenu ce qu'elle voulait.

*

Au château de Bressieux, d'élégante facture avec ses tourelles circulaires, Philippine trompait les jours à défaut de son chagrin en écrivant à Djem de longues lettres qu'elle n'envoyait pas, de crainte qu'elles ne soient interceptées.

Sur la suggestion d'Algonde qui tentait par tous les moyens de la distraire, elle avait finalement accepté de recevoir Marie de Dreux, que Laurent de Beaumont tardait à épouser.

C'était ce jourd'hui qu'elle devait arriver.

Algonde s'en réjouissait.

Refusant toute autre compagnie que la sienne, Philippine gardait le désespoir chevillé au corps. Elle refusait de sortir, de se promener, mangeait du bout des doigts et, malgré tous les efforts d'Aymar de Grolée, s'abstenait de converser. C'était un miracle qu'Algonde ait finalement réussi à la décider, et plus encore, en cet après-midi du 17 octobre, à se toiletter pour accueillir dignement la visiteuse.

La retrouvant un peu sous ces atours princiers, Algonde avait sorti un damier et l'avait posé d'autorité sur une table basse. Elles en étaient à leur quatrième partie et, prise par le jeu, Philippine avait commencé à s'éclairer, lorsque la porte s'ouvrit sur un valet.

— La personne que vous attendiez est arrivée.

Le visage de Philippine se rembrunit.

— Introduisez-la dans une dizaine de minutes, décida Algonde à sa place, avant de tempêter en repoussant le jeu d'une main agacée.

— Il suffit, Hélène. J'en ai assez.

Philippine sursauta. Jusque-là, Algonde avait fait preuve d'une réelle compassion.

— Oui j'en ai assez ! répéta Algonde en se levant brusquement.

— Qu'y puis-je si je suis malheureuse ? se plaignit Philippine en baissant les yeux sur ses mains recroquevillées sur ses genoux.

— Tout ! s'emporta Algonde en martelant le sol dans un va-et-vient rapide. As-tu oublié combien j'ai moi-même souffert d'être séparée de Mathieu ?

— C'était différent. Tu savais que tu le reverrais.

— Crois-tu donc que l'espoir suffise à guérir les plaies ? le manque ? Détrompe-toi. Il est plus pernicieux encore. Il te ronge comme un rat jusque dans les recoins les plus étroits de tes entrailles. Il entretient la ferveur sans lui donner les moyens d'exister. Pour autant, je n'ai pas cessé de vivre !

— Inutile de te mettre en colère, maugréa Philippine.

— Si, je m'y mets. Parce que ce lieu est devenu sinistre, parce que ta mauvaise humeur y pèse plus qu'un glas, parce que ces gens, tout disposés à te plaire, se voient disputer sans raison, et parce que Aymar de Grolée, par le simple fait de son sacrifice, mérite mieux que la face de carême que tu lui fais !... Moi aussi, d'ailleurs ! ajouta-t-elle avec humeur en croisant ses bras sur sa poitrine.

Philippine éclata en sanglots.

— De ces larmes aussi, j'en ai assez, ajouta Algonde sans pitié. De vous deux, le plus à plaindre c'est Djem. Tu ne lui rends pas hommage, tu t'enterres dans son souvenir comme un défunt qu'on n'en finit pas de veiller. Il n'est pas mort, que diable ! Captif ? Il l'était déjà. Oublié de tous? Bien moins qu'avant puisque ton père et Louis entretiennent avec le roi une correspondance à son sujet. Je suis certaine qu'il se nourrit de ton amour comme d'un ciel d'été. Et toi, que fais-tu? Tu te meurs. Et pourquoi, grands dieux? Pourquoi sinon parce que tu te sens coupable d'être libre quand lui est prisonnier!

Les pleurs de Philippine s'arrêtèrent aussitôt. Elle leva vers Algonde un visage hébété.

— C'est ce que tu crois?

— Oui, c'est ce que je crois, répéta Algonde, la bouche pincée. Tu te complais dans le malheur, Hélène, et je refuse de continuer plus longtemps à te plaindre.

Le silence se fit. Elles s'affrontèrent du regard un moment. Philippine le rompit la première, extirpa un carré de tissu de sa manche et se moucha.

La porte s'ouvrit à cet instant sur la demoiselle de Dreux. Abandonnant sans remords Philippine qui, détournée, se frottait les yeux, Algonde s'avança vers elle, la main tendue, son sourire et sa bonne humeur recouvrés.

— Soyez la bienvenue au château de Bressieux, Marie, je suis Algonde, se présenta-t-elle.

— Je m'en doutais. Hélène m'a parlé de vous à Romans et je suis fort heureuse de vous rencontrer.

— Et moi de vous revoir, lança Philippine d'une voix nasillarde en se levant.

Si son visage rougi surprit Marie de Dreux, celle-ci eut l'élégance de n'en rien laisser paraître. Déjà, Philippine s'excusait.

— Je vous embrasserais volontiers, mais un méchant rhume me tient et je ne voudrais pas vous le donner.

Les yeux de Marie se mirent à briller tandis qu'un joli rire détendait ses traits.

— Oh! c'est sans importance, vous savez. J'ai eu si peur que vous ne me pardonniez jamais!

Et, sans plus attendre, elle étreignit Philippine avec toute la chaleur de l'affection qu'elle lui portait. Algonde se réjouit de voir Philippine la biser à pleines joues en retour.

Son deuil était terminé.

*

Hugues de Luirieux s'aperçut de la disparition du flacon pyramide au large de Naples, alors que le navire marchand sur lequel il s'était embarqué faisait voile vers Aigues-Mortes. Jusque-là, l'esprit encombré du souvenir cuisant de Mounia, il s'était replié sur lui-même au point d'inquiéter ses hommes. Il était trop tard pour revenir en arrière. Il avait dû accorder une nouvelle fois à Mounia plus d'intelligence et de rouerie qu'elle n'en laissait paraître.

Sortant de sa torpeur, il avait éclaté de rire, se moquant de lui-même et de sa sensiblerie exagérée avant de retrouver ses hommes et de partager avec eux, comme autrefois, une partie de dés. Jamais une donzelle ne l'avait mené par le bout du nez. Il avait eu raison de s'en débarrasser.

Il doutait davantage de la décision qu'il avait prise de regagner Rochechinard pour rendre compte de sa mission à Philibert de Montoison. Ne ramenant ni Enguerrand ni Mounia, ni l'objet que Djem avait espéré récupérer, à quoi bon reparaître ?

Ali ben Cheikh, le pirate sarrasin qui les avait pris à son bord à l'aller, lui avait proposé de demeurer à ses côtés et de mettre son tempérament au service de la rapine. Malgré l'habit qu'ils portaient, Hugues de Luirieux et ses acolytes étaient de la race des opportunistes et des intrigants. Des voleurs et des assassins. Qui s'accorderaient mieux d'une vie d'aventure et de liberté que de servir l'ordre des Hospitaliers. Hugues de Luirieux en était convenu, mais il avait refusé l'offre. S'il ne donnait pas un héritier à sa terre avant de mourir, son nom se perdrait, or, il lui restait encore assez d'orgueil pour s'y refuser. À son retour, puisque le grand maître l'y avait autorisé, il quitterait les rangs et chercherait une dame à marier. Elle ne lui ferait sans doute pas oublier Mounia, mais qu'importe, ce n'était pas ce qu'il lui demanderait. Une fois que son fils aurait passé l'âge critique des nouveau-nés, ma foi, s'il s'ennuyait, il trouverait toujours moyen de guerroyer.

Ce jourd'hui, il regrettait presque de ne pas avoir cédé. Dans ce château de Bourganeuf qu'il avait rallié, Guy de Blanchefort venait de lui donner une dernière mission avant qu'il ne se retire. Celle de faire la lumière sur la disparition de Philibert de Montoison, dût-il y passer des années.

*

Marie de Dreux était d'une compagnie charmante. Sa réserve naturelle, ajoutée sans doute au sentiment de culpabilité qu'elle gardait des actes de son père, la mettait à l'abri de cette exubérance propre aux anciennes amies de Philippine à la Bâtie. Algonde s'en réjouissait tandis que Marie racontait à Aymar de Grolée, venu les rejoindre près du feu, les circonstances de sa rencontre avec Laurent de Beaumont en l'abbaye de Saint-Just.

— Ma foi, ma chère Hélène, s'empourpra-t-elle, je vous dois tout, savez-vous ? Si ce duel n'avait eu lieu, jamais je n'aurais eu le bonheur de soigner le seigneur de Saint-Quentin.

Philippine se mit à rire.

— J'eusse préféré à ce propos qu'il en soit autrement, croyez-moi.

La porte s'ouvrit à cet instant sur un laquais qui annonçait un visiteur pour Aymar de Grolée.

Ce dernier se leva pour s'incliner devant leur invitée.

— Si vous voulez m'excuser, damoiselle Marie. Soyez chez vous dans cette demeure aussi longtemps qu'il vous plaira.

— Je vous en remercie, messire. Je saurai m'en souvenir, lui sourit-elle.

Elle attendit qu'il fût sorti pour se tourner vers Philippine, l'air soudain embarrassée.

— À vous aussi Hélène. Votre pardon m'est précieux.

Philippine se pencha pour lui presser les mains avec chaleur.

— Oubliez cela, Marie. Qu'y pouvez-vous si votre père a trahi Djem ? Rien à la vérité. Et je veux croire que vous m'auriez avertie si vous l'aviez appris.

— Sur-le-champ, s'enflamma la damoiselle.

Elle se mit à trembler.

— Ce fut terrible, vous savez. J'aimais mon père. Avant la mort de mon frère, c'était un homme d'une grande délicatesse, toujours prompt à aider son prochain, faisant preuve malgré sa dureté en affaires d'une véritable générosité. C'est le chagrin qui l'a changé. Peu à peu, jour après jour. Tout comme ma mère. L'un et l'autre si unis se sont déchirés. Lors n'a plus compté pour lui que son métier. Les bénéfices toujours plus importants, la renommée.

Philippine et Algonde n'osaient pas l'interrompre, conscientes de la profonde détresse qui était son lot. Elle en portait les stigmates, d'ailleurs, le visage et le corps épaissis par trop de chère, à la façon de ces êtres qui se jettent sur la nourriture pour se réconforter.

Marie reprit son souffle.

— C'est grâce à l'affection que vous me portiez, Hélène, que le prince m'a autorisée à lui parler quelques heures avant qu'il ne soit roué en place publique. Père lui avait demandé pardon, non dans l'espoir d'être gracié mais parce qu'il regrettait sincèrement son geste. Le Génois avait menacé de nous occire tous s'il refusait de verser le poison. Il a choisi. Les siens ou son amitié pour le prince.

— Djem me l'a expliqué, intervint Philippine, nouée. Il l'a absous, je le sais.

— Pourquoi alors ne pas l'avoir libéré ? Le Génois ne suffisait-il pas à la justice ? demanda Algonde qui n'avait vécu cette affaire que par ce que Philippine lui en avait raconté.

Celle-ci secoua la tête, navrée.

— Et faire montre de faiblesse au regard de ses ennemis ? À cause de cette fortune promise par Bayezid à qui l'en débarrasserait, trop de gens guettent la moindre défaillance de sa part. Si Djem ne s'était montré impitoyable, les attaques se seraient multipliées.

Marie l'approuva.

— Le prince a fait ce qu'il devait. Mon père s'était résigné à mourir. Cette sentence soulageait sa conscience, il me l'a dit. Et le prince, loin de le torturer, lui a fait servir un breuvage mortel peu avant le châtiment.

Elle frissonna, rattrapée par l'image, avant de poursuivre, comme si d'en parler lui permettait d'exorciser enfin.

— Il était conscient lorsque le bourreau lui a lié les membres à la roue sur la grand-place, là où s'était déroulé le tournoi. Il me semble encore entendre le roulement des tambours et les injures de la foule, pressée de chaque côté des barrières qui la ceinturaient. Ma mère était à mes côtés. Près du prince et de Nassouh qui avaient autorisé notre présence. C'est là que Djem s'est penché à mon oreille pour me rassurer…

La voix de Marie se brisa. Elle s'obligea pourtant à poursuivre.

— … Père n'a pas souffert. Lorsque le bourreau a fait claquer son fouet, il était mort déjà.

Philippine, venue s'accroupir devant elle, la serra dans ses bras.

— C'est fini, Marie. Il n'y faut plus songer à présent.

Marie se dégagea. Malgré son courage, ses yeux étaient rouges des larmes qu'elle retenait dans un sursaut d'orgueil.

— Non, ce n'est pas fini, dit-elle. Laurent de Beaumont me laisse sans nouvelles. Je sais bien qu'en sa qualité de page du roi il s'inquiète pour sa réputation. Épouser la fille d'un meurtrier! Enceinte de surcroît!

Elle ricana amèrement devant l'air hébété que venaient de prendre ses compagnes.

— Hélas! Ne le voyez-vous pas?

Philippine resta interdite. Marie se rabattit contre le dossier du fauteuil, croisant ses mains sur son ventre pour révéler l'arrondi sous sa robe à la coupe ample.

— Je pourrais lui en vouloir si j'étais sûre que cet enfant était de lui. Mais à la vérité, mes amies, je n'en sais rien. C'est là tout mon tourment. Laurent s'en croit le père et je ne peux le détromper sans ajouter à ma disgrâce.

— Vous, Marie, vous l'auriez trahi alors que vous l'aimiez tant? Cela vous ressemble si peu que j'ai du mal à y croire, tempéra Philippine en se rasseyant, les genoux fatigués par leur posture.

— Trahi, non. Non. Jamais je ne l'aurais pu, vous avez raison. On m'a forcée.

— Le sire de Montoison! s'exclama Algonde qui, s'étant levée pour attiser les flammes dans l'âtre, venait de suspendre son geste et de pivoter.

Marie tourna vers elle un visage effrayé.

— Comment...

Haussant les épaules, Algonde se remit à l'ouvrage.

— Je ne vois que ce pourceau pour se venger d'un rival de cette manière, dit-elle en agaçant les braises pour en ranimer l'ardeur sur le bois humide.

Les traits de Philippine se durcirent.

— Est-ce lui, Marie?

Hochant la tête, Marie de Dreux éclata en sanglots.

— Si vous saviez... Si vous saviez comme je me suis sentie soulagée de savoir que vous ne l'épousiez plus. Si vous saviez comme je le hais!

Philippine lui tendit son mouchoir. Au lieu de l'utiliser, Marie le pétrit fébrilement.

— Dieu me pardonne, mais il ne se passe pas un jour sans que j'espère sa mort comme une délivrance.

Philippine et Algonde échangèrent un regard entendu qui échappa à la damoiselle.

— Mettez-vous en paix, mon amie. Personne ici ne songera à vous tourmenter et même, je me fais fort de rendre votre promis à ses responsabilités, lui déclara Philippine qui retrouvait là un sens à son existence : réparer les torts causés par ce sinistre individu.

— Mais si le sire de Montoison venait à lui dire la vérité ? s'épouvanta encore Marie de Dreux.

Le regard de Philippine pétilla

— Oubliez-le, vous dis-je. Votre vœu est exaucé.

Devant l'air incrédule de Marie, Algonde, qui avait reposé le tisonnier, se passa l'index à l'horizontale sous la gorge. Philippine pouffa. Marie trembla.

— Essaieriez-vous de me dire…

— Décapité. Par le sabre de Djem, mais c'est un secret, lui consentit Philippine.

Lorsque Jacques de Sassenage passa la porte avec Aymar de Grolée quelques minutes plus tard pour embrasser sa fille, il les trouva toutes trois qui partageaient, avec le goût de la vengeance, un heureux moment de complicité.

35.

Jeanne de Commiers sortait peu de sa chambre. Accoutumée à la réclusion, que ce soit au couvent de Saint-Just-de-Claix ou dans le repaire de Marthe, elle devenait migraineuse en présence de trop de bruit. La seule compagnie qu'elle acceptait davantage par plaisir que par devoir envers ses hôtes était celle de Jeanne de Montferrat, l'épouse de Louis II de Saluces. Comme elle d'un naturel effacé, celle-ci l'invitait chaque après-midi à deviser au coin du feu, à méditer sur un passage de la Bible, ou à piquer l'aiguille. Tandis qu'elles s'occupaient sereinement à tromper l'ennui d'un automne aussi pluvieux que venteux, dans la grande salle du château reconvertie pour les besoins en camp militaire, Louis II de Saluces recevait ses vassaux. Leur soutien s'avérait néanmoins si modeste en hommes et logistique qu'il gardait aux repas la mine sombre.

Là n'était pourtant pas la seule raison de sa contrariété.

Jeanne le sentait, bien qu'il ne se soit permis aucune remarque déplaisante, Louis II de Saluces jugeait pour le moins déplacé l'état dans lequel elle se trouvait. Elle n'en éprouvait quant à elle aucune honte, mais préférait rester cloîtrée pour ne pas l'indisposer.

— J'ai écrit à votre époux. Et tout pareillement à Aymar de Grolée. Je les attends. L'un et l'autre, lui avait annoncé avec un peu de raideur son hôte trois jours auparavant.

— Je m'en réjouis d'avance, mon cousin, s'était-elle exclamée avec sincérité en soutenant son regard.

Il l'avait baissé pour retourner à ses affaires et son épouse, Jeanne de Montferrat, qui avait trop de ferveur chrétienne pour juger quiconque, l'avait excusé.

— Ne lui en veuillez pas, ma chère. Il est comme tous les hommes, pointilleux sur l'honneur et bardé de principes. Il s'inquiète davantage de sa réputation que de la vôtre, en vérité.

— Elle n'en souffrira point, je vous l'assure, avait répondu Jeanne en caressant son ventre bombé.

Enceinte d'Aymar de Grolée, elle savait bien ce qu'elle devrait répondre à son époux lorsqu'elle le verrait et tout autant à son amant qu'elle n'avait pas informé.

Ce 2 novembre 1484, Jacques de Sassenage et le sire de Bressieux parvinrent au château de Revel, escortés d'une vingtaine de soldats. Éreintés par le mauvais temps qui avait jalonné leur route, ils époussetèrent avec soin leurs manteaux de peau retournée avant de donner l'accolade à Louis de Saluces.

— Quelle joie de vous revoir ! Le feu vous attend, venez ! s'exclama-t-il en les entraînant l'un et l'autre par les épaules.

Sans façon, tandis que leurs hommes se précipitaient à l'office pour se faire servir un bouillon, ils vinrent réchauffer leurs mains engourdies de froid devant l'âtre de la vaste salle décorée de pièces d'armurerie et de blasons.

— Par ma barbe mon cousin, je te sais gré de ce tunnel foré sous le col de la Traversette. Une bourrasque de neige nous a pris alors que nous commencions son ascension.

Sans cette percée, nous ne passions pas le sommet, lui servit Jacques de Sassenage avec belle humeur.

Louis II de Saluces se mit à rire en lui claquant l'épaule d'une main moqueuse.

— Allons donc. La dernière fois que nous nous vîmes, voilà six années, tu avais franchi le col sous la tempête et sans t'en plaindre !

Une moue résignée s'accrocha à la barbe poisseuse de pluie givrante du baron

— Six ans. Déjà. J'étais plus endurant sans doute.

— Et moi aussi, le consola Aymar de Grolée. Ma foi, je suis tout autant fourbu. Et bien heureux d'être arrivé.

Le marquis de Saluces frappa dans ses mains aux veines exagérément apparentes. Un laquais apparut sur-le-champ.

— Porte-nous du vin chaud, ordonna le maître des lieux.

Ragaillardi déjà par les flammes hautes, Jacques sentit son cœur palpiter autant que ces troncs presque entiers qui se chevauchaient dans la cheminée monumentale.

— Comment va-t-il ? demanda-t-il à brûle-pourpoint.

Louis, préparé au pire depuis la réception du message annonçant leur venue à tous deux, se fendit d'un large sourire.

— Aussi bien que possible, rassure-toi.

Jacques en fut réconforté. Il tendit de nouveau ses paumes par-devant les flammes.

— Par mesure de sécurité, j'ignorais jusqu'à ces jours derniers que Jeanne avait trouvé refuge chez toi. Sache donc que ce n'est pas par souci d'elle que je viens à ta rescousse contre le duc, mais par affection.

Louis coula un regard vers Aymar de Grolée. Était-il le père de l'enfant qu'elle portait ? Aussi nerveux que Jacques, il s'était installé sur une des chaises qu'abritait la cheminée dans les renfoncements de ses jambes de pierre et fixait la danse lascive des langues de feu. Au fond, se dit soudain le marquis en les voyant tous deux si proches et si complices, il ne savait rien de la vérité et avait peut-être mal jugé.

— Peu importent les raisons qui ont exigé mon aide, Jacques. Elles ne me regardent pas. J'ai été heureux d'apprendre que Jeanne était en vie alors que nous l'avions crue défunte, et plus encore d'avoir pu vous aider.

— Je te raconterai tout, je te le promets. Dès lors que le danger sera écarté.

Le valet revenait déjà, chargé d'un plateau d'argent. Il le posa sur une table et servit le breuvage dans des hanaps joliment ouvragés, l'accompagnant de massepain. Une odeur forte de cannelle mêlée à d'autres épices s'envola jusqu'à eux.

Louis II de Saluces désigna d'un geste ample cette table ronde que des fauteuils cernaient.

— Prenez le temps de vous remettre et de vous changer. Jeanne a été prévenue de votre arrivée. Elle t'attend, Jacques. En sa chambre qu'elle a préféré garder pour que vos retrouvailles trouvent l'intimité qu'elle espérait.

Bien qu'il s'y soit préparé, le cœur d'Aymar de Grolée se serra à cette idée.

*

Algonde était heureuse. Elora grandissait et la comblait d'une joie permanente avec ses joues rondes et rosées, ses yeux vert d'eau qui pétillaient, son étonnante vivacité. À six mois déjà, elle dégageait tant d'harmonie autour d'elle que les cœurs s'en trouvaient apaisés. Même celui de Philippine que le manque de Djem continuait par moments de bouleverser. Mathieu, employé à la paneterie du château, profitait de ses moments de liberté pour jouer avec sa fille. Ces deux-là s'entendaient à merveille. Singeant quelque monstre qui voulait la prendre, Mathieu s'aplatissait sur le sol, rampait jusqu'à elle, déclenchant le rire d'Elora et l'attendrissement de ces dames, quand ce n'était pas, avant son départ pour le Piémont, la consternation d'Aymar de Grolée. L'éducation de ce dernier voulait que les hommes s'emploient à la guerre et les dames à pouponner. Malgré cette opinion tranchée, lui aussi avait dû reconnaître que cette petite personne qui babillait et riait à longueur de journée à leurs côtés apportait en sa demeure un souffle de gaieté.

Algonde était heureuse, oui.

Malgré l'épidémie de peste qui courait dans le Grenoblois, Sassenage avait été épargné. Les lettres de Gersende faisaient état d'un automne froid, mais d'une belle chaleur au sein de son foyer avec maître Janisse. Elle ne tarissait pas d'éloges à son sujet. Ils s'aimaient d'amour tendre, loin des foudres colériques des jeunes années, et cela leur convenait parfaitement.

Algonde l'admettait d'autant mieux qu'elle goûtait à la plénitude avec Mathieu depuis leur installation à Bressieux.

Loin de Marthe.

Empêcher celle-ci de les suivre n'avait pas été facile. Il avait fallu qu'Aymar de Grolée assure que ni lui ni Philippine ne s'opposeraient à elle, que Mathieu jure de la venir chercher dès que le travail commencerait, et qu'Algonde lui promette de lui remettre le nouveau-né. Sinon, avait-elle menacé, elle raserait la contrée. Algonde ignorait encore comment elle déjouerait ses projets ignobles tout en protégeant ceux qu'elle aimait. Elle ne voulait pas y penser, certaine que, le moment venu, tout s'orchestrerait pour donner un sens à la prophétie.

Lors, elle jouissait du moment présent. Du rire d'Elora, des caresses de Mathieu, des nouvelles de Djem qui étaient arrivées, rassurant Philippine. De la complicité grandissante de cette dernière et de Marie de Dreux. Complicité qui lui laissait sa place en l'allégeant ainsi qu'elle l'avait espéré.

Oui, Algonde était heureuse.

Heureuse de tout et de rien, comme on peut l'être quand on sait que cela ne durera qu'un temps.

— Vous rêvez, Algonde ?

Ramenée à la réalité par la voix douce de Marie de Dreux, Algonde s'arracha à la fenêtre à meneaux devant laquelle elle s'était plantée.

— La neige commence à tomber, dit-elle. C'est tôt, cette année.

— Mais à bénir. Le froid apportera une accalmie dans les villages touchés par la mort noire, lui rappela Marie en frottant la vitre embuée d'un mouvement circulaire pour y plaquer son nez.

Elle frissonna.

— C'était effrayant, lorsqu'elle s'est installée à Romans. Des quartiers entiers ont été décimés, les morts entassés dans des charrettes, jetés en fosse commune et recouverts de chaux, les maisons incendiées. On a cru un moment que l'ensemble de la ville brûlerait malgré les coupe-feu. Le ciel a flamboyé des nuits entières. Et puis un matin, il s'est mis à pleuvoir des cendres. C'était fini. Il y a eu une immense procession. C'est l'annonce du tournoi qui a ramené la joie dans la cité.

Tout en l'écoutant, Algonde s'était dirigée vers Elora qui, affamée, poussait de petits cris stridents dans son lit.

— J'imagine que cela a dû être terrible pour vos parents qui découvraient soudain le calvaire vécu par votre frère, dit-elle avec compassion en enlevant la petiote dans ses bras.

— Oui. D'autant qu'ils s'effrayaient de me perdre aussi. Je venais d'arriver lorsque la quarantaine a été votée.

Marie s'écarta à son tour de la croisée pour la regarder s'installer avec l'enfançonne dans un faudesteuil. Déjà, Elora fourrageait de ses mains impatientes dans le corsage de sa mère.

Les seins lourds encore, Algonde allaitait toujours sa fille. Elle avait bien essayé de la mettre en nourrice comme on le lui avait conseillé, mais Elora n'avait voulu d'autre lait que le sien. Algonde n'y trouvait rien à redire quant à elle, car elle y voyait un double avantage. Le premier du lien fort dont toutes deux se nourrissaient, le deuxième de sa stérilité. Ses menstrues n'étant toujours pas revenues, Algonde ne courait aucun risque d'être de nouveau enceinte à un moment où elle devrait dégager toute son énergie et son courage pour contrer Marthe.

Marie vint s'installer à côté d'elle, les yeux rivés sur la bouche d'Elora qui s'était jetée sur le téton turgescent de sa mère.

— Est-ce douloureux ? demanda-t-elle.

Émue, Algonde caressa les cheveux d'or de la petiote, écartant les boucles souples du front.

Elle releva la tête.

— Un peu depuis quelques jours. L'ébauche des premières dents je pense.

Marie grimaça.

— Je ne pourrai pas, dit-elle.

Algonde lui sourit.

— Mais si, vous verrez. C'est somme toute très naturel...

Marie se troubla.

— Non, vous ne comprenez pas. Je ne pourrai pas aimer l'enfant que je porte, Algonde. Et pour tout vous avouer, je le hais.

Un instant, son visage l'exprima tant qu'il perdit toute grâce. Marie dut s'en rendre compte, car elle se détourna vers la fenêtre.

— Je suis comme ces cristaux dehors, nourrie d'un froid si grand qu'aucune lumière ne pénètre en moi, dit-elle avant de soupirer bruyamment et d'ajouter : Je vous ai menti l'autre jour. Par honte sans doute. C'est Philibert de Montoison le père, je le sais.

— Je comprends, assura Algonde.

Rassurée par l'empathie de sa voix, Marie revint vers elle :

— J'ai essayé de le faire partir, savez-vous ? Une potion que m'a donnée une sorcière. J'en ai été malade huit jours, me vidant par le bas, par le haut. À voir tout le sang que j'ai perdu, j'ai bien cru y être arrivée, mais non. Il bouge en moi et cela m'effraie. C'est terrible à dire et le Seigneur me punira sans doute, mais je ne le veux pas, Algonde, et ne sais comment faire pour m'en débarrasser.

Algonde hocha la tête, l'air grave soudain devant sa détermination.

— N'essayez rien surtout qui vous mette en péril. Pas d'aiguille. Vous me le promettez ?

Marie haussa les épaules, désabusée.

— Je suis trop lâche pour me mutiler. Je m'inquiète juste de mes réactions lorsqu'il sera né. Bien qu'il se croie le père, Laurent ne le légitimera pas, j'en suis persuadée.

Une image passa devant les yeux d'Algonde. Une image aussi rassurante que terrifiante. Elle frissonna. Darda sur Marie un visage durci par sa vision.

— Vous allez lui écrire que vous avez perdu cet enfant et que vous l'engagez à tenir sa promesse de vous épouser. Dès le printemps. Hélène contresignera votre lettre.

Surprise par le ton impersonnel de sa voix, plus encore que de sa face, livide, Marie sursauta.

— Vous déraisonnez, Algonde. Il verra bien que….

— Il ne verra rien. Vous accoucherez et abandonnerez cet enfant aux soins d'une nourrice, ici, à Bressieux. Il sera élevé avec Elora. Si de l'amour vous vient, vous saurez où le trouver. Sinon, il grandira sans apprendre votre lien de parenté.

Marie se mit à trembler, consciente que quelque chose de surnaturel traversait les traits figés de la damoiselle. Quelque chose qui pourtant ne perturbait pas Elora dans sa tétée.

Elle s'en défendit.

— Mais Hélène ? et son époux ? Que vont-ils penser ?

Regagnant brusquement ses couleurs, Algonde lui sourit avec bienveillance.

— Ils s'accorderont à mes vœux, soyez sans crainte.

Un long silence les enveloppa toutes trois, meublé du crépitement de l'âtre. Algonde le rompit de nouveau.

— Réfléchissez, Marie, qu'avez-vous à perdre ?

La damoiselle de Dreux se relâcha. L'espoir renaissait sur ses traits. Elora, repue, babillait en pétrissant le sein d'Algonde de sa petite main.

— Rien, vous avez raison. Mais vous, qu'aurez-vous à y gagner ?

Les yeux rivés sur le visage poupon de sa fille, Algonde répondit d'une voix troublée :

— Un jour, cet enfant que vous rejetez rachètera toutes les fautes de son père en sauvant ce que j'ai de plus cher au monde. C'est pour cette seule raison que vous le portez...

Elle fixa le visage devenu livide de Marie.

— ... C'est pour cette seule raison que vous l'avez gardé.

36.

Lorsque Jacques de Sassenage pénétra dans la chambre, les volets intérieurs étaient rabattus sur la blancheur neigeuse du jour. Seul un feu timide brûlait dans la cheminée. Refermant la porte, Jacques fronça les yeux pour s'habituer à la pénombre avant de distinguer la silhouette de Jeanne de Commiers, près de la croisée.

— Approchez, mon époux...

La voix était ferme, comme lorsqu'elle lui avait dit d'entrer. À l'inverse, sa nervosité à lui n'avait cessé de croître.

— Je suis navrée de vous recevoir de semblable manière... La migraine, s'excusa-t-elle.

Jeanne y avait toujours été sujette, du plus loin qu'il se souvenait. Son inquiétude retomba. Au fond, se dit-il, cette obscurité le servait. Elle masquait les outrages du temps sur son visage, et même ses sentiments, écornés de la présence de Sidonie à ses côtés.

Il devina une main qui se tendait vers lui et sans hésitation vint la prendre. Il la porta à ses lèvres avant d'y nicher sa joue, retrouvant en l'odeur de sa peau une fragrance rare, jamais égalée. Remplacée seulement. Oui, seulement remplacée, voulut-il se convaincre.

— J'ai eu si peur. Si peur, Jeanne, qu'on ne vous ait blessée, affirma-t-il.

Elle ne répondit pas. Sa gorge à elle était bien trop nouée de cet amour immense qui s'en était allé, de leurs destins écartelés.

Il l'attira à lui, fouilla son visage pour en reconnaître les traits. Pensa à Sidonie. S'en voulut.

— Embrasse-moi, supplia-t-elle en ramenant ses doigts écartés dans sa chevelure épaisse et bouclée. Embrasse-moi Jacques, comme hier. Comme avant.

Elle l'attira à elle.

Leurs souffles se mêlèrent.

Celui de Jacques cherchant à tromper ses émotions. Celui de Jeanne à les retrouver.

Pour s'avouer enfin le même constat désespéré. Ils n'étaient plus l'un pour l'autre ce qu'ils avaient été.

Ils s'étreignirent pourtant longuement, se nourrissant d'un rêve déchu. Puis, les bras de Jeanne retombèrent et Jacques s'écarta. Gêné.

— Pardonnez-moi, dit-elle d'une voix blanche… Tant de choses se sont passées… Je ne suis plus celle que vous avez connue. Plus celle que vous avez aimée.

C'était clair. Au lieu de s'en réjouir, le cœur de Jacques se serra pourtant. Il toussota dans son poing fermé. Affermit sa voix.

— Vous demeurez ma femme, Jeanne. Cela seul doit compter.

Elle sourit dans le noir. Elle avait compris, elle aussi. Mais à l'inverse de lui, soudain, elle se retrouva en paix. Elle s'approcha et revint se blottir contre lui, la joue contre sa chemise, les mains à plat contre son torse épais qui se soulevait de manière un peu trop rapide. Il referma ses bras sur elle pour la bercer doucement.

Ils se devaient d'apprivoiser la réalité comme une alliée. Pour ne rien gâcher.

La voix de Jeanne se fit compréhension. Caresse.

— Sidonie méritait l'amour que vous lui avez donné. Je ne vous en veux pas de m'avoir survécu. Au contraire.

Il embrassa sa chevelure parfumée, soulagé.

— Je vous aime toujours.

— Mais plus comme il devrait. Ne le niez pas. Je le sens. Je le sais.

— Je vous comblerai pourtant. J'effacerai de votre mémoire ces…

Se repoussant légèrement du plat de ses mains, elle releva la tête.

— Non, Jacques. Le passé ne peut être défait. L'avenir, en revanche, voilà ce que nous devons changer. Vous souvenez-vous de ce jour où tout a basculé ? où je suis partie pour Saint-Just-de-Claix ?

— Comment l'oublier ? répliqua-t-il douloureusement.

— La nuit précédente, j'avais eu une vision, si inconcevable alors, que malgré la menace de Marthe, j'ai voulu chercher l'aide de la révérende.

Il déglutit.

— Vous savez donc comment la déjouer…

Elle se libéra de son étreinte. Recula de quelques pas, rendue soudain fébrile.

— Je le sais, oui. Écartez ce volet, voulez-vous ? Il est temps que nous nous montrions l'un à l'autre, tels que nous sommes ce jourd'hui et non plus tels que nous avons été.

Jacques se rapprocha de la croisée. La voix de Jeanne le cueillit alors qu'il relevait le loquet.

— Avant de vous retourner et de me juger, sachez que je vous ai aimé. Je vous ai aimé follement et jusqu'à ces dernières semaines, bien au-delà de ce qu'il est concevable d'aimer.

Le cœur du baron palpita dans sa poitrine. Il plissa les yeux.

Le jour, blafard, inonda la pièce et, avec elle, la vérité.

*

Aymar de Grolée trompait sa fatigue en s'attardant dans le bain que leur hôte lui avait fait préparer. Comme la dernière fois, un étage séparait sa chambre de celle de Jeanne de Commiers dans la tour ronde. Comme la dernière fois avant de la quitter, et, depuis, il ne parvenait pas à la sortir de ses pensées. Certes, il avait épousé Philippine ainsi qu'il l'avait promis, mais sa ressemblance avec Jeanne, cette ressemblance qui l'avait séduit quelques mois plus tôt, le bouleversait désormais. Pour ajouter à cela, il se sentait coupable. S'il n'avait tenu qu'à lui, si l'honneur de Jeanne n'avait dû en souffrir, il aurait profité du voyage jusqu'à Revel pour avouer à Jacques sa trahison. Ils se seraient battus sans doute, comme il se doit pour laver un honneur bafoué. Puis, leur amitié aidant, leur objectif aidant, ils se seraient réconciliés. Aymar de Grolée aurait eu au moins la conscience en paix à défaut du cœur.

Au lieu de quoi il souffrait mille morts de les imaginer l'un et l'autre enlacés, tout en se disant qu'il était pour beaucoup dans ces retrouvailles et n'avait pas le droit de les gâcher.

Il finit par sortir de l'eau, glacée à présent, se sécha vigoureusement et s'habilla en se fustigeant de son laisser-aller. Il était plus que temps de rejoindre Louis II de Saluces qui devait s'impatienter.

Un pied levé, en équilibre instable, les deux mains agrippées au cuir récalcitrant, Aymar tentait d'enfiler une de ses bottes à son mollet encore humide lorsque la porte s'ouvrit. Surpris qu'on ne se soit pas annoncé, il pivota de la tête pour voir Jacques de Sassenage aussi calme que livide fondre sur lui.

Il n'eut pas le temps des questions. La réponse lui vint d'un crochet du gauche qui le renvoya le cul dans la largeur du baquet qu'il venait de quitter, éclaboussant le parquet alentour.

— J'aurais préféré que tu me laisses t'expliquer, commenta seulement Aymar, en frottant sa mâchoire tuméfiée.

— C'eût été un autre que toi, je l'aurais tué, lui jeta Jacques de Sassenage avant de lui tendre une main secourable.

Aymar s'en saisit d'autant plus volontiers qu'il était coincé. Il gigota des pieds et des bras avant de s'extraire dans une nouvelle gerbe d'eau. Il se remit debout, dégoulinant, l'équilibre toujours incertain.

— Tu aurais pu viser, fit-il dans une moue désolée devant le carnage autant de leurs vêtements à tous deux que de la pièce.

Le comique de la situation rendit à Jacques de Sassenage un peu de couleur. Aymar vacilla sur sa botte mal enfilée. Instinctivement, Jacques le retint par l'épaule. Obtenant sous ses doigts un gargouillis de toile détrempée, il sourit.

Leur belle amitié n'était pas entamée, comprit Aymar de Grolée avec soulagement. Gagnant une chaise proche, il s'y laissa tomber et enleva cette botte à son pied.

Elle chuta à terre dans un bruit mat.

Pendant que, redressé déjà, il se déshabillait pour se changer, Jacques lui tendit une serviette encore sèche.

— Quoi qu'elle t'ait raconté, je suis seul responsable, dit Aymar en l'empoignant.

Jacques balla des bras, repris par un voile de tristesse.

— Nous allons la ramener à Bressieux, annonça-t-il.

Aymar immobilisa ses doigts sur sa brayette et jeta sur lui des yeux ronds.

— Avec Marthe qui rôde autour d'Hélène, ce serait pure folie !

— Et tout autant de la laisser ici avec la guerre qui se prépare, lui objecta Jacques de Sassenage.

— À choisir…

Jacques balaya l'air d'un geste agacé.

— Elle ne nous le laisse pas, ce choix. Elle rentre avec nous. Avec toi…

Aymar baissa les yeux.

— Use d'autorité. Tu es son époux.

Jacques eut un sourire désolé.

— Le pouvoir a changé de main, mon ami, il faut l'accepter. Jeanne doit être sur place lorsque Hélène accouchera.

Aymar sursauta.

— Pourquoi, grand Dieu? N'a-t-elle pas assez risqué sa vie dans l'antre du diable qu'elle veuille l'affronter de nouveau?

Jacques se sentit las soudain du fardeau que portait Jeanne. De celui que porterait Aymar de Grolée bientôt. Un instant, il regretta de l'avoir frappé. Il l'avait fait sans humeur, sans colère, juste pour le geste. La punition, la vraie, viendrait plus tard, mais il ne la souhaitait pas. Ni l'un ni l'autre ne méritaient cela.

Il le fixa intensément, puis détourna les talons.

— La réponse ne m'appartient pas, mon ami. C'est elle qui te la donnera. Hâte-toi. Elle t'attend bien plus qu'elle ne m'attendait moi.

Ils quittèrent le château de Revel quatre jours plus tard, leurs affaires avec Saluces réglées. Jeanne avait étreint l'autre Jeanne sur son cœur, avait remercié le marquis pour son hospitalité. Plus d'animosité dans le regard de ce dernier. À voir l'entente des deux hommes inchangée, il avait accepté que certaines choses lui échappent. De plus, Jacques de Sassenage lui avait assuré qu'il reviendrait avec l'host royal pour faire entendre raison au duc de Savoie, sitôt l'hiver passé. Jusque-là, ils le savaient tous trois, rien ne bougerait.

Jeanne partit donc sur un mulet, couverte de la tête aux pieds par un épais manteau de peau de mouton retournée, entre ces deux hommes d'autant plus chers à son cœur qu'ils s'étaient alliés une fois de plus pour la protéger. La neige n'avait pas tenu, mais le brouillard avait givré de blanc branchages et brins d'herbe. Il enveloppait tout dans une ouate satinée.

Le froid, précoce cette année, desservait leur voyage, mais ils n'avaient d'autre choix que de le tenter.

Laissant la ville de Saluces à sa droite, Jacques de Sassenage qui menait le convoi leva les yeux en direction des montagnes. L'horizon bouché était de mauvais augure pour franchir les nombreux cols qui les attendaient. Considérant l'état de Jeanne et celui des sentiers, sans doute déjà avalés par la neige, il ne pouvait préjuger du temps qu'il leur faudrait pour atteindre leur but. Ils avaient pris leurs précautions en ce sens. Quatre mulets les suivaient, chargés de provisions pour une longue période, et il savait pouvoir compter sur les nombreuses cabanes de bergers pour les réchauffer à la nuit tombée et durant la journée même, si le temps s'aggravait.

Optimiste de nature et rassuré par l'étonnante résistance de Jeanne, il baissa le front sous une rafale et laissa son cheval trouver l'allure qui lui convenait.

À l'arrière, en tête de leur escorte d'une vingtaine d'hommes, Aymar de Grolée oscillait entre la joie et la tristesse. La joie de savoir que Jacques de Sassenage, loin de s'opposer à leur amour naissant, le bénissait, et la tristesse du devenir de cet enfant que Jeanne portait. Il avait convaincu son aimée de prendre quartier dans la maison forte qu'il possédait à Saint-Pierre-de-Bressieux. Un souterrain reliait les deux bâtisses, qui permettrait de se moquer des intempéries le moment venu. Jusque-là et bien que Jeanne brûlât d'envie de serrer Philippine dans ses bras, il valait mieux qu'elle s'abstienne de se montrer. Marthe ne devait rien soupçonner.

Jeanne avait accepté une fois encore sa réclusion et son martyre. Parce qu'elle était la seule à ne plus douter. Les choses se dérouleraient telles que sa vision l'avait annoncé.

Forte de la foi qui la portait, c'est en chantonnant qu'elle avança dans cet automne glacé.

37.

Depuis sept mois qu'elle partageait le quotidien des pensionnaires du harem Homayoun, Mounia avait eu le temps d'y réfléchir. Elle accoucherait trois mois avant le terme officiel. Aucune de ces femmes, mères pour la plupart, ne serait dupe. La Khanoum imaginerait que Djem était le père. Bayezid, à l'inverse, désignerait le sire de Luirieux. Quoi qu'il en soit, l'un comme l'autre se verraient trompés et Mounia ne donnait pas cher de sa vie et de celle du nouveau-né. Discrètement, elle avait examiné toutes les possibilités d'évasion, avant d'arriver à la conclusion que sa prison était trop bien gardée. À moins de s'élever par les airs, c'était impossible. Et quand bien même elle aurait eu quelque magie pour l'aider, les archers auraient eu raison de sa témérité. Lors, elle s'était attachée la Khanoum en lui racontant la légende des Hautes Terres. Autant dans l'espoir d'apprendre ce que tramait Bayezid, dont elle n'avait plus de nouvelles, que pour convaincre sa mère de l'importance qu'elle revêtait. La Khanoum la choyait, mais sans donner plus de corps à ce qu'elle espérait. Du coup, sous son apparente docilité et sa résignation, Mounia se rongeait les sangs. Bien que toutes se soient habituées à sa présence, l'Égyptienne sentait combien on la haïssait. Haine entretenue soigneusement par Ihda, la première épouse de Bayezid, qui craignait de reperdre sa position dès que l'enfant serait né. Où qu'elle aille, quoi qu'elle fasse, Mounia sentait des regards la suivre, des lèvres s'agiter, des rires étouffés la critiquer. Elle avait donc cessé d'agir, se recroquevillant peu à peu sur elle-même pour qu'on l'oublie, en se disant que peut-être il eût été plus sage d'avorter ainsi que le voulait Bayezid.

C'est à force de le penser que l'idée était née.

Ce 26 février de l'an de grâce 1485, en plein après-midi, soit une semaine après son inavouable terme, Mounia perdit les eaux dans une des vastes piscines du harem, au milieu de ses compagnes qui, l'évinçant de leurs jeux et de leurs discussions, ne s'aperçurent de rien.

Elle sortit de l'eau, s'enveloppa de ses voiles et s'en fut rejoindre la Khanoum qui, dans ses appartements privés, l'attendait pour le thé, comme chaque jour.

Cette fois pourtant, elle refusa de le boire.

— Qu'as-tu ? s'inquiéta la vieille femme.

— Je l'ignore. L'estomac me tourne depuis ce matin. Sans parler des vertiges. À dire vrai, je ne me sens pas très bien.

La Khanoum fronça les sourcils. Mounia était d'un naturel robuste. Pas une fois elle n'avait été malade depuis son arrivée. La mère du sultan n'aima pas la grimace qui se peignit sur ses traits tirés.

— Souffres-tu ?

Mounia porta la main à son ventre renflé, ravie du peu de poids qu'elle avait pris et qui, jusque-là, avait servi ses mensonges. Pour l'heure, plus de raison de tricher face à la contraction qui la tenaillait.

— Je crains que ce ne soit l'enfant, dit-elle d'une voix blanche.

La Khanoum bondit sur ses pieds et, la forçant à écarter les siens, contourna la table pour s'agenouiller devant elle.

Ses doigts remplacèrent ceux de Mounia à hauteur du pubis.

— Il se présente, dit-elle. Bougeait-il ces jours derniers ?

— Régulièrement. Quoique…

Elle marqua un temps d'arrêt, comme si un souvenir refluait. Rectifia.

— Pas depuis le déjeuner en vérité. J'ai vomi juste après.

La Khanoum tiqua.

— Tire la langue.

Mounia obtempéra, certaine de l'effet qu'y avait produit la potion abortive offerte en son temps par Bayezid et dont elle s'était gargarisée.

— As-tu trouvé un goût particulier à ce que tu as mangé ?

Mounia feignit l'angoisse.

— Qu'essaies-tu de me dire, ma mère ?

Le visage de la Khanoum se fit grave tandis qu'elle lui prenait les mains.

— Tu fais une fausse couche. Sans doute provoquée par quelque substance qu'on t'aura administrée.

Servie par la douleur d'une nouvelle contraction, Mounia devint blanche.

— Vais-je perdre mon bébé ?

— Il faut s'y attendre.

Des larmes perlèrent aux yeux de Mounia.

— Mais pourquoi ? Qui ? s'insurgea-t-elle avec tant de détresse dans la voix que la Khanoum ne douta pas un instant de sa sincérité.

Lui prenant la main, elle l'aida à se relever.

— Plus tard. Les réponses viendront plus tard. Pour l'heure, il faut t'allonger. Tu vas rester ici, sous ma protection, décida-t-elle en l'entraînant vers un rideau chatoyant. De l'autre côté, la couche était aussi basse que vaste, riche de tissus précieux aux couleurs éclatantes et irisées. Mounia s'y étendit avant, une nouvelle fois, de se recroqueviller sous la douleur.

La Khanoum ne perdit pas davantage de temps. Abandonnant l'Égyptienne, elle repassa dans la pièce voisine, souleva une tenture et, à l'aide d'une clef qu'elle décrocha d'une chaîne à son cou, ouvrit la petite porte basse qu'elle dissimulait. Un eunuque tenait faction derrière.

— Cours prévenir mon fils, dit-elle. Mounia a été empoisonnée.

*

Au château de Bressieux, au même moment, épouvantant Philippine, Marie de Dreux hurlait dans son lit, écartelée par la poussée. L'enfant arrivait. En avance quant à lui. Par malchance, les routes étant coupées par la tempête de neige qui faisait rage depuis trois jours, aucune ventrière n'était là pour l'aider. Une vieille servante assistait donc Algonde, qui pour l'heure était bien impuissante à soulager la malheureuse. Quelque chose d'anormal se passait et l'une comme l'autre avaient trop peu d'expérience pour intervenir.

— Je vais mourir. Je vais mourir, s'époumona Marie en roulant des yeux fous.

Elle ruisselait de sueur dans sa chemise de nuit relevée à mi-cuisses, les deux mains agrippées à la tête de lit.

Une nouvelle lancée la fit se tendre de la tête aux pieds. Elle devint cramoisie. Gueula à en faire trembler les murs.

— Il faut faire quelque chose, s'affola Philippine en se signant.

Voilà douze heures que Marie usait ses forces. Elle était au bout et l'enfant ne sortait pas.

Algonde plongea un linge dans la bassine qu'on lui avait rapportée des cuisines, puis, revenant se pencher au-dessus d'elle, le plaqua entre les jambes ouvertes. Se lâchant d'une main, Marie lui agrippa l'épaule dans un geste désespéré.

— Pitié, implora-t-elle.

Algonde déglutit. Ses pouvoirs, si grands soient-ils, lui étaient bien inutiles en cet instant. Pourtant cet enfant devait naître. Il devait naître. C'était une évidence. Pourquoi ne venait-il pas ? Elle se mit à trembler. Arracha cette main qui, se crispant sur sa chair, annonçait un nouveau combat, et détourna la tête vers la servante qui s'était approchée.

— Voulez-vous que j'aille quérir le prêtre ? lui demanda celle-ci à mi-voix.

— Non, répondit Algonde. Pas lui. Ramenez-moi Elora.

La vieille femme demeura interdite. Algonde la brusqua.

— Allez… Ne discutez pas.

Tandis qu'Algonde, penchée de nouveau sur Marie, haletante, essuyait son front perlé de sueur, la servante disparut à petits pas, traînant un rhumatisme au genou gauche.

Elle n'avait pas franchi la porte qu'un nouveau hurlement envahit la pièce. Il dura, marquant le silence de son effrayante torture. Puis retomba, laissant Marie à bout de forces, si blanche de teint et de lèvres qu'elle sembla passée.

— Qu'espères-tu en réclamant Elora ? demanda Philippine, effrayée à l'idée de souffrir pareillement dans quelques semaines.

Algonde lui sourit.

— Un miracle…

Recouvrant le souvenir de ceux auxquels elle avait déjà assisté, Philippine se rasséréna malgré le sang qui rougissait peu à peu les draps. Algonde l'avait vu elle aussi. Elle devait en avoir le cœur net.

— Détourne les yeux, conseilla-t-elle à Philippine qui ne se le fit pas dire deux fois.

Sans hésiter, Algonde plongea ses doigts dans les chairs tuméfiées. Toucha le renflement d'un os au fond de la cavité.

— Je le sens, Marie, dit-elle. Il faut pousser, pousser encore.

— Je ne peux pas. Je ne peux plus, gémit la malheureuse en acceptant la main de Philippine dans la sienne, en ultime réconfort.

Algonde se nettoya à la serviette mouillée. Déjà, la servante revenait avec Elora qui babillait dans la pièce voisine. Elle s'empressa de les rejoindre.

— Allez vous reposer un moment, lui ordonna-t-elle en lui prenant sa fille des bras.

La vieille femme ne discuta pas, certaine que la mère et l'enfant étaient perdus.

— Dulina alibelcié filsili palicoléna, chanta la voix d'Elora à l'oreille de sa mère à peine la servante fut-elle sortie.

La pression d'Algonde se relâcha. Elle avait fait le bon choix. Elle revint près de Marie, tendit sa fille à bout de bras et plongea dans ce regard qui, virant à l'émeraude, avait pris une étrange profondeur.

— Tu sais ce que j'attends de toi, n'est-ce pas ?

— Ouïmaona inémaïchoï, répondit Elora en tendant son index vers le pubis sanguinolent de Marie.

— Qu'est-ce qu'elle dit ? s'étrangla Philippine, surprise.

— Je l'ignore. Mais cette langue parle en moi. C'est celle des Anciens.

Confiante, Philippine serra la main de Marie.

— Encore un peu de courage, lui dit-elle tandis qu'Algonde lui déposait Elora sur le ventre.

Malgré la nouvelle contraction, Marie se contenta d'un râle. Si l'enfant ne venait pas cette fois, c'en serait terminé. Les regards anxieux de Philippine et d'Algonde se focalisèrent sur Elora.

La petiote appliqua ses deux mains sur le renflement et se remit à chanter. Une litanie de mots sans aucun sens pour Philippine, mais qui sembla apaiser la respiration saccadée de Marie bien plus que la caresse d'Algonde à son front. Peu à peu, une lumière bleue émana d'Elora pour les baigner toutes trois d'une chaleur douce.

Le visage de Marie recouvra ses couleurs.

Elle s'arqua sous une nouvelle contraction, mais plus rien sur son visage ne trahissait la souffrance. Quelques secondes encore et elle soupira d'aise au contraire, comme libérée d'un immense fardeau. L'enfançon glissa dans un flot de sang entre ses cuisses ouvertes.

Algonde s'empressa de le prendre. Il avait l'épaule démise d'avoir trop longtemps empêché l'expulsion. La nuque renversée en arrière, il cherchait un souffle qui ne venait pas. Il battit pourtant des bras, lentement, comme un oiselet prêt à l'envol.

— Ouïmaona inémaïchoï, implora Elora en le désignant.

— Oui, je sais, il doit vivre, comprit cette fois Algonde.

Elle se hâta de couper le cordon et posa le mourant devant sa fille, assise à présent en tailleur sur le ventre de Marie, endormie. Elora se pencha en avant pour caresser le petit visage violacé, puis, comme Algonde l'avait fait en la mettant au monde, expira dans sa bouche ouverte.

Émerveillée par les pouvoirs de cette enfant des fées qu'elle découvrait pour la seconde fois, Philippine étouffa un sanglot.

La lumière s'évanouit comme elle était venue. L'enfançon toussota.

— Ga... dit Elora le plus naturellement du monde en tendant les bras en direction de sa marraine.

La magie s'en était allée.

Rassurée, Algonde suspendit le nouveau-né par les pieds et le fessa vigoureusement.

Lorsque son fils s'époumona, Marie ouvrit les yeux. Ne s'étonna de rien. Pas même d'Elora qui babillait au cou de Philippine.

— C'est un garçon, lui annonça Algonde, joviale, en voulant le lui montrer.

Marie détourna aussitôt la tête.

Si ses yeux s'embuèrent de larmes, ses traits se durcirent. Quant à sa voix, bouleversant plus encore ses amies que ce qui avait précédé, elle se fit aussi tranchante que le fil d'une lame.

— Qu'il disparaisse. Je ne veux rien savoir de lui. Jamais, le condamna-t-elle sans appel et sans remords.

*

Entourée de quatre femmes qui s'appliquaient à soulager sa souffrance par de savants massages, Mounia regardait les heures tourner avec confiance. Accroupie au-dessus d'une bassine d'eau de rose, les deux mains agrippées de part et d'autre d'un portique qu'on avait installé en hâte, elle soufflait en cadence des contractions. Par intermittence, on lui faisait boire un breuvage d'épices. Pour noyer le poison, lui avait annoncé sa protectrice. Bayezid avait donné ses ordres. Mounia ne devait pas mourir. La Khanoum y veillait, assise dans un coin de la chambre éclairée de centaines de chandelles. De temps en temps, elle se levait, plaquait une main experte entre les cuisses de Mounia, jaugeait de la progression du travail, puis retournait à son siège recouvert de peau de lynx.

Cette fois, elle demeura accroupie devant elle.

— Il faut te préparer au deuil. Ce ne sera plus long, dit-elle.

Mounia secoua la tête, et avec elle la longue tresse de ses cheveux noirs.

— Il vivra.

La Khanoum caressa l'ovale du visage, s'attarda sur ce regard buté, impressionnée par la force qui en émanait et qui avait dompté jusque-là la douleur de l'enfantement.

— S'il n'était déjà mort tu ne le perdrais pas. Accepte-le. Dès maintenant.

— Non, répéta Mounia. Mon fils vivra, mais j'ai besoin de toi.

La Khanoum soupira.

— Je ne peux rien contre cela.

Elle s'apprêtait à se redresser, lorsque Mounia, lâchant la barre du portique, lui empoigna le bras. Sa détermination se fit murmure.

— J'ai caché quelque chose sous ma couche. Un flacon bleu en forme de pyramide. Raporte-le-moi.

Elle desserra ses doigts. La Khanoum frotta sa peau meurtrie, surprise par sa poigne.

— Rapporte-le-moi. Je n'ai confiance qu'en toi, insista Mounia avant de haleter de nouveau.

La Khanoum hocha la tête, interdite, et s'éclipsa dans un mouvement de voile.

Mounia étouffa un cri entre ses dents serrées. Pas encore, décida-t-elle. Tu ne dois pas sortir encore.

Et pour le garder jusqu'au retour de la Khanoum, elle se focalisa sur le visage d'Enguerrand, plus que jamais vivant en elle.

*

Il en avait rêvé cette nuit au point de se dresser brutalement sur sa couche en murmurant son nom. Mounia. Le plus jeune des frères de Malika, qui partageait son matelas, lui avait manifesté son mécontentement d'une tape brutale sur l'épaule avant de grogner.

— Cauchemar ! Rendors-toi.

Mais Enguerrand de Sassenage s'était levé et avait gagné le rideau rabattu devant l'entrée de la vieille bâtisse à demi ensevelie sous le sable. Malgré la fraîcheur de la nuit, il avait déambulé dans cette ville d'Héliopolis qui avait cessé depuis longtemps d'en être une. La lune était ronde. Des étoiles pleuvaient au-dessus de sa tête. Sans rencontrer âme qui vive, il avait longé l'ancien rempart qui partageait autrefois la cité en deux parties inégales. Celle des dieux d'un côté, des hommes de l'autre. Et comme chaque fois qu'il avait le cœur lourd et les idées noires, il s'était retrouvé près de l'obélisque. Pour prier sur la tombe invisible de Mounia et de ses parents. Épuisé d'une douleur que le temps n'apaisait pas, il avait fini par s'endormir à même le sol de la cour du palais.

Au matin, le ventre creux, il était revenu chez ces gens qui continuaient à l'héberger sans lui poser la moindre question. Depuis qu'il avait appris leur langue, il partageait leur quotidien, s'activait à leur survivance à tous en s'employant dans les rues du Caire ou en mendiant. Rien ne le distinguait plus d'un Sarrasin. Ni d'un miséreux. Coiffé et habillé à leur manière, la peau tannée par le soleil, ses yeux noirs eux-mêmes, tout dans son apparence contribuait à le mêler à ce pays qu'il ne trouvait pas le courage de quitter.

Il était retourné dans la citadelle, à la faveur d'une nuit, avait forcé discrètement la porte condamnée de la maison d'Aziz. Il avait espéré y récupérer la manne que leur avait offerte la vente des épices en Sardaigne, mais tout ce qui avait quelque valeur avait été confisqué par Keït bey, à l'exception de la carte d'Aziz dont ils n'avaient pas trouvé la cachette derrière le marbre d'une colonne de l'entrée. Enguerrand s'en était emparé. Personne ne l'avait vu. Au Caire, on racontait qu'Aziz ben Salek était un original et qu'il avait quitté la région avec son épouse, au grand mécontentement du sultan. Keït bey l'avait fait rechercher pour le punir, en vain. Aziz avait su garder le secret d'Héliopolis. Nul ne viendrait troubler son repos.

Enguerrand aurait voulu réhabiliter sa mémoire, lui obtenir une sépulture décente, mais comment avouer les faits sans être soupçonné de meurtre ? Il y avait renoncé, cherchant l'oubli dans le temple du benben.

Des jours entiers, à la lumière des lampes perpétuelles, il étudiait les cartes d'Osiris, ainsi qu'Aziz avait proposé de le faire cette nuit tragique avant de bâiller et de juger qu'ils auraient tout le temps pour cela. S'il avait su… se disait souvent Enguerrand en serrant les mâchoires sur sa colère. Elle ne le quittait pas, avait succédé à l'abattement, entretenait le chagrin et l'injustice, parce qu'il ne comprenait pas. Mounia n'aurait pas dû mourir cette nuit-là. « Deux hommes, deux femmes », avait dit le père de Malika. Ils avaient enterré deux femmes. Enguerrand n'avait pas eu le courage d'en reparler. À quoi bon ? Ses nouveaux amis n'avaient aucune raison de lui mentir. Mais ce n'était pas juste. Pourquoi les Anciens ne l'avaient-ils pas protégée ? Et plus encore l'enfant qu'elle attendait ? Le porteur de destin ne s'était pas trompé en annonçant à Fatima qu'elle mourrait peu de temps après avoir rencontré son gendre. « Un chrétien », avait-il affirmé. Le père de celui qui protégerait le roi des Hautes Terres. C'était à n'y rien comprendre.

Parfois, il avait l'impression de devenir fou et se prenait la tête dans les mains avec l'envie de hurler.

Ce jourd'hui, plus encore.

Il avait rêvé d'elle dans un immense palais. Des colombes le survolaient et l'odeur des roses s'infiltrait par tous les interstices d'un immense moucharabieh. Il l'avait vue se tenir le ventre avant de s'accroupir. Il s'était éveillé sur la certitude qu'elle allait accoucher. Quoi qu'il fasse, il ne pouvait s'arracher à cette idée. Le paradis blanc dans lequel elle se trouvait voyait ce jourd'hui naître un enfant qu'il ne connaîtrait jamais.

*

La Khanoum le reçut entre ses mains. Elles étaient seules dans la pièce, comme l'Égyptienne le lui avait demandé en sentant venir sa délivrance.

Aussitôt Mounia lâcha les barres du portique pour le lui arracher et le nicher dans ses bras.

— La fiole, vite, débouche-la, exigea-t-elle avec tant d'autorité dans la voix que la Khanoum, qui eût dû s'en offusquer, obtempéra et la lui tendit sans un mot.

Mounia fit glisser une goutte de l'élixir des Anciens entre les lèvres du nouveau-né qu'elle soustrayait à la vue de sa protectrice dans le creux de son coude. Rosé de teint bien que chétif, il n'avait en rien l'allure d'un mourant. Tant qu'il ne criait pas, pourtant, elle pouvait le laisser croire, mais se devait d'agir vite. Très vite. Une autre goutte. Il devint cramoisi, agita les pieds et les mains, arrachant un cri de surprise à la Khanoum. Lorsqu'il hurla, Mounia sourit de la voir s'asseoir de saisissement.

L'Égyptienne enjamba le baquet d'eau de rose, saisit une paire de ciseaux dorés à l'or fin sur un petit tabouret et, s'étant débarrassée du flacon, coupa le cordon elle-même sous les yeux ébahis de la Khanoum qui ne se remettait pas.

Cinq livres à peine, évalua-t-elle le poids de son fils. Il pourrait passer pour prématuré. Leur cause à tous deux était gagnée. Et avec elle, celle de l'incroyable élixir des Hautes Terres. Restait pour Mounia à reprendre sa place auprès de Bayezid.

D'un pas sûr, elle vint s'agenouiller devant la Khanoum et lui présenta le nouveau-né, les yeux brillants de joie.

— Le sultan a un nouveau fils, ma mère. Qu'il lui donne le nom qu'il voudra. Tout ce que je demande en retour, c'est qu'il l'aime, autant que moi.

38.

Jeanne de Commiers et son équipage avaient mis trois semaines pour atteindre Lans-en-Vercors, quand deux avaient suffi quelques mois plus tôt.

Ainsi que Jacques l'avait craint, ils avaient essuyé une tempête de neige dans la montée de la Traversette. Seules la chance et l'expérience de leur guide les avaient sauvés. Ils n'étaient qu'à un quart d'heure de marche du tunnel, long de deux cent trente pieds, large de dix et haut de six, lorsqu'elle avait commencé. Ils s'étaient assis à même la roche et, l'après-midi s'étirant, n'avaient repris leur route qu'au petit jour, à pied, dans une poudreuse épaisse et gluante qui battait le jarret des mulets. Le temps s'était levé. Les yeux douloureux de l'intense luminosité qui avait succédé au brouillard, ils avaient dû continuer sur des sentiers escamotés par la neige. Étouffant de chaud soudain sous leurs pelisses fourrées.

Il leur avait fallu douze jours pour rallier la ville fortifiée de Briançon sur son promontoire escarpé.

Jusque-là, ils s'étaient blottis la nuit dans la froidure des bergeries, nourris de pain et de pommes, et désaltérés en longeant les cours d'eau.

Pas une fois Jeanne ne s'était plainte, forçant le respect de Jacques de Sassenage et l'admiration d'Aymar de Grolée.

Se calant à son rythme, les deux hommes s'étaient relayés pour la porter lorsque les bêtes ne le pouvaient pas et, quand elle exigeait de marcher à leurs côtés, l'avaient encadrée autant que possible pour couvrir ses faux pas. Bien qu'ils eussent de nombreuses choses à se dire, ils avaient peu discuté, se concentrant sur leur progression, refusant de s'épuiser dans ces montagnes où l'air était rare en plus d'être vif.

Les joues rouges, les yeux brillants de larmes douloureuses, si Jeanne s'était émerveillée des pics blanchis qui étincelaient tels des diamants sous le soleil, à aucun moment elle n'avait craint les ours ni les loups, invisibles, dont la neige trahissait la dangereuse présence. Elle savait que leur escorte veillait, et jouissait, malgré son ventre qui tiraillait, de la compagnie discrète de ces deux êtres, se reposant sur leur amour.

Par la suite, elle avait écouté Jacques lui raconter par lui-même sa vie et celle de leurs enfants au long de ces cruelles six dernières années. Jeanne alors avait pu prendre la pleine mesure de l'affection qu'il portait à Sidonie. Elle en avait été heureuse, certaine qu'une autre auprès de lui aurait bien moins servi sa mémoire et ses petits que sa cousine ne l'avait fait.

Bon an, mal an, ils avaient cheminé dans ce mois de novembre finissant, sous des températures adoucies au fil des jours.

Arrivé dans les gorges d'Engins, au moment de se séparer, Jacques de Sassenage, descendu de cheval, lui avait fait mettre pied à terre pour l'entraîner à l'écart du groupe.

— Nous ne nous reverrons pas avant que tout soit terminé, ma mie, car il vaut mieux, pour tromper Marthe, que j'ignore cette fois encore le lieu de votre retraite.

Jeanne avait hoché la tête, triste soudain de le quitter. Sa main dégantée s'était envolée pour caresser sa barbe, désordonnée par ces longs jours de voyage. Il avait embrassé cette paume aux plis marqués, asséchée par le froid.

— Quoi qu'il advienne, n'oubliez jamais que je vous aime, Jeanne. Assez pour vous vouloir heureuse, assez pour vous protéger. Infiniment pour ce que vous êtes ce jourd'hui de courage et d'abnégation.

Elle l'avait fait taire d'un baiser léger sur les lèvres.

— Je ne suis qu'une mère aux abois, prête à tout pour sauver sa portée. Rien d'autre. De cela seulement je veux que vous vous souveniez. Allez, à présent. Il est temps, mon mari.

Il l'avait serrée contre lui.

— Je vais pousser jusqu'à Sassenage. J'y resterai un jour ou deux. On ne sait jamais. Votre compagnie me fut si douce, qu'elle pourrait me trahir auprès de Marthe. Il vaut mieux que vous soyez en sécurité lorsque je la verrai.

— Prenez soin de vous, Jacques.

— Vous aussi.

Ils s'étaient quittés sur un long regard complice. Heureux l'un et l'autre de ce que leur amour si grand leur avait finalement légué.

Jacques et son escorte avaient enfilé les gorges, Aymar et elle les avaient quittées pour rejoindre le bois de Claret. De là, ils avaient passé l'Isère à Saint-Quentin. Cinq heures plus tard, Jeanne était en sécurité dans la maison forte de Saint-Pierre-de-Bressieux, composée d'un corps de logis rectangulaire à deux niveaux et d'une tour ronde. Une intendante et un valet l'entretenaient au milieu d'une forêt giboyeuse. Jeanne s'octroya la chambre ronde du dernier étage qui donnait sur la rivière par une belle fenêtre à meneaux.

Aymar était demeuré avec elle jusqu'au lendemain, goûtant une nouvelle fois au bonheur de presser contre lui son corps alourdi par la grossesse.

Depuis, et bien qu'il soit retourné à Bressieux, chaque nuit il prenait le passage secret qui reliait les deux bâtisses et venait la retrouver pour une étreinte sage, mais si chaleureuse à leurs cœurs qu'ils en étaient, l'un comme l'autre, comblés.

Ce 23 mars 1485, Jeanne avait dîné d'un civet de lapin. Elle s'était pourléché les babines pour le plus grand contentement de Berthe, avant de finir allègrement une part de tarte.

Installée dans son lit et adossée à trois oreillers comme chaque soir, elle lisait le *Roman de Renart* puisé dans la bibliothèque, à la faveur d'une chandelle, en attendant l'homme qu'elle aimait.

La première contraction fut si brève et si douce qu'elle leva à peine les yeux de son livre. La seconde, par contre, naquit au creux de son ventre comme le pas d'Aymar de Grolée résonnait dans l'escalier.

Lorsqu'il passa la porte, Jeanne était debout, en train d'enfiler ses vêtements.

— Le travail a commencé, lui dit-elle en guise de bienvenue avant même qu'il ait eu le temps de s'en étonner.

*

Mounia bâilla avec insistance. Le corps lourd ce soir, elle se sentait irrésistiblement attirée par le sommeil. Il était tôt pourtant, à en croire les muezzins qui s'égosillaient au sommet des minarets d'Istanbul.

Bayezid l'avait quittée la veille pour régler une affaire en Anatolie, la laissant sous la surveillance étroite de la Khanoum la journée et de deux eunuques la nuit. L'un tenait sa porte. L'autre, la terrasse, jusqu'à ce qu'elle soit endormie. Mounia ne s'en offusquait pas. Elle n'avait plus de raisons de fuir et voyait dans l'inquiétude de Bayezid une preuve de son attachement chaque jour grandissant.

Un regard de biais à son fils, qui lui prenait le sein, lui confirma qu'il s'était assoupi contre elle.

— Khalil. Mon tout-petit. Il est l'heure pour ta mère de se coucher aussi, bâilla-t-elle encore, en s'arrachant difficilement des coussins qui meublaient de couleurs vives ce coin de chambre.

Le nourrisson grogna. Comme elle, il aimait ce contact. Le berçant d'un balancement de coude, Mounia descendit le petit escalier pour gagner l'ouverture ronde de la terrasse.

La prière était terminée, ramenant le silence sur le palais de Topkapi.

Elle passa sous les voiles orangés qu'une brise fraîche soulevait et se retrouva dehors avec les étoiles pour toit et la vieille ville à ses pieds. La Corne d'Or miroitait sous la lune.

Moussa s'arracha du mur contre lequel il veillait et vint s'incliner devant elle, les bras en croix sur sa poitrine épaisse.

— Désires-tu quelque chose, maîtresse ?

Elle lui sourit aimablement.

— Rien qu'un peu d'air avant d'aller dormir. La nuit est douce, tu ne trouves pas ?

— Si. Tu as raison d'en profiter.

Il la salua de nouveau avant de se laisser avaler par l'ombre. Mounia inspira l'air épicé.

Elle se sentait libre.

Elle avait gagné.

Le lendemain même de ses couches, Bayezid était venu la rejoindre dans les appartements de sa mère, en utilisant la porte dérobée. Aucune de ses femmes ne l'avait su, la

Khanoum y avait veillé. Mounia, qui allaitait son fils, ne s'était pas levée pour l'accueillir, se contentant de le saluer d'un sourire enjoué. Il s'était approché, félin, avait dégagé d'un doigt précautionneux le tissu qui masquait le visage de l'enfant.

— Khalil, avait-il dit. C'est le nom qu'il portera.

— Il me convient, avait assuré Mounia.

Bayezid l'avait embrassée sur le front.

— Tu es une curieuse personne, Mounia. Très curieuse. Mais ça me plaît. Demain, et jusqu'à ce que j'aie découvert qui a tenté de t'empoisonner, tu prendras tes quartiers dans mes appartements.

— Et si vous ne trouviez jamais ?

Il avait éclaté de rire en la couvrant d'un œil tendre.

— Allah est seul juge.

Elle avait quitté le harem le front haut, sous le regard furieux de la première épouse de Bayezid, repoussée une nouvelle fois.

Pour autant, Mounia n'avait pas été dupe.

Bayezid l'avait laissée se remettre une semaine, pris par ses affaires. Chaque jour pourtant il visitait son fils, sans aborder le sujet qui le tourmentait. Il avait fini par y venir et Mounia lui avait raconté la fable qu'elle avait préparée au sujet du flacon pyramide. Il était dans sa famille depuis de longues générations. Djem avait appris son étonnant pouvoir de contrepoison. C'était une des raisons pour lesquelles il l'avait épousée. La raison aussi de son empressement à la retrouver dès lors qu'il s'était rendu compte qu'elle le lui avait repris. Elle n'avait pas menti en affirmant l'avoir volé à Hugues de Luirieux.

— Je connais d'autres secrets, mon sultan, avait-elle ajouté. Bien d'autres qui ont trait aux Hautes Terres. Sans moi, sans eux, tu ne les trouveras jamais, malgré ces cartes que nous avons regardées.

Ses yeux s'étaient rétrécis, mais Mounia n'avait pas cillé.

— Je veux les conquérir à tes côtés.

Il avait sursauté.

— Ce n'est pas la place d'une femme.

— Ce sera la mienne et celle de notre fils.

Bayezid était parti en claquant la porte, refoulant l'envie de la faire fouetter pour son insolence. Mais, Mounia le savait, c'était sa détermination qui lui plaisait.

Ils n'en avaient plus reparlé.

Khalil était trop petiot encore pour envisager d'autre solution que d'attendre. Mounia y était prête. Bayezid le serait aussi, tôt ou tard. Son comportement à son égard le prouvait. Ses conseillers, son grand vizir même avaient beau lui dire que la place d'une épouse était au harem, il leur rétorquait que Mounia n'étant pas la sienne, il n'avait aucune raison de se plier à cette coutume. Pour les obliger à se taire, chaque soir il changeait de femme. Mounia s'en amusait. Dès que ses relevailles seraient avérées, elle les supplanterait toutes. Oui, toutes. Pour son fils.

Reportant son regard tendre sur lui qui dormait dans ses bras, elle vacilla de fatigue.

— Quelque chose ne va pas, maîtresse ? s'inquiéta l'eunuque.

Mounia secoua la tête.

— Être mère est plus épuisant que je ne le pensais. Je vais me coucher. Bonne nuit, Moussa.

— Bonne nuit, maîtresse.

Elle n'eut que le temps de border son fils après l'avoir embrassé et de s'étendre, avant de sombrer dans un sommeil de plomb, sans imaginer une seconde qu'on avait versé un somnifère dans son thé inachevé.

Moussa attendit quelques minutes encore avant de s'approcher de la balustrade et de lancer trois sifflements courts. Quelqu'un lui répondit à l'étage inférieur. Il recula.

Un crochet balaya l'air, vint s'agripper entre les barreaux de pierre. Moussa regagna la chambre, vida le panier de fruits, le tapissa de linges. Un regard vers le lit. Mounia dormait profondément. Il prit délicatement Khalil dans ses grosses mains et le déposa dans son nouveau lit d'infortune sans lui arracher le moindre gémissement.

Agile, un homme sautait déjà sur le balcon. Moussa lui tendit le panier.

— Nous sommes bien d'accord, dit-il. Plus jamais.

L'homme, un Bohémien auquel le grand vizir avait accordé l'hospitalité, hocha la tête.

— Nous partons à l'aube et ne reviendrons pas. Sois sans crainte.

Le Bohémien coinça l'anse entre ses dents solides et redescendit avec autant de facilité qu'un des singes avec lesquels il travaillait. Moussa quitta les lieux sans remords sitôt après.

Il n'aimait pas cette femme à laquelle on l'avait attaché. D'autant moins qu'il en servait une autre depuis de longues années.

Ihda, qu'il venait de venger.

*

Le songe de Philippine était si doux qu'elle ne réagit pas à la caresse sur son front. Elle sourit pourtant dans son sommeil, certaine de percevoir la main de Djem suivant les contours de son visage. Chaque nuit, il venait près d'elle, lui susurrait des mots d'amour et d'espoir qui, au jour levé, la laissaient pantelante et tour à tour désespérée de son absence ou nourrie de confiance.

La veille, deux lettres étaient arrivées. Par l'une, Laurent de Beaumont annonçait à Marie de Dreux la date du 12 mai pour leurs épousailles. L'autre, venue de la Bâtie, était signée de Djem. Voulant tromper ses geôliers, le prince entretenait avec Jacques de Sassenage une correspondance régulière masquant les lettres qu'il écrivait à sa dulcinée. Comme les autres, la missive s'était voulue rassurante, mais plus encore.

Songez combien je pense à vous et à cet enfant qui va naître. Donnez-lui de l'amour, autant que j'en suis privé, soupirait Djem en conclusion. Ces mots-là avaient hanté Philippine depuis qu'elle s'était couchée. L'amour serait-il suffisant pour sauver leur fils des griffes maléfiques de Marthe et de Mélusine ?

« Oui », était venu lui chuchoter Djem à l'oreille. Du coup, éperdue de tendresse, elle goûtait cette caresse sans prendre conscience qu'elle était vraie.

Jeanne de Commiers, penchée au-dessus d'elle, se gorgeait de ce visage détendu que sa chandelle posée près du lit lui révélait enfin comme le miroir d'elle-même. Les larmes aux yeux d'un bonheur immense, alors même que son ventre se tordait, elle reculait le moment d'arracher sa fille au sommeil pour la plonger dans la noire réalité.

Il le fallait pourtant.

Elle posa un baiser sur sa joue.

— Hélène, ma toute-petite, murmura-t-elle.

Philippine grogna dans son rêve fissuré. Cette voix au souvenir d'enfance faisait s'éloigner le prince. Elle voulut se retourner sur le côté, mais quelque chose la retint avec fermeté. Elle ouvrit les yeux. Jeanne la lâcha aussitôt pour reculer dans l'ombre du rideau de lit, intimidée soudain de ces retrouvailles tant espérées.

— Qu'est-ce que c'est ? s'inquiéta Philippine en se dressant sur sa couche, fouillant les alentours du regard.

Jeanne se mit à trembler d'émotion. Avança d'un pas, un sourire timide aux lèvres. Incapable de parler.

Philippine fronça les paupières. Rêvait-elle encore ? Curieuse sensation en vérité que de se voir à quelques pas d'elle-même avec son gros ventre et ses cheveux noués.

Oscillant entre la crainte et la surprise, elle se laissa retomber en soupirant sur l'oreiller.

— Folle, dit-elle, je deviens folle.

— Non. Point encore, ma fille.

Philippine se dressa de nouveau, se frotta les paupières, regarda s'asseoir sur le lit, à la toucher, celle qu'elle avait crue si longtemps perdue et sentit naître en elle un élan si puissant qu'il la submergea tout entière.

— Je te retrouve, enfin! murmura Jeanne en lui prenant la main, aussi troublée qu'elle.

Philippine se jeta dans ses bras.

39.

Les aiguilles tournaient au cadran de l'horloge. Algonde pourtant ne les regardait plus avec appréhension depuis que Jeanne de Commiers, entre deux contractions, leur avait tout raconté.

Tandis que cette dernière arrachait Philippine de son lit, la jouvencelle se voyait réveillée de son côté par Aymar de Grolée. Dans un murmure, il lui avait demandé de vitement s'habiller et de le suivre jusqu'à son bureau. Obéissant à son instinct, Algonde était sortie sans bruit de la chambre, laissant Mathieu profondément endormi.

À cette heure, la quatrième du 24 mars 1485, couchées toutes deux dans des chambres mitoyennes, Philippine et sa mère souffraient pareillement dans la maison pourtant silencieuse.

Déclencher l'accouchement chez Philippine avait été inutile. À peine sa mère avait-elle terminé son récit dans le bureau que la dame de Bressieux avait poussé un petit cri de surprise en inondant ses linges. Le choc des retrouvailles, associé à ce plan de bataille, avait provoqué la rupture de la poche des eaux.

Ne restait plus qu'à attendre.

Algonde savait pouvoir compter sur Elora si besoin était. Pour l'heure, la petiote dormait, veillant à sa manière sur Mayeul, l'enfant de Marie, couché à côté d'elle. Durant la journée, une nourrice se chargeait de l'enfançon dans les communs, afin que sa vue n'indispose pas sa mère. Plus que jamais décidée à nier son existence puisqu'elle avait affirmé à Laurent l'avoir perdu en cours de grossesse, Marie, toute à son bonheur, ne s'occupait plus, depuis la veille, que de ses futures épousailles. Elle sommeillait paisiblement à l'étage au-dessus, tenue comme Mathieu au secret pour le cas où Marthe voudrait à un moment ou à un autre lire en eux.

Si elle n'avait craint de les éveiller tous deux, Philippine, adossée à deux volumineux coussins, se serait volontiers laissée aller à hurler.

— J'ai mal, grimaça-t-elle en contractant les mâchoires.

Algonde s'assit près d'elle sur le lit et lui bassina le front d'une serviette humide.

— Courage. Songe au sacrifice de ta mère et d'Aymar.

Philippine lui empoigna la main. Haletante, elle la serra à la broyer, gémit entre ses dents serrées.

— Ça soulage pas… Huuuummmm!

Algonde lui écarta des yeux une mèche humide de transpiration.

— Cela fait sept heures à présent. Les contractions sont de plus en plus rapprochées. Ce ne sera plus très long.

Philippine souffla longuement en décrispant ses doigts et ses traits. Elle la fixa avec des yeux de chien battu.

— Douze pour Marie… Je ne tiendrai pas si longtemps, Algonde. Va chercher Elora.

Algonde se mit à rire.

— Il naîtra avant l'aube, te dis-je. Sans magie et sans cri.

Philippine bouda.

— Aimes-tu donc tant me voir souffrir?

Algonde lui reprit la main, tapota le dessus.

— Tu sais bien que non. Mais j'ignore en vérité les effets que peuvent produire les pouvoirs d'Elora. Imagine que Marthe, à la recherche de ton fils, puisse capter la lumière bleue dont il se sera nourri pour venir au monde. Il ne serait plus en sécurité nulle part.

Philippine baissa la tête sur un soupir. Elle s'était résignée à perdre son fils temporairement pour le confier à la fée Présine, qui, seule, pouvait le sauver. Mais la seule idée que Marthe l'approche, le touche, le pervertisse, lui retournait le ventre. Son visage se tendit. Une nouvelle contraction venait. Algonde avait raison. Elle n'avait d'autre choix que se taire. D'autre choix qu'attendre.

Elle tiendrait.

De l'autre côté de la cloison, dans sa propre chambre, Aymar était au chevet de Jeanne, comme sa fille remontée contre des oreillers, les genoux écartés et relevés sous le drap.

Ni ventrière. Ni servante. Nul au château ne devait découvrir sa présence. C'était à ce prix-là que peut-être ils seraient tous épargnés.

Malgré cela, Jeanne était confiante.

Elle avait mis six enfants au monde avant celui-ci, et bien que ses quarante ans aient affadi ses traits, elle n'avait aucune inquiétude. Jusque-là tout se passait normalement. Moins de deux minutes s'écoulaient à présent entre deux contractions. Elle savait par expérience quand viendrait le moment de pousser.

C'était l'affaire d'un quart d'heure encore, pas davantage, et elle s'y préparait avec sérénité.

Aymar, à l'inverse, bien plus mal à l'aise dans ce rôle qu'en plein cœur d'une bataille, était bouleversé de ses traits creusés, des cernes noirs sous ses yeux, de ce masque que la douleur lui faisait prendre. Il se sentait imbécile et totalement inutile. Pour autant il ne voulait pas la quitter. Il n'aurait que peu de temps pour jouir de son enfant avant que Marthe l'emporte. Lors, il souffrait avec la femme qu'il aimait.

Par anticipation autant que par empathie.

— Voulez-vous un peu d'eau ? demanda-t-il comme elle reprenait son souffle.

— S'il vous plaît…

Il se leva pour aller remplir un gobelet au pichet posé sur une table. Il revenait sur ses pas lorsqu'il la vit changer de tête. Il s'immobilisa.

— Quelque chose ne va pas ?

Sans lui répondre elle précipita ses mains sur son bas-ventre, palpa, appuya.

Rongé d'angoisse, les yeux rivés sur son manège et oubliant qu'il l'apportait pour elle, Aymar vida le récipient d'un seul trait. Un voile de panique traversa le regard de Jeanne, achevant de l'effrayer. Dans sa précipitation à la rejoindre, le gobelet qu'il venait de lâcher tinta sur les carreaux de terre cuite.

— Allez-vous me dire…

Elle lui agrippa violemment le bras, froide soudain d'un sentiment d'urgence.

— Courez chercher Algonde. Le travail s'est arrêté.

Aymar n'eut qu'à ouvrir la porte pour constater que Philippine, écarlate, les deux mains agrippées à ses genoux, poussait déjà de son côté. L'écartelant d'un coup à la faveur d'une contraction plus violente, l'enfant se présentait. Algonde, en bout de lit, surveillait l'entrejambe, exhortant Philippine à l'effort d'une voix calme et posée.

Le moment était mal choisi.

Aymar jeta un regard en arrière.

Réagissant de son côté, Jeanne avait instinctivement adopté la même position que sa fille aînée, bien décidée à forcer la nature.

Indécis, il oscilla entre les deux pièces jusqu'à ce qu'Algonde lève la tête et l'aperçoive. Un seul regard suffit à la jouvencelle pour comprendre qu'on avait besoin d'elle de l'autre côté.

— Continue de pousser. Ne t'arrête pas, ordonna-t-elle à Philippine avant de s'élancer vers Aymar.

— Restez avec elle.

— Mais je…

— Restez avec elle! répéta-t-elle en le bousculant pour passer, refermant d'autorité la porte sur lui.

« Dieu! que les hommes sont empotés! » songea-t-elle en gagnant le lit de Jeanne, retombée en arrière pour reprendre souffle.

— Qu'arrive-t-il?

Jeanne était livide.

— Tout s'est arrêté. Je crois qu'il est mort-né, dit-elle simplement en dodelinant de la tête.

Un frisson glacial courut le long des reins d'Algonde.

— Vous permettez? demanda-t-elle en rejetant le drap en arrière.

Jeanne hocha la tête. Ne cilla pas lorsque la main d'Algonde passa en elle, pas davantage lorsqu'elle la retira.

— La tête n'est pas engagée, pourtant vous êtes très ouverte. Je ne comprends pas, annonça Algonde, se référant à son expérience avec Marie.

Jeanne tordit la bouche.

— S'il est vivant encore, il doit être trop gros pour passer.

Algonde sentit l'angoisse lui broyer le cœur.

— Est-ce à dire que…

— Nous allons mourir lui et moi si on ne le libère pas.

Se repoussant de ses pieds, Jeanne se redressa contre les oreillers. Déjà, elle reprenait le contrôle. Elle tendit la main à Algonde, la serra dès qu'elle s'en fut emparée et baissa la voix.

— Il faut m'aider, Algonde. Qu'il soit mort ou vif, cet enfant doit naître, vous le savez autant que moi.

— Je ne crois pas qu'Elora puisse intervenir, mais je vais aller la chercher.

— Non, la retint Jeanne. Nous n'avons plus le temps d'essayer. C'est maintenant qu'il faut agir. Maintenant, Algonde.

La jouvencelle hocha la tête.

À cet instant la porte s'ouvrit sur Aymar de Grolée, attirant leur attention à toutes deux.

— Il est né, dit-il d'une voix troublée. Je crois que vous devriez y aller, Algonde…

Un sanglot leur parvenait. Philippine pleurait.

— Je me charge d'Aymar. Expliquez ce qui se passe à ma fille et revenez. Vite, lui ordonna Jeanne.

La laissant se précipiter, elle sourit tristement au sire de Bressieux qui s'était approché.

— Mon ami, dit-elle, je vais vous demander la chose la plus difficile qui soit.

— Tout ce que vous voudrez, assura-t-il en lui pressant la main, aussi troublé de ce qu'il venait de voir que de son état, inchangé.

— Avez-vous encore à votre ceinture ce poignard qui, si joliment, a tracé nos initiales au bois de lit de la maison forte de Saint-Pierre ?

Il hocha la tête, inquiet.

— Activez le feu et mettez-le à rougir, je vous prie.

Il déglutit.

— Et ensuite ?

Des larmes perlèrent aux yeux de Jeanne.

— Ensuite …

Elle reprit son souffle.

— … ensuite vous me direz adieu, mon amour… et vous sortirez.

Tournée sur le côté, Philippine hoquetait dans son coude replié. Sans s'en inquiéter, Algonde s'en fut se pencher sur le grand panier garni de linges qu'elle avait préparé pour accueillir le nouveau-né. Bien qu'elle y fût préparée par le contenu même de la prophétie, elle eut un mouvement de recul. La voix de Philippine la cueillit depuis le lit, bouleversante d'effroi.

— Un monstre. J'ai donné naissance à un monstre !

Algonde courut la prendre dans ses bras.

— Un enfant roi. Voilà ce qu'il sera.

Philippine redoubla de larmes. Elle ne le croyait pas. Ne voyait que ce poupon si velu de la tête aux pieds que seuls ses yeux, d'un bleu de cyan, lui donnaient un semblant d'humanité.

— Que vais-je faire ? Oh ! mon Dieu ! Algonde, que vais-je faire ?

— Ce que nous avons dit. Regarde-moi, dit-elle en lui levant le menton de son index replié. Regarde-moi Hélène. Depuis des siècles cet enfant est attendu, espéré. Il n'est pas comme les autres et il faut l'aimer comme tel.

— On dirait le diable en personne, frémit Philippine, désespérée.

— Regarde-le avec ton cœur. Seulement ton cœur et tu le verras tel qu'il est.

Algonde essuya de petits baisers ses joues qui ruisselaient.

— Je dois retourner de l'autre côté, à présent.

— NON ! la supplia Philippine.

Algonde s'arracha à sa tenaille et, la prenant aux coudes, fouilla ce regard égaré.

— Ta mère va mourir si je n'interviens pas. Ce n'est pas ce que tu veux, n'est-ce pas ?

Philippine se liquéfia entre ses mains. Algonde la secoua, presque violemment, pour la forcer à réagir.

— Tu dois te reprendre. Seule. Et me faire confiance… Tu en es capable Hélène… Tu dois en être capable.

Philippine baissa les yeux. Sans plus attendre, Algonde s'écarta. Elle était presque à la porte lorsque la voix de Philippine, presque un murmure, lui parvint :

— Tu crois que Constantin… pour un futur roi ?

Algonde pivota de trois quarts pour lui sourire.

— C'est le plus joli nom qui soit, affirma-t-elle avant de relever le loquet.

Jeanne était seule dans la pièce.

— Le baron ?

— Il nous aurait gênées…

Algonde n'insista pas. Dans ce visage creusé, brûlant à présent de fièvre et d'une pâleur diaphane, se lisait une froide détermination qui forçait le respect.

— Il va vous falloir inciser mon ventre, de bas en haut. Trop profondément, vous pourfendrez l'enfant, trop superficiellement, vous ne pourrez le récupérer. Je ne veux pas savoir si vous vous en sentez capable, Algonde. Je veux juste que vous le fassiez, sans vous préoccuper de moi.

— C'est compris, assura la jouvencelle en affirmant sa volonté.

— Bien ! Rapportez de l'eau chaude dans une cruche, et des linges aussi. Ensuite vous prendrez le poignard dans les braises. Il doit être rouge à présent, dit encore Jeanne en rejetant les coussins à terre pour s'allonger entièrement.

Quelques minutes suffirent à Algonde pour que tout soit prêt. Elle se pencha au-dessus du ventre bombé et immobile. Sa main, armée, se mit malgré elle à trembler. Jeanne redressa la tête. Son regard dégageait une force sereine.

— Ne doutez pas, ma fille. Si vous avez longtemps cherché une raison à votre dévouement, c'est ici et maintenant que vous la trouverez. Allez.

Elle se laissa retomber sur le drap. Retenant son souffle, Algonde commença d'inciser.

Au même instant, le coq se mit à chanter.

*

Mathieu s'éveilla à son cocorico. L'heure des panetiers, ici ou ailleurs, était toujours la même. Sa main, câline, chercha l'arrondi d'une hanche mais retomba sur le vide. Il soupira. Algonde était déjà levée. Dommage, pensa-t-il avant de repousser les couvertures. Il l'aurait volontiers belinée ce matin avant d'aller travailler. Bâillant à s'en décrocher la mâchoire, il écarta les tentures puis, à la faveur du jour naissant, enfila ses braies et sa chemise.

Un baiser au front d'Elora qui suçait son pouce, un autre à Mayeul, auquel, malgré la bosse à son dos, Mathieu s'était déjà attaché, puis il sortit en lissant ses cheveux noirs et rebelles. La maison était silencieuse encore. Il descendit l'escalier avec entrain, fort du bonheur dont il jouissait depuis leur installation ici, et passa aux cuisines. Il avait faim. Il rafla une friandise dans une coupe, croqua dedans tout en mirant son reflet au cul d'une casserole de cuivre. Ensuite de quoi, comme chaque matin, il plongea ses mains dans un seau d'eau, se baigna le visage et les cheveux, frotta le tout à un pain de cendre, rinça puis s'essuya à une serviette.

— Voilà encore une eau de gâchée, grogna la vieille Malisinde, dont c'était le domaine.

Elle venait d'entrer. Mathieu haussa les épaules. Malisinde adorait le houspiller. C'était dans sa nature. Elle était née grognon. Il reposa la serviette, lui plaqua une bise sonore sur la joue.

Elle brandit son index, d'un air faussement courroucé.

— Garnement ! Je ne sais pas ce qui me retient…

Mathieu passa la porte en riant.

Il le savait bien, lui, qu'elle ne se levait aux aurores que pour ce baiser.

40.

Ne voyant pas paraître Mounia avec laquelle elle avait l'habitude de prendre collation, la Khanoum s'en vint frapper à sa porte. Elle n'obtint pas davantage de réponse.

— Est-elle sortie ce matin? demanda-t-elle aux gardes placés de chaque côté du chambranle.

Ils secouèrent la tête.

Inquiète, la Khanoum entra.

Un jour radieux traversait la transparence des voiles. La Khanoum glissa jusqu'au lit et secoua l'Égyptienne à l'épaule.

Mounia ouvrit un œil, plissa les paupières sous la clarté qui pénétrait la pièce blanche et s'enquit d'une voix pâteuse :

— Est-ce toi, mère? Que se passe-t-il?

— Je te le demande, ma fille. Il est tard.

Mounia avait le cerveau trop embrumé pour s'en effarer. Du temps que la Khanoum gagnait le berceau, elle s'étira.

— J'ai dormi comme....

Un petit cri de surprise cisailla sa fin de phrase. Alertée, Mounia se redressa sur ses poings pour juger de ce qui l'avait provoqué. La Khanoum était livide.

— Il n'est pas dans ses linges, dit-elle.

Poussée par une bouffée d'adrénaline, Mounia bondit. Khalil avait disparu. Or, s'il y avait bien une chose dont elle se souvenait, c'était de l'avoir couché la veille au soir. L'air lui manqua. Elle chancela et ne dut qu'à la main de la Khanoum de ne pas s'évanouir.

— Moussa, gémit-elle. Où est Moussa ? Il a sûrement vu quelque chose.

La Khanoum la soutint jusqu'à sa couche, le visage hanté d'angoisse.

— Reste là, lui ordonna-t-elle. Je m'occupe de tout.

Le vertige qui tenait les tempes de Mounia était si grand qu'il lui fut impossible de lutter. À peine assise, elle retomba lourdement en arrière, les bras en croix.

La Khanoum entrebâilla le battant.

— Ramenez Moussa et mon médecin personnel. Vite !

Les laissant se précipiter, elle fouilla la pièce d'un regard circulaire. Avisa une théière à côté d'un verre de couleur, posés sur une table très basse de fer forgé. Elle monta les quatre marches qui menaient aux coussins d'assise, renifla le breuvage qu'elle contenait encore. Jura entre ses dents serrées. C'était bien ce qu'elle pensait. Elle redescendait l'escalier qui tenait toute la longueur de l'alcôve lorsque Moussa s'annonça dans l'encadrement.

— Vous m'avez demandé, maîtresse ?

La Khanoum fondit sur lui d'un œil soupçonneux. Elle n'appréciait pas que cet eunuque ait été mis au service de Mounia, mais Bayezid n'avait rien voulu entendre. Il avait toute confiance en lui. Pas elle.

— Où est l'enfant ?

Il secoua sa lourde tête enturbannée.

— Je n'en sais rien, madame. Je n'ai pas encore pris mon service.

La Khanoum le foudroya d'un regard menaçant.

— S'il lui est arrivé malheur, je jure de te faire dépecer morceau par morceau.

L'eunuque demeura imperturbable.

— Quand je suis parti, tout était paisible. Je ne quitte jamais mon poste sur la terrasse avant qu'ils soient endormis.

— La terrasse… répéta la Khanoum qui, focalisée sur le « qui ? », n'avait pas encore songé au « comment ? ».

Elle s'y précipita. Découvrit le harpon coincé entre les balustres et revint aussitôt sur ses pas, attirée par la voix de son médecin à qui Moussa venait d'ouvrir.

— On lui a administré un somnifère. Occupez-vous d'elle, ordonna-t-elle en désignant Mounia, inconsciente, avant de se tourner vers l'eunuque qui, les bras croisés sur son ventre, attendait de nouveaux ordres.

La Khanoum se planta devant lui, glaciale.

— Khalil a été enlevé. S'il n'est pas retrouvé sain et sauf avant ce soir, tu le paieras de ta vie, coupable ou pas.

Une lueur d'inquiétude passa dans ses yeux bovins, vite réprimée. Suffisante néanmoins pour laisser craindre le pire à la Khanoum.

— Je sais qui tu sers, affirma-t-elle. Son statut de première épouse n'y changera rien quand le prince saura la vérité. Elle mourra avec toi.

Cette fois l'argument porta. Craignant davantage pour elle que pour lui, Moussa baissa les yeux.

— Ihda n'y est pour rien, maîtresse. C'est moi seul qu'il faut punir.

La Khanoum n'en crut pas un mot mais se garda de le montrer. Le saisissant aux bras, sous les épais bracelets de cuivre martelé qui, de chaque côté, ornaient sa peau nue, elle le secoua violemment.

— Où est-il ? Qu'en as-tu fait ?

L'eunuque la fixa droit dans les yeux.

— Je l'ai étouffé dans son sommeil et je l'ai jeté par-dessus la rambarde.

Elle déglutit, baignée d'une sueur froide.

— Pourquoi la corde en ce cas ?

— Pour qu'on ne me soupçonne pas.

— Tu mens, lui objecta la Khanoum rouge de colère. On aurait trouvé le corps au matin. Des gardes patrouillent sous les fenêtres.

Un sourire malsain éclaira la face ronde de Moussa.

— Après avoir quitté la place, je l'ai récupéré dans le massif. Il était disloqué. Bien que ce ne soit pas l'heure de leur repas, les tigres n'en ont fait qu'une bouchée, tu peux me croire.

La Khanoum laissa retomber ses bras, le cœur au bord des lèvres. Elle recula.

— On ne peut pas avoir tous les droits, ajouta-t-il en fixant un œil noir sur Mounia que le médecin ne parvenait pas à tirer de son apathie, malgré les sels qu'il lui promenait sous le nez.

— Gardes ! beugla la Khanoum, pliée sous le poids de sa rage.

La porte s'ouvrit.

— Jetez Moussa au cachot. S'il vous donne de la peine, battez-le au sang, mais ne le tuez pas… Je veux qu'il souffre… Longtemps.

L'eunuque se laissa emmener sans résistance. Il était content. Non pas d'être châtié, encore que cela ne l'effrayât pas, mais d'avoir si bien vengé sa maîtresse que Mounia en mourrait sûrement de chagrin.

Tant mieux, se réjouissait-il, car vraiment, non vraiment, il ne l'aimait pas.

*

Au même moment, dans la paneterie du château, Mathieu admirait trois miches rondes que son confrère avait pétries la veille. La pâte avait si bien levé que la surface en était craquelée, et Mathieu, en connaisseur, louait le savoir-faire de son aîné avant de les enfourner. Il était seul dans la petite bâtisse accolée au logis. Aymar de Grolée ayant eu la prudence d'éloigner sa cour par quelque subterfuge, peu de monde séjournait à Bressieux et, d'un commun accord, les deux hommes se relayaient.

— Rien à dire, elles sont parfaites, apprécia-t-il avec envie.

Accroupi devant la table sur laquelle la plaque était posée, il avait cherché le défaut sans le trouver et se réjouissait déjà de fendre la première lorsqu'elle serait dorée.

— Mathieu…

Joyeux autant qu'on peut l'être au début d'une belle journée, il se réjouit plus encore de cette voix derrière lui. Bien qu'elle soit matinale ce jourd'hui, la visite d'Algonde chaque matin après la tétée d'Elora le comblait d'aise. Comme à Sassenage autrefois, la première brioche sortie du four était pour elle.

— Tu viens trop tôt. Rien n'est cuit encore… l'accueillit-il.

Il se redressa sans quitter les miches des yeux. Répéta :

— Parfaites…. vraiment… avant de se tourner vers elle, un sourire jusqu'aux oreilles.

Il retomba aussitôt.

Les mains jointes sur sa robe froissée, Algonde avait si petite mine dans l'encadrement de la porte qu'il pensa aussitôt qu'un malheur était arrivé.

— Elora ? s'inquiéta-t-il en venant vers elle.

— Hélène.

Il se rasséréna.

— Qu'est-ce qu'elle a encore inventé pour te tourmenter ? soupira-t-il avant de lui voler un baiser dans le cou, repris par sa bonne humeur.

Algonde ne bougea pas.

— C'est commencé, Mathieu.

Croisant les mains dans son dos pour ne pas la tacher, il grignota le lobe de son oreille.

— Huhum… quoi donc ?

— L'enfantement.

— Quel en…

Il s'écarta, troublé, répugnant à comprendre.

— L'enfant… L'enfant ?

Algonde lui pinça la joue, comme elle le faisait autrefois. Plus de taquinerie dans son regard pourtant. Juste une profonde lassitude due à ce qu'elle venait de vivre.

— Et quel autre ?

Les épaules du jouvenceau se voûtèrent. Il ronchonna.

— C'était trop beau pour durer, de toute façon.

— Nous serons heureux encore, Mathieu.

Étrangement, il n'y crut pas.

Oubliant ses résolutions, cette fois il l'attira dans ses bras, lui maculant les omoplates de farine. Ils s'étreignirent en silence, si fort que leurs corps en furent moulus. Il soupira à son oreille.

— Je suppose que tu n'as pas changé d'avis.

— Non.

Il ferma douloureusement son œil restant. Combien de prières avait-il tendues vers le ciel dans l'espoir du contraire ?

— Si je comprends bien, je n'ai pas le temps de cuire ces délicieuses miches de pain…

Algonde l'avait entendu louer l'ouvrage du panetier. Elle s'était trop réjouie ces temps derniers de le voir reprendre goût à son travail. Elle tempéra.

— Marthe attendra bien une heure de plus.

— C'est déjà ça. Et ensuite ?

— Ensuite tout dépendra de toi, Mathieu. Et d'elle.

— Pas un tout petit peu de toi ? dit-il en l'écartant de lui.

Se gorger de son visage. Chasser le doute, l'angoisse dans la sérénité de ses traits.

Algonde lui sourit tendrement. Elle éluda la question.

— Contente-toi de ramener Marthe ici.

— Et que devrai-je lui dire ?

— Juste que Philippine est en couches.

Il écarquilla des yeux.

— Et c'est tout ?

— Moins tu en sauras et mieux cela vaudra. Ne t'inquiète ni de moi, ni d'Elora. Nous serons en sécurité toutes deux lorsque tu reviendras.

— Tu me le promets ?

— Je te le jure, Mathieu.

Elle revint se blottir dans ses bras.

— Je t'aime. Ne pense qu'à ça. À rien d'autre.

Il embrassa ses cheveux.

— Quand nous reverrons-nous ?

— Bientôt.

Il soupira. Avança d'un pas entre ses cuisses, la forçant à reculer.

— Qu'est-ce que tu fais ?

— Je veux te sentir, là, mienne encore une fois.

Elle se mit à rire.

— Nous aurons tout le temps, plus tard.

Il la plaqua contre le mur de pierre dans l'ombre de la porte grande ouverte.

— Et si nous ne l'avions pas ? Si nous ne l'avions plus ? plus jamais ?

— Je t'interdis de dire ça, gronda-t-elle avant de lui empoigner la nuque et de l'embrasser pour conjurer cette peur qui, elle non plus, ne la quittait pas.

Deux heures plus tard, depuis la fenêtre de la chambre de Philippine, Algonde le regarda franchir à cheval la barbacane du château. Malgré sa gorge serrée, elle se força à terminer la brioche chaude qu'il lui avait apportée, retrouvant en elle le goût de leur dernier baiser, fougueux, dans le couloir. La laissant sans souffle, Mathieu avait tourné les talons, et avait dévalé l'escalier. C'était tout ce qu'il avait trouvé pour ne pas donner l'allure d'un adieu à ce qui, pour l'heure, n'était qu'un au revoir.

Elle prit le temps de savourer la dernière bouchée avant de se décoller de la vitre. Dans son lit qu'elle n'avait pas quitté, Philippine tenait Constantin dans ses bras. Le visage rasé délicatement dans la chambre de Jeanne, il s'avérait bien moins effrayant et tout l'amour qu'elle portait à Djem était revenu au cœur de la damoiselle. Elle soupira lorsque Algonde vint s'asseoir sur le drap.

— Tu es sûre que Présine en prendra grand soin ?

— Je n'ai aucun doute là-dessus. Allons, mon Hélène. Je ne peux plus tarder.

Philippine embrassa le front de son fils et le lui tendit, à regret.

— Et si Marthe…

Algonde lui plaqua son index sur la bouche.

— Chhhhuut. Plus un mot. Tout ira bien.

L'enfant dans les bras, elle passa dans la pièce voisine. Aymar de Grolée, au chevet de Jeanne, se leva à son approche.

— Comment va-t-elle ? demanda Algonde.

— La fièvre vient de tomber. Elle vivra.

Son regard se posa douloureusement sur Constantin. Il soupira.

— Faites ce que vous devez, Algonde. Et ne vous souciez de rien d'autre.

— Mathieu n'atteindra pas Sassenage avant trois bonnes heures, davantage s'il traîne en route. Attendez pour la déplacer. J'ai fait de mon mieux, mais je ne suis pas certaine que mes points aient la solidité voulue.

Aymar de Grolée lui sourit avec bienveillance.

— Ne soyez pas modeste, Algonde. Ce que vous avez réussi sans l'aide de la magie, cette fois, tient du miracle.

— J'aurais préféré qu'il soit complet...

Baissant les yeux, il prit l'enfant de la prophétie dans ses bras. Aymar de Grolée était un homme de combat. Pas de larmes.

— J'aurai besoin de quelques minutes en bas, dit-il.

Algonde le retint.

— J'ai une faveur à vous demander. Si par malheur...

Il lui tapota le dessus de la main, posée sur sa manche.

— ... Je prendrai soin d'Elora. Elle et Mathieu ne manqueront de rien, je vous en fais serment... Mais cela n'arrivera pas, n'est-ce pas ?

Ils échangèrent un regard. Lourd de crainte.

— Non... cela n'arrivera pas, affirma Algonde.

L'instant d'après, elle prenait contre elle le corps sans vie du petit être que, malgré ses efforts, elle n'avait pu sauver, et dans un silence de deuil repassa de l'autre côté.

C'était maintenant sur Marie de Dreux que tout allait reposer.

*

Cette fois, Mounia était vaincue. Réveillée par un mélange de café et d'épices, elle venait d'apprendre de la bouche de la Khanoum la tragique vérité. Elle n'eut qu'une seule réaction. Elle se leva de son lit, marcha droit vers la terrasse et se courba en deux sur la rambarde. Plus rien n'avait de sens, de couleur. De lumière. Elle avait tout perdu. C'était terminé.

La Khanoum qui avait instinctivement anticipé son geste, la retint au dernier moment.

— À moi la garde ! hurla-t-elle, en tirant de toutes ses forces pour l'empêcher de basculer.

— Laissez-moi mourir, lui demanda Mounia d'une froideur de tombeau, pliée en deux sur la pierre, les chevilles déjà décollées du sol et les yeux rivés sur les rosiers en massif trente-sept pieds plus bas.

Les deux eunuques en faction devant sa porte traversèrent la chambre en courant.

— Je t'en prie, Mounia. Tu auras d'autres enfants de mon fils. Autant qu'il te plaira, haleta la vieille femme à bout de forces.

— Ce n'était pas l'enfant de ton fils, s'exaspéra Mounia en tendant ses bras dans le vide, imaginant l'entendre pleurer en contrebas.

La Khanoum la lâcha. Mounia se sentit ramenée sur la terrasse par deux poignes puissantes. Elle se retrouva debout face à cette femme qui la dévisageait avec tristesse, encadrée par les colosses.

— Tu es sous le choc, mais tu verras, cela passera.

La douleur gagna enfin les traits de Mounia. En finir. Elle ne voulait plus que ça. Comprenant qu'on l'en empêcherait, elle planta ses yeux, éteints, dans ceux de la Khanoum.

— J'ai menti. Depuis le début. Cet enfant était celui de l'homme que j'aimais. Un chrétien. Le sire de Luirieux l'a assassiné avec mes parents en Égypte avant de m'amener ici...

Le doute accrocha les traits de la Khanoum. Mounia était-elle donc si désespérée pour s'accuser ainsi ?

— ... Crois-moi, mère, reprit Mounia. Il n'y a pas d'élixir miracle. Je vous ai trompés. Tous. Pour sauver le seul être qui comptait encore pour moi.

La Khanoum accusa le coup en titubant. Les yeux de Mounia, brûlants d'une détresse incommensurable, ne pouvaient pas mentir cette fois.

— Je t'en prie, mère, explosa Mounia en sanglotant. Je ne veux pas lui survivre. Pas encore une fois. Comprends-moi ! Je ne peux pas !

— Emmenez-la, décida la Khanoum, touchée en plein cœur.

Moins de sa trahison que de sa souffrance.

Jusqu'à ce que Bayezid revienne, il valait mieux que Mounia soit protégée d'elle-même entre les quatre murs d'un cachot.

41.

Bien qu'elle ait pu juger de la fidélité de Mathieu, Marthe était fébrile en arrivant au château de Bressieux, moins de six heures après le départ du panetier.

— Vous m'avez promis, vous nous laisserez en paix, insista celui-ci en descendant de cheval devant l'écurie.

Marthe, qui avait déjà mis pied à terre, ne daigna pas répondre. L'impatience la tenait. Le doute aussi. Elle n'avait aucune confiance en cette petite garce d'Algonde.

Il se dressa devant elle qui avançait.

— J'ai votre parole n'est-ce pas ?

Elle l'écarta d'une main exaspérée, lui griffant le visage.

— Si tu veux que tout se passe bien, reste en dehors de mon chemin, le menaça-t-elle, l'œil rivé sur la façade du corps de logis de l'autre côté de la cour.

Comme le baron Jacques auquel Marthe avait interdit de les accompagner, Mathieu n'insista pas. Il la regarda s'élancer à la course vers la porte, essuya sur sa joue le sang qui perlait et lui emboîta le pas.

Il devait s'assurer que les siens étaient en sécurité.

*

Assis dans la felouque qui glissait sur les eaux sombres du Nil, Enguerrand de Sassenage regarda s'éloigner les remparts d'Héliopolis. Sans regrets. Il n'y avait pas trouvé la paix. Seulement des amis qu'il avait quittés la veille. Bien qu'il leur ait promis le contraire, il savait déjà qu'il ne les reverrait pas.

D'une main ferme, il rajusta son maigre ballot à son épaule.

Il emportait avec lui tout ce que cette terre lui avait légué. La carte antique enroulée autour de sa taille entre les deux épaisseurs de sa ceinture de toile et le poignard d'Aziz que le père de Malika lui avait restitué en échange de son épée. Il n'avait pas voulu garder cette dernière, trop voyante. Injustifiée. Pour ce qui était des autres découvertes d'importance, il les avait tant étudiées que le moindre détail était ancré dans sa mémoire. Osiris, le dieu géant venu des Hautes Terres, avait su préserver son trésor bien mieux qu'il ne le ferait. Il le lui avait laissé.

Il partait donc en ce vingt-quatrième jour de mars.

Il n'était pas prêt, mais il avait compris qu'il ne le serait jamais. Mounia le hantait. Enguerrand de Sassenage savait qu'il ne ferait pas son deuil sur cette terre. Entre l'eau et le sable. Entre la luxuriance et le désert.

Il partait.

En quête d'un nouveau monde.

Il suivrait l'itinéraire que le père d'Aziz avait tracé sur la carte, peu avant de mourir. Itinéraire qu'Aziz lui-même aurait emprunté si un tremblement de terre au soir de ses noces n'était pas venu contrecarrer ses projets. Si Mounia n'était pas née.

Alexandrie, Tripoli, Tunis, Alger, Tanger, puis l'Espagne, passé Gibraltar. Là il se mettrait en quête d'un armateur assez fou pour le croire et traverser l'Atlantique en passant par les Açores, où la lignée d'Aziz avait commencé.

À pied, la route serait longue mais il n'avait pas le choix. Ses dernières piastres, Enguerrand venait de les dépenser pour descendre le fleuve et il devrait par la suite improviser pour subsister. C'était pour cette raison qu'il avait décidé de longer la côte. Les ports offraient de multiples possibilités, jusqu'aux rats qu'il pourrait manger.

Il fouilla dans sa ceinture, déplia un linge et en extirpa une datte qu'il se mit à sucer avant de ranger les autres. Cadeau de Malika. Il sourit. Au dernier moment, se hissant sur la pointe des pieds, des larmes silencieuses sur ses joues en feu, elle l'avait embrassé sur la bouche.

Il avait fallu ce départ pour qu'il se rende compte qu'elle l'aimait.

« Dommage », songea-t-il. Dommage que son cœur soit devenu trop sec à force de pleurer. Elle aurait été fière de le garder à ses côtés.

Son voisin de traversée, un vieillard édenté à peine moins dépenaillé que lui, lui tapota le bras.

— Regarde…

Enguerrand suivit la direction de son doigt tendu. Une jeune fille courait le long de la berge, agitant ses bras. Il la reconnut sans hésiter. Malika devait le guetter depuis la veille. Avide d'un geste en forme de promesse.

L'inconnu, à côté de lui, lui répondit par de grands signes. Enguerrand s'y refusa. « À quoi bon ? » songea-t-il. À quoi bon entretenir un espoir quand tout est terminé ? Il savait par expérience la douleur que cela causait.

Il cracha le noyau de datte dans l'eau, puis détourna la tête vers l'autre rive. Immobile à l'égal de ce sphinx qui gardait Gizeh, il fixa ses yeux sur les trois pyramides qui se détachaient au loin, presque en enfilade. Utilisant le plan de son bâtisseur, il avait visité la plus grande, que Khéops s'était appropriée.

« À quoi bon ? » se répéta-t-il encore. Il n'avait plus personne avec qui partager ses secrets.

Résolument cette fois, il fixa son regard sur l'eau verte. Une vie d'errance l'attendait.

Qu'il s'y perde ou non, il était prêt.

*

— Je répète. Où est le baron ?

— Je ne sais pas.

— Algonde ?

— Je ne sais pas.

— Donne-moi une seule raison de te garder en vie si tu ne sais rien, gronda Marthe en prenant à la gorge l'intendante de la maisonnée qui l'avait accueillie sitôt franchi le seuil de la grande salle de réception.

La pauvre femme roula des yeux fous. Depuis le matin rien ne se passait comme d'ordinaire et elle était perdue face à cette femme effrayante qui exigeait de voir ses maîtres.

— Lâchez-la, je vais vous conduire auprès de dame Hélène, intervint Mathieu derrière elle.

Marthe écarta les doigts. L'intendante glissa à terre, si perturbée qu'elle en perdit connaissance.

Marthe l'enjamba.

— Je trouverai sans toi, décréta-t-elle en poursuivant son chemin vers l'escalier.

— À votre aise. Le château comporte onze chambres...

Marthe s'immobilisa. Pivota d'un bloc.

— Je te trouve bien servile, pesneux.

Contournant le corps immobile de l'intendante, il se ramena à sa hauteur, le visage fermé.

— Je n'ai aucune confiance en vous.

Marthe éclata de rire.

— C'est par là, la précéda Mathieu en laissant l'escalier à dextre pour gagner le fond de la pièce.

Une volée de marches s'ouvrait dans une des tourelles d'angle de la bâtisse rectangulaire. Mathieu les emprunta et se retrouva dans un corridor étroit, devant la porte de Philippine, au moment où Marie de Dreux en sortait.

— Vous voici enfin. Je vous ai fait chercher partout. Mais où étiez-vous donc ? s'écria-t-elle aussitôt.

— Que se passe-t-il ? Vous avez l'air bouleversée.

Marthe demeura en retrait. Elle reconnaissait cette péronnelle et se demanda ce qu'elle faisait à Bressieux. Et plus encore, ce qu'elle cachait. Les yeux embués, Marie, qui ne l'avait pas remarquée, toute à son émoi, se pétrit les mains l'une dans l'autre.

— Je le suis, seigneur Dieu. Oh oui ! je le suis. C'est Algonde…

Mathieu blêmit.

— Oui ?

— Elle a fait quelque chose de terrible. De vraiment terrible.

— Quoi ? s'emporta-t-il en lui prenant le bras avec violence.

— Elle a empoisonné l'enfant de dame Hélène, lâcha Marie dans un sanglot étouffé.

Saisie autant que le jouvenceau par cette annonce, Marthe fut plus prompte à réagir. Au moment où il voulut bousculer Marie pour en apprendre davantage, la Harpie s'interposa entre eux. Mathieu n'eut pas le temps d'intervenir que la damoiselle se retrouvait plaquée au mur, les deux pieds battant le vide, comme retenue par une main invisible. Épouvantée, elle se mit à pousser de petits cris.

— Toi, ordonna Marthe en le fixant méchamment, tu restes là.

Laissant Mathieu statufié et Marie au bord des convulsions, elle poussa la porte de la chambre plongée dans le noir. D'un pas vif elle s'en fut tirer les rideaux, puis balaya la pièce du regard.

Malgré la lumière vive, Philippine semblait dormir. Marthe fonça vers le berceau plaqué contre un mur. Un crucifix avait été posé sur le drap qui recouvrait la petite forme étendue. Fébrile, Marthe les arracha tous deux, poussa un rugissement de colère et s'en fut secouer Philippine dans son lit.

Elle eut beau la gifler, Philippine ne réagit pas. Visiblement on l'avait droguée. Marthe ressortit comme une furie. D'un geste elle décrocha Marie de son perchoir invisible et la projeta dans le couloir.

— Où sont-ils? beugla-t-elle en se ruant sur la malheureuse qui reculait en rampant misérablement, terrorisée.

L'abandonnant à ses griffes, Mathieu se jeta dans la chambre à son tour. Il voulait comprendre. Il devait comprendre. Algonde ne pouvait pas avoir fait une chose pareille. À son tour, il se figea devant le petit être sans vie.

— Velu. Il n'est pas velu... Mais alors...

Alors Algonde avait fui. Parce qu'il n'existait pas d'autre échappatoire.

Marie hurla dans le couloir.

Il se précipita.

Marthe la tenait par la gorge à bout de bras, la soufficant avec violence, par plaisir, par vengeance. Elle n'avait pas besoin de questionner, il lui suffisait de lire en elle. La peur de cette garce la rendait aussi transparente que du verre. Elle entra en communication avec sa mémoire, s'appropria ses souvenirs immédiats.

Les hurlements de Philippine qui avait fait pousser la porte à Marie, inquiète. Puis les accusations, les vociférations, la colère, la détresse de cette mère qui venait de découvrir que son enfant était mort. Mort devant ses yeux à l'instant où Algonde, qui le tenait dans les bras, lui avait caressé les lèvres avec une poudre sombre, censée lui donner de la vigueur. De toute évidence celle de l'œuf noir. « Se doutait-elle qu'il n'y survivrait pas? » se demanda Marthe.

Elle regarda encore. Algonde, qui, les bras ballants, ne se défendait pas. Algonde chassée avec Elora. Et pour finir Marie, seule au chevet de Philippine, administrant à cette dernière un somnifère pour la calmer.

Pas de mensonge par ce biais-là. Marie avait véritablement vécu tout cela.

— Assez! grinça Mathieu en posant une main ferme sur l'épaule de Marthe.

Sans obtempérer, celle-ci tourna la tête. Elle n'avait plus face humaine.

— Vous nous tueriez tous que vous n'y changeriez rien. Ce n'est pas l'enfant de Djem, ne le voyez-vous pas?

Une fraction de seconde. Un souvenir accrocha la mémoire de Marthe. Le retour de Philippine après sa fuite avec le prince.

— Montoison? avait-elle demandé.

— Mort. Après m'avoir violée, lui avait répondu la jouvencelle.

Elle libéra Marie de Dreux. Cet imbécile de chevalier avait tout gâché.

Pendant quelques secondes, Marthe demeura immobile avec le sentiment de s'être trompée. Puis un soupçon la rattrapa. Elle fouilla le visage de Mathieu. Mathieu si servile et pourtant capable de lui tenir tête. Mathieu prêt à tout pour Algonde. Il ne savait rien. Marthe l'avait vérifié et le vérifiait encore. Pourtant… elle tiqua. Le plaqua au mur.

— Elle serait partie sans toi? Je n'y crois pas.

Le souffle putride de la Harpie balaya son visage. Il détourna la tête, refusant cette fois de toutes ses forces les effets pervers de ses pouvoirs. Mais Marthe n'avait aucunement envie de jouer. D'un ongle acéré, elle suivit la ligne de sa cicatrice à l'œil droit, la rouvrant en surface.

— L'auriez-vous épargnée si elle était restée?

L'argument porta. Marthe s'écarta. Pour autant, l'impression persistait. L'instinct. Elle se retourna vers Marie, recroquevillée contre la porte voisine de celle de Philippine.

— Aymar de Grolée ?

— Il est parti hier soir pour régler une affaire. J'ignore laquelle, hoqueta la damoiselle, en se protégeant le visage de ses bras par crainte d'un nouvel assaut.

Il ne vint pas.

— Allez-vous-en, Marthe. C'est terminé. Nous n'y sommes pour rien, quémanda Mathieu, la joue en sang.

Marthe fut sur le point de s'y résoudre. Elle n'avait plus rien à faire là. S'il n'y avait eu cette sensation… Son regard accrocha le bois derrière Marie qui dardait sur elle des yeux suppliants. Marthe s'approcha. La damoiselle s'époumona d'effroi, ratatinée plus encore.

Par pure méchanceté, Marthe lui décocha un coup de pied dans les tibias.

— Je t'ai assez vue. Disparais !

En pleurs, Marie s'échappa à quatre pattes, petite souris grise de robe. Marthe ouvrit la porte, passa la tête.

— Attends.

Marie s'immobilisa, fixant le palier comme un chien attaché la liberté.

— À qui est cette chambre ?

— Au baron…

Marthe franchit le seuil.

Le jour baignait la pièce, du feu brûlait dans l'âtre et le lit était fait. L'odeur du sang y était forte pourtant. Elle en fit le tour sans rien remarquer d'anormal.

Elle poussa la porte de communication, à peine distraite par la cavalcade dans les escaliers. Marie avait pris ses jambes à son cou pour lui échapper. Dans sa couche, Philippine dormait toujours profondément.

Marthe rabattit l'huis.

L'odeur du sang. Elle était plus marquée dans cette pièce-ci que dans celle de l'accouchée. Pourquoi ?

Avait-on laissé ouvert entre les deux, puis refermé en aérant l'une et pas l'autre ?

Détail.

Mathieu s'était accoudé au chambranle. Les bras croisés, il la regardait aller et venir le nez en l'air.

Elle finit par s'immobiliser près du lit. Bien qu'il sente le savon, c'était là que les relents étaient les plus tenaces. Elle s'assit, caressa l'oreiller d'un doigt songeur. Avisa le jouvenceau qui la fixait, le visage fermé, zébré de pourpre. L'odeur était trop puissante pour émaner de sa joue blessée. Pour imprégner autant les murs, il fallait que beaucoup de sang ait coulé.

Elle l'apostropha en ricanant.

— Qu'espères-tu à rester là ? Ta récompense ?

— Oui. Celle que vous m'avez promise. Allez-vous-en, insista-t-il d'une voix sourde.

Mais Marthe n'avait plus envie de partir. Une idée venait de germer en elle. Qui expliquerait tout.

— Qui à part Hélène était enceinte dans cette maison ?

— Marie de Dreux. Elle a accouché le mois dernier… D'un enfant bossu, ajouta Mathieu, agacé.

— Personne d'autre ?

— Non. Personne…N'avez-vous de plaisir meilleur que de nous tourmenter ?

Marthe se pencha en avant. Cura l'interstice entre deux lames de parquet. Retrouva une odeur familière jusque-là masquée.

— Que cherchez-vous à la fin ? s'emporta Mathieu.

— Je ne cherche plus, j'ai trouvé, grinça Marthe en crispant les poings.

Mathieu blêmit.

— Quoi ?

D'un bond Marthe fut devant lui et lui prit la main. Elle y déposa quelque chose d'infiniment léger qui lui chatouilla la paume, puis, lui refermant les doigts dessus, le bouscula pour passer.

— Tu peux dire adieu à ton Algonde, pesneux, dit-elle avant de s'élancer à toute allure dans l'escalier.

Interdit, il baissa le front et se mit à trembler devant ce long poil noir maculé de sang séché.

42.

Montée à la garçonne, les jupes tirebouchonnées entre ses cuisses, Algonde aurait aimé pouvoir forcer l'allure, mais avec Constantin dans les bras, elle ne put guère dépasser le trot léger. À peine tentait-elle d'accélérer que le nouveau-né régurgitait et qu'elle devait s'arrêter pour le calmer. Elle y avait renoncé. Jouant de son avance.

L'enfant était plus précieux que tout.

Bien sûr ils avaient pris toutes les précautions, tout prévu dans le moindre détail. Aymar de Grolée était un homme de tactique, de rigueur guerrière. Il ne laisserait rien au hasard et emmènerait Elora avec Jeanne de Commiers dans le souterrain qui reliait Bressieux à Saint-Pierre. Le passage ne possédait plus depuis longtemps de sortie sur l'extérieur. Elle avait été murée. Il était peu probable que Marthe le connaisse et moins encore qu'elle perde du temps à en découvrir l'accès.

Non. Au pis-aller, si Marthe avait un doute quelconque, c'est à ses trousses qu'elle se précipiterait.

Algonde s'efforçait d'y croire.

Mais n'en était pas rassurée pour autant.

À la hauteur de l'ancienne tour des Templiers, la voix de Présine résonna dans sa tête.

— Balme de Glos…

Le lieu de leur rendez-vous. Algonde se rembrunit. Elle aurait préféré ne pas avoir à pousser jusqu'au village de Fontaine, lui déposer l'enfançon dans sa cabane à Sassenage. Présine devait avoir ses raisons. Sans doute craignait-elle que Marthe ne soupçonne sa cachette et se précipite là en premier lieu si les choses tournaient mal.

Un frisson, glacial, lui balaya l'échine.

Avait-elle par là voulu le lui annoncer ?

Serrant plus fort l'enfant contre sa poitrine, elle s'agrippa fermement au licol de sa main libre et talonna sa monture.

— Je n'ai que trop tardé, s'excusa-t-elle en l'entendant pleurer.

Mieux valait qu'il soit malade que damné. À Présine de trouver le moyen de le remettre sur pied.

*

Lorsque les deux eunuques, méconnaissables sous leur caftan, vinrent la chercher dans sa cellule obscure, Mounia loua le ciel, quel que fût le Dieu qui l'avait exaucée. Ses prières avaient été entendues.

Elle allait mourir.

Pinçant au-dessus de ses lèvres l'étoffe modeste dont on lui avait demandé de se couvrir de la tête aux pieds, elle se laissa emmener sans mot dire, les yeux rasant le sol, au long du couloir humide éclairé de torches. L'endroit puait mais elle ne sentit rien. On la fit sortir de la prison par une petite porte. Devant, la nuit habillait le couloir de roche. Les deux hommes n'en parurent pas incommodés. L'un devant, l'autre derrière, ils la forcèrent à avancer. Mounia ignorait où on la menait, mais ne s'en souciait guère. Certaines exécutions, elle le savait, étaient aussi discrètes que ce qui les avait justifiées.

Lorsqu'ils débouchèrent dans la lumière, Mounia écarquilla les yeux de surprise. Elle était hors de l'enceinte du palais. Face à elle, la Corne d'Or miroitait.

La prenant par les coudes chacun d'un côté, les deux hommes l'entraînèrent vers le port du Boucoléon qui grouillait d'animation au pied des remparts de la vieille cité. Anonymes par leur allure au milieu d'une foule bigarrée, ils la menèrent devant la façade d'un vieux bâtiment désaffecté rencogné entre deux estaminets de belle facture. L'un des eunuques inséra une clef dans la serrure. Le battant vermoulu s'ouvrit dans un grincement lugubre.

— Entre, lui ordonna-t-on.

Perplexe, Mounia obéit. L'endroit était habité de rats qui filèrent sous ses pieds, la salle étroite et basse. Vitement retombée dans l'obscurité sitôt la porte rabattue, l'Égyptienne ne put en distinguer davantage.

On la poussa en avant, sans ménagement.

Elle en ressentit une pointe au cœur. D'angoisse et de satisfaction mêlées. L'endroit idéal pour une fin discrète. Elle attendit le coup.

Il ne vint pas.

Tout au contraire, le mur qui faisait face à la porte s'ouvrit sans bruit. Mounia fut poussée dans un étroit couloir transversal, éclairé de fines meurtrières qui charriaient des parfums mêlés d'embruns et d'épices.

Le temps qu'elle se retourne, elle était emmurée.

*

— Je ne suis pas un pesneux, répétait Mathieu en boucle, en talochant son cheval de grands coups de pied.

Récupérant une arme en salle des gardes, il s'était lancé sur les traces de Marthe, partie à pied et si vite qu'on eût dit un souffle de vent mauvais. Même lancé au grand galop, il ne la rattrapait pas. Cela ne faisait qu'ajouter à sa colère. À son angoisse. À sa rancœur.

Où étaient-ils donc ? Jacques de Sassenage, Aymar de Grolée ? Ces grands qui n'avaient pas trouvé le courage qu'il avait, lui, un simple panetier. Parler ! Voilà à quoi ces gens étaient bons. Se gargariser de promesses ! Pour détourner la tête le moment venu. Voilà la vérité. Elora et Mayeul avaient disparu et Algonde était seule face au danger. Aucun d'eux n'était en route pour l'aider. Ah, elle était belle la noblesse ! Chevalier ? Chevalier de mes fesses, oui ! Il était bien révolu, le temps où ils étaient preux ! où ils pourfendaient dragons et sorcières ! Ce jourd'hui, ils se terraient comme des rats quand à l'instar de Montoison ils ne violentaient pas les donzelles. Bel exemple en vérité !

Il allait leur montrer ! lui, le Mathieu de Sassenage ! Il allait leur montrer à tous ce que c'était que la loyauté !

— Je ne suis pas un pesneux, hurla-t-il au grand vent en se dressant sur ses étriers, ne regrettant qu'une seule chose.

C'est de n'avoir pas sa deuxième main pour, sans lâcher le licol, menacer le ciel de cette épée courte à son côté.

*

Algonde soupira de soulagement lorsque son regard accrocha l'ouverture triangulaire de la Balme de Glos, creusée dans la petite falaise derrière le village de Fontaine. Constantin pleurait toujours contre elle, signe que ses régurgitations ne l'avaient pas étouffé. Elle tira sur la bride de son cheval, sauta à bas et commença à grimper le long d'un raidillon de roche qui y menait. Confiante à présent, elle passa sous le porche haut de vingt-cinq pieds, fouilla des yeux la cavité, profonde d'une soixantaine.

Elle ne vit personne.

— Présine ! appela-t-elle.

Aucune réponse.

Le doute ébranla Algonde. Et si la fée avait rencontré Marthe sur son chemin ? Si Marthe avait eu raison d'elle ?

Elle frissonna.

Se reprit aussitôt.

C'était impossible. Marthe ignorait la présence de sa mère dans la contrée. Elle ne devait pas se laisser aller au doute. À l'angoisse.

Réagir.

Agir.

Faire ce qui avait été décidé.

Elle pénétra jusqu'au plus profond de la grotte, évita les ossements qui s'y trouvaient, étendit sur le sol granitique son mantel de voyage et coucha dessus, à l'abri d'un rocher, l'enfançon qui s'était calmé. Au pire, si aucune des deux ne revenait, quelqu'un finirait bien par l'entendre pleurer, se conforta-t-elle, le cœur lourd de l'abandonner.

Elle n'avait d'autre choix pourtant. Algonde en était persuadée. Si Marthe s'était lancée sur ses traces, c'était par dépit. Seulement par dépit. Elle ne pouvait pas avoir découvert la vérité.

Elle quitta la place. Pour mieux le sauver, elle devait déjà oublier que cet enfant existait. Sautant en selle, Algonde talonna son cheval sans plus tarder.

Mélusine l'attendait.

*

Adossée au mur, face à ce souffle de vie qui balayait son visage, Mounia s'était lentement laissée glisser jusqu'à s'asseoir. L'espace était si étroit qu'elle fut contrainte de garder les genoux repliés. Il ressemblait à une coursive, en plein cœur vraisemblablement des remparts de l'ancienne Constantinople. Elle avait espéré une autre fin, plus rapide, mais au fil des heures, elle avait fini par se dire que, sans eau, sans nourriture, son agonie durerait peu. Quelques jours à peine. À moins que cette douleur qui lui oppressait la poitrine et lui coupait le souffle ne fasse éclater son cœur.

Elle renversa la tête en arrière. Elle n'avait plus de larmes. Elle était passée de l'autre côté. Morte déjà. Assiégée de souvenirs, sa raison par moment basculait. Elle voyait son fils au sein d'une femme inconnue, brinqueballé dans une carriole bariolée. Enguerrand vêtu de haillons qui s'abreuvait à un point d'eau, près d'un chameau.

« Dormir, murmura-t-elle. Dormir et ne plus me réveiller. »

Elle se laissa aller. Elle était tellement fatiguée de lutter.

*

Coupant à travers la forêt, Algonde ne fut pas longue à parvenir aux Cuves. Ne pas prendre de risques, lui avait conseillé Présine la dernière fois qu'elles s'étaient vues.

Attachant son cheval à une branche d'arbre, Algonde gagna le bord du réservoir, là où le torrent passait sous la montagne. Lorsque l'eau lui caressa le bout des souliers, elle s'agenouilla, se pencha en avant et, les mains sur ses genoux, plongea son visage dans le courant.

— Mélusine ! appela-t-elle par deux fois, certaine que l'onde de sa voix lui parviendrait.

Elle n'avait plus qu'à attendre. Elle sortait le nez de l'eau lorsqu'une force brutale le lui fit replonger. Surprise, Algonde lança ses mains par-dessus tête pour se dégager. Elle battit le vide. Comprit aussitôt. Marthe la tenait. Par magie. Elle se calma instantanément.

— À l'aide, Mélusine ! appela-t-elle encore avant de se mettre à respirer.

Marthe la laissa quelques minutes à sa merci, le temps de descendre sur la rive. Elle avait eu raison de venir directement ici. Elle était certaine que cette petite garce s'y trouverait. Et avec elle toutes les réponses qu'elle attendait.

Elle s'installa tranquillement sur une pierre plate, puis dénoua le sort. La pression relâchée, Algonde émergea de l'eau sans dommage et essuya d'un revers de manche son visage dégoulinant.

— L'essai est concluant ? demanda-t-elle en se tournant de quart vers la Harpie.

Un rictus amusé étira les lèvres rentrées de Marthe. Elle devait lui reconnaître une belle force de caractère.

— Ma sœur et moi t'avons sous-estimée. Je t'en fais mes excuses.

— Des excuses... vous... fanfaronna Algonde en se redressant.

Elle dégoulinait.

— Mélusine pensait que tu serais facile à berner et j'avoue qu'en ce temps-là je l'ai cru aussi. Tu n'étais qu'une petite servante sans envergure, juste bonne à pleurnicher, souviens-toi...

Algonde ne se laissa pas prendre à son air mielleux. Elle croisa les bras sur sa poitrine.

— Assez de parlotte. Vous voulez l'enfant de la prophétie. Je ne l'ai pas. Et si vous venez de Bressieux comme je l'imagine, vous savez déjà ce qu'il en est.

Le visage de Marthe s'assombrit.

— Seule, tu n'aurais rien pu contre nous. Notre mère t'a aidée.

Algonde ne trahit rien de son trouble et, haussant les épaules, la toisa de mépris.

— Ça ne change rien. Tout est à recommencer. Par la faute de ce sire de Montoison que vous avez si stupidement protégé.

Marthe sauta à bas de son rocher.

— Ne me provoque pas, péronnelle.

Algonde sentit son sang battre à ses tempes. La colère la gagnait. Elle en avait assez de ce jeu du chat et de la souris.

— Tuez-moi donc !

Marthe l'envoya s'abattre contre la paroi boueuse, lui écorchant le bras à une pierre affleurante. Malgré la douleur, Algonde ricana méchamment. Elle savait que seul l'affrontement ferait barrière à ses pensées.

— Est-ce là toute votre puissance ? Je m'attendais à mieux.

Marthe levait la main, ulcérée.

— Assez, Plantine !

Mélusine.

Algonde se réjouit de la découvrir à demi sortie de l'eau dans le siphon qu'elle bouchait. La colère de Marthe retomba. Elle se retourna vers elle.

— Ma chère sœur. Tu arrives à point nommé pour gâter mon plaisir, comme autrefois.

Mélusine ne releva pas.

— Que s'est-il passé, Algonde ?

— Hélène a mis un enfant au monde, mais il n'était pas velu. J'ai essayé tout de même de lui administrer la poudre comme vous me l'aviez demandé. Il est mort et j'ai été chassée.

Elle se tourna vers Marthe demeurée silencieuse.

— Je l'ai dit à votre mère comme je vous le répète. Vous la trouverez dans la cabane de la sorcière. Arrangez-vous avec elle, moi… j'en ai assez.

Le silence pesa, quelques secondes. Marquant les traits desquamés de Mélusine. Puis Marthe soupira bruyamment, bougea des ongles. Algonde se retrouva à dix pouces au-dessus de l'eau, la tête en bas, les bras et les jambes collés au corps.

— Ne pourriez-vous accepter la défaite, une fois, une seule fois ? s'emporta-t-elle, la tresse battant le courant.

— Il y a un détail que tu as oublié, ma pauvre Algonde. L'odeur. L'odeur de la peur. L'odeur du sang. L'odeur des êtres. Je les connais. Les reconnais. Là fut ton erreur.

Algonde s'enferma dans sa colère.

— Je n'en ai commis qu'une en vérité, celle d'être venue jusqu'ici pour tout vous révéler.

— Même l'accouchement de Jeanne de Commiers dans la chambre d'à côté ?

Cette fois Algonde se sentit piégée. Malgré tous ses efforts, elle avait sursauté.

— Algonde ?

C'était la voix de Mélusine, comme un grondement de chute d'eau bouillonnante.

— C'était l'enfant d'Aymar de Grolée, je suppose ? Curieusement je ne l'ai pas soupçonné quand Jeanne s'est échappée. Trop discret. À l'inverse de Jacques. Il savait n'est-ce pas ?

Algonde ne répondit pas.

— Assez joué, décida Marthe en rappelant à elle Algonde, suspendue dans les airs.

Les yeux d'Algonde avaient repris la couleur du Furon. La couleur de la haine. Mais plus encore de la peur. Une peur qui cette fois ouvrait à Marthe les portes de son esprit sans qu'elle puisse l'empêcher. La Harpie pinça ses narines, fouilla en elle. Un sourire jubilatoire illumina pour la première fois ses traits. Elle planta un ongle entre les deux yeux de la jouvencelle. Algonde comprit aussitôt qu'elle allait subir le sort autrefois réservé à Jeanne de Commiers. Elle hurla de douleur et d'effroi mêlés, avec le sentiment qu'on lui aspirait son âme jusqu'en les coins les plus reculés de sa volonté. Avant de sombrer dans une nuit sans fond.

— Elle est à toi, ma sœur, cracha Marthe avant de la projeter, inerte, en direction de Mélusine.

— L'enfant ? Où est-il ? exigea celle-ci.

— On ne peut pas tout avoir, lui porta son rire maléfique.

À l'instant où Algonde s'enfonçait, inconsciente, dans le siphon des Cuves du Furon, Marthe avait déjà filé.

43.

Mélusine n'avait que peu de temps devant elle. Pressant Algonde toujours inconsciente contre son ventre, elle nagea aussi vite qu'elle put jusqu'au lac souterrain, près de la Rochette. Déposant Algonde sur la berge, elle plongea dans l'onde que trouait un rayon de lumière tombé du plafond. Elle remonta quelques secondes après avec un flacon, arracha le bouchon de coquillage et le vida dans la bouche de la jouvencelle. Se cabrant sous la douleur, Algonde hurla. Les images revinrent, en bloc. Puis tout se calma et elle tourna vers Mélusine, visiblement inquiète, son visage surpris.

— Ta mémoire ? demanda celle-ci en l'aidant à se redresser.

— Intacte.

Mélusine se relâcha.

— Pourquoi a-t-elle voulu m'en priver ?

Mélusine lui prit les mains, plongea dans les siens ses yeux verts.

— Pour m'empêcher de me servir de toi. Je sais ce que tu penses de moi, ce que ma mère pense de moi, mais vous vous trompez, toutes les deux. Je veux regagner les Hautes Terres, je veux recouvrer mon immortalité, je ne le nie pas,

422

mais il faut me croire, Algonde, je n'ai rien en commun avec Marthe. Jamais je n'ai semé la terreur, jamais je n'ai tué ni forcé quiconque. Je ne veux pas le règne du mal.

Algonde soupira.

— Et quand bien même, c'est trop tard. Soit Présine a mis l'enfant en sécurité, soit il tombera entre les mains de Marthe. Je n'ai pas le pouvoir d'empêcher cela.

— Moi je l'ai, Algonde. Je l'ai, je te jure que je l'ai.

Algonde sonda ce visage abîmé par les siècles, par les flots. Il avait l'air si sincère.

— Seule, ma mère ne peut pas vaincre. Tôt ou tard Marthe la trouvera. Depuis des siècles j'extrais le venin de la vouivre. J'en possède désormais une quantité suffisante pour que Marthe meure par simple projection.

Elle lui pressa les mains.

— Je t'en prie, Algonde. Tu l'as entendue comme moi, elle n'est que vengeance. Elle n'épargnera personne… Personne.

Les visages d'Elora, de Mathieu, de Philippine passèrent devant les yeux brouillés d'Algonde.

— Mère me pardonnera si je lui prouve que j'en suis digne. Elle lèvera la malédiction. Nous serons libres, toi et moi. Nous serons tous libres.

Des larmes s'étaient mises à rouler sur les joues d'Algonde. Elle le savait. Depuis le premier jour elle le savait. Cela devait finir comme ça.

Elle baissa les yeux.

— À deux pas d'ici. Dans la grotte pyramide, au pied des falaises de Fontaine. C'est là qu'elle m'a demandé d'amener l'enfant. Pour que tu l'y retrouves, je crois.

Mélusine la serra dans ses bras.

— Nous reviendrons te chercher. Elle et moi. Je te le promets.

Algonde hocha la tête, résignée.

Elle accepta la main tendue de Mélusine, se déshabilla et pénétra dans l'eau à ses côtés.

L'une pour l'autre.

L'une en l'autre.

L'une à la place de l'autre.

Celle qui ressortit des eaux sur ses deux jambes, pour s'habiller, avait recouvré sa jeunesse et sa beauté. Elle ressemblait à Algonde trait pour trait.

Lorsqu'elle quitta la grotte de la Rochette pourtant, c'est la petite servante de Sassenage, nue, la taille terminée par une queue de serpent, qu'elle y laissa grelotter.

*

Mounia fut réveillée par une main qui lui secouait l'épaule. Une inconnue était penchée au-dessus d'elle.

— Viens, lui dit-elle.

Ankylosée par sa posture, Mounia accepta l'aide de ses bras pour se redresser. Embrumée par le sommeil sans rêve qui l'avait anéantie, elle la suivit, docilement, sans bien comprendre où elle se trouvait ni comment elle était arrivée là. Le fond de la coursive s'était ouvert. Une autre l'enfilait, plus large, qui la mena à une porte. Entrebâillée.

— Tu es attendue, lui dit la servante en s'inclinant pour la laisser entrer.

Le ventre noué du souvenir qui refluait, Mounia passa dans une pièce de jolies proportions taillée dans la muraille. Aucune ouverture ne la trouait, mais Mounia remarqua comme précédemment la présence de fines meurtrières. L'ambiance y était chaleureuse, toute de bleu, de rouge et d'oranger, des coussins de sol aux tapis chatoyants, des candélabres aux mosaïques, des tapisseries vantant des scènes galantes à celles de chasse. À l'exception d'une, elles représentaient toutes le même homme, fascinant d'allure et de prestance. Le lit lui-même, aux pieds sculptés de guépards et au ciel d'étoiles, était une merveille.

Près d'une des tables regorgeant de pâtisseries, de dattes fourrées de pâte d'amande et de fruits frais, la Khanoum l'attendait, les bras ouverts. Mounia vint s'y jeter.

— Veux-tu toujours mourir ? lui demanda-t-elle en lui caressant les cheveux.

Mounia s'écarta d'elle.

— Ne le comprends-tu pas ?

— Si. Mais je ne peux le permettre.

La mâchoire de Mounia se mit à trembler.

— Malgré ma trahison ?

La Khanoum soupira.

— Qui offense Allah est puni par Allah.

Mounia détourna la tête, un voile de haine au cœur.

— Ce n'est pas lui qui a tué mon fils.

— Non, tu as raison.

La Khanoum ramassa un rahat loukoum dans un compotier d'argent. En croqua un morceau avec gourmandise.

— Tu n'as pas menti sur tout, Mounia. J'ai testé la puissance de ton élixir.

— Sur qui ?

— Sur Ihda. Moussa a agi en son nom.

Mounia ne répondit pas. De nouveau le chagrin l'envahissait comme une lame de fond qui broyait tout sur son passage. Elle se laissa tomber sur les coussins, en prit machinalement un dans ses bras. La Khanoum s'installa à ses côtés.

— Je l'ai invitée à boire le thé dans mes appartements. Elle en était puante de joie. Dès la première gorgée pourtant, elle se mit à rouler des yeux, le souffle coupé.

L'idée de la mort de sa rivale rendit un peu d'attention à Mounia. La Khanoum s'en réjouit. Elle continua :

— Connaissant les effets du poison, j'ai pris le temps qu'il fallait pour qu'elle goûte à la peur, qu'elle comprenne. Et puis je lui ai donné de ton élixir.

— Tu aurais dû la laisser mourir, grinça Mounia.

La Khanoum lui sourit.

— Cette vengeance t'appartient. Je ne t'en priverai pas.

— Je ne comprends pas…

— Tu vas vivre, Mounia. Contre ton gré. Dans cet endroit qui, officiellement, n'existe pas. Le temps qu'il faudra pour que tu oublies, pour que tu recouvres cette envie de conquête qui bouleverse mon fils et en laquelle je crois.

— Tu te trompes. Ici ou ailleurs je ne survivrai pas.

La Khanoum se leva.

— On raconte que le premier à avoir utilisé cet endroit fut le basileus Manuel Comnène. C'était du temps de la deuxième croisade. Il y recevait des Turcs en secret pour mieux tromper les siens. C'est lui que tu vois sur ces tentures. La légende dit qu'il emprisonna une femme ici, une Franque. Celle-ci…

Mounia leva les yeux vers le portrait d'une rousse flamboyante, aux yeux vert d'émeraude et au nez constellé de taches de rousseur.

— Pourquoi me racontes-tu tout cela ?

— On dit qu'elle n'était pas comme les autres et que c'est grâce à la magie qu'elle s'échappa.

Mounia fixa ce regard volontaire capturé par l'artiste.

— Tu es de sa race, Mounia. Comnène a possédé beaucoup de femmes, mais elle seule a son portrait là. Il l'aimait, autant sans doute que Bayezid t'aime. Il ne pourra pas te rendre ce que tu as perdu mais, au fil du temps, il adoucira tes blessures.

Mounia ne voulut pas la détromper. À quoi bon ?

— Un jour viendra. Peu importe quand. Où tu me demanderas un poignard et où je te le donnerai.

Le regard de Mounia s'éclaira de l'envie de s'ouvrir les veines. Mais la Khanoum secoua la tête.

— Ce jour-là, ce n'est pas contre toi que tu l'utiliseras, mais contre Ihda. Ce jour-là, avec la vie que tu lui prendras, tu seras guérie. Et libre aussi.

Elle s'inclina devant elle, de la tendresse plein les yeux.

— Je viendrai chaque jour dans l'espoir que ce soit celui-là. Bonne nuit, Mounia.

*

Les loups tenaient la place. Huit au total, crocs découverts, ils se disputaient une charogne sous le porche pyramidal de la grotte, en plein milieu du passage. Si leur présence à proximité des habitations l'étonna, Marthe ne s'en émut pas. Les bêtes étaient semblables aux hommes. Il suffisait de peu pour les rabattre. Parvenue devant l'entrée, elle les écarta d'un souffle. Refluant vers le fond, ils se couchèrent en gémissant. Marthe balaya l'espace du regard. Aucune trace de Présine. Elle avait dû emmener l'enfant. Furieuse, elle revint sur ses pas. Coula un regard indifférent à la petite forme écharpée qui gisait là et s'immobilisa, frappée de stupeur.

Un petit pied velu se devinait encore. Son sang s'accéléra dans ses veines pourtant froides. Elle se précipita. Releva ce qu'il restait du cadavre.

— Impossible. Non, impossible, répéta-t-elle en tournant et retournant entre ses doigts un bout de chair accroché encore à un tout petit tibia.

Elle lâcha le tout, livide d'effroi.

— Idiote, idiote, idiote, se fustigea-t-elle.

Elle comprenait tout à présent. Oui, tout. Même le rôle innocent d'Algonde, manipulée jusqu'au bout par Présine. Jamais sa mère n'avait voulu ravir l'enfant pour son compte. Elle voulait juste qu'il meure. Qu'il meure pour les punir une seconde fois. Empêcher que la prophétie ne s'accomplisse, voilà quel était son dessein en vérité.

— Idiote, répéta-t-elle encore en s'arrachant les cheveux.

Des siècles entiers elle avait attendu ce moment-là. Et pourquoi? Pour rien. Rien. Elle avait perdu son temps auprès de ces humains insipides alors qu'elle l'aurait mieux employé à regagner les Hautes Terres. Mais cela aussi leur mère l'avait prévu. Pendant qu'elle et Mélusine croupissaient ici, le passage d'Avalon se refermait.

Jetant la dépouille aux loups, Marthe redescendit en courant le sentier caillouteux.

« Tant pis, se dit-elle. Je n'ai pas besoin d'un enfant roi. Le plus urgent désormais, c'est de trouver le moyen de retourner là-bas ! »

Elle débola au pied de la falaise, se figea de surprise.

— Algonde ? Ou est-ce toi, ma chère sœur ?

— À ton avis ? ricana Mélusine qui l'attendait.

Sans lui laisser le temps de se reprendre, elle lui lança au visage le flacon débouché qui contenait le poison de la vouivre. Marthe l'esquiva. Tandis qu'il se fracassait contre un rocher, quelques gouttes l'éclaboussèrent, pénétrant dans ses chairs comme un acide puissant. Au visage, au bras. Décharnant l'os du nez, le dessus des doigts. Folle de rage et de douleur, Marthe fonça sur sa sœur.

— Falicaïl ! hurla Mélusine, s'armant aussitôt d'un bouclier invisible de protection.

— Si tu crois m'arrêter avec ça, gronda Marthe, rongée par le poison qui, grignotant ses chairs, pénétrait profondément en elle. Pas en quantité suffisante pourtant pour la détruire.

D'un simple geste, elle fit exploser le maigre rempart d'énergie, emplissant l'azur d'un bruit de tonnerre et d'une vague bleutée.

Mélusine recula.

— Mère, appela-t-elle à la rescousse, amenant un rire gras aux lèvres brûlées de Marthe.

— Égosille-toi, vas-y. Elle se moque bien de toi. De nous. Elle a tué l'enfant pour que nous ne l'ayons pas. Crois-tu donc qu'elle te sauvera ?

Mélusine songea à Algonde, prisonnière des eaux du Furon.

— Pardonne-moi, murmura-t-elle, certaine que la jouvencelle l'avait suivie en pensée, pas à pas.

Sans y croire, elle se jeta en avant, armée d'un poignard d'argent caché dans sa manche. Son dernier atout. Si elle atteignait le cœur… Marthe lui brisa le bras avant qu'elle ait seulement fini de le penser.

Le poignard tomba sur le sol caillouteux.

Folle de rage, de souffrance et de vengeance, Marthe se déchaîna autant contre sa sœur que contre Algonde dont le visage, exaspérant, la ramenait à l'enfant roi qu'elle avait abandonné là.

Levant ce corps exécré à huit pieds de haut, elle le fit tournoyer sur lui-même de plus en plus vite, de plus en plus fort avant de l'envoyer se disloquer contre la falaise. Elle savait que Mélusine n'en mourrait pas. Les êtres de leur trempe ne finissaient pas de si petites choses. Bondissant de rocher en rocher, elle se ramena à sa hauteur. Couverte de sang de la tête aux pieds, brisée jusqu'au crâne, Mélusine vivait.

— Il y a des siècles que j'attends ça, se réjouit Marthe.

Au pied de la falaise, alertés par les loups qui hurlaient à la mort depuis la grotte, les gens de Fontaine s'approchaient déjà, armés de fourches et de faux.

Marthe ne perdit pas davantage de temps. Elle plongea sa main dans la poitrine de Mélusine, lui arracha le cœur de ses griffes puissantes, agitant le corps de soubresauts, puis, le levant au-devant de ces hommes qui voyaient le diable dans cette créature-là, croqua dedans comme en une pomme, les faisant reculer d'effroi.

Emportant avec elle la vie de sa sœur, Marthe escalada la paroi abrupte si vite que ces hommes et ces femmes n'eurent que le recours d'un signe de croix.

Épilogue

On raconte que lorsque Mathieu découvrit le cadavre de celle qu'il prit pour Algonde, il sombra dans une telle folie qu'il maudit la contrée tout entière, mais plus encore Aymar de Grolée et Jacques de Sassenage auxquels il prédit une mort aussi terrible que celle de son aimée. Ensuite, sous le regard hébété des gens de Fontaine, il s'enfuit en courant, des larmes de sang sur les joues.

On ne le revit pas.

Certains dirent qu'il s'était jeté dans le Furon, d'autres qu'il avait rejoint la bande de malandrins qui, sous le commandement d'une jouvencelle, pillait et assassinait à tour de bras.

Quoi qu'il en soit, dans les mois qui suivirent, sans nouvelles de lui et moins encore de Marthe qui avait disparu, Philippine, bouleversée de chagrin, reconnut Elora comme sa fille et l'éleva avec tout l'amour dont elle était privée, relayant ainsi la parole qu'Aymar de Grolée avait donnée à Algonde.

Jeanne de Commiers survécut à ses couches. Elle n'eut pas d'autre vision et coula des jours paisibles à Saint-Pierre-de-Bressieux, aimée par son amant, protégée par son époux, et choyée par ses enfants retrouvés enfin.

Nul, à part ceux-là, ne sut qu'elle était revenue d'entre les morts, et Sidonie, libérée du joug, conserva sa place à la Bâtie et dans le cœur de Jacques.

Remise de ses frayeurs, Marie de Dreux épousa Laurent de Beaumont. Bien qu'elle se fût installée dans ses domaines, il ne se passa pas une semaine sans qu'elle rendît visite à Philippine. Pas une seule fois pourtant Marie ne réclama Mayeul, devenu le compagnon de jeu d'Elora qui, contre toute attente, réagissait comme si Algonde était encore là.

Enguerrand de Sassenage poursuivit sa quête de l'oubli, comme Mounia la sienne.

Quant à Djem, il regardait souvent par la fenestre de sa prison de Bourganeuf. Sans aucun espoir de revoir un jour son aimée et la liberté. Il fut finalement placé sous la garde d'Hugues de Luirieux qui, ne retrouvant pas la dépouille de Montoison, en conclut comme Guy de Blanchefort qu'il avait bien été dévoré dans les bois.

Mais la vérité dormait sous terre, dans les eaux du Furon.

Malgré la douleur qui bouleversait Mathieu et qu'elle aurait, de toute son âme, voulu apaiser, Algonde l'avait acceptée.

Présine, quittant son apparence de louve, était venue s'agenouiller au bord du lac, près de la Rochette, pour lui présenter sain et sauf l'enfant roi. Sans ses longs poils, enlevés et plaqués par magie sur un mort-né de la veille, il ressemblait à n'importe quel nourrisson.

Il ne l'était pas.

Lui prenant la main, Présine lui avait dit ceci :
— Je voudrais pouvoir te libérer, Algonde. De tout mon cœur. Mais je ne le peux pas. Si la malédiction tombait,

Marthe serait libre elle aussi. Elle saurait que je suis cachée ici. Elle reviendrait, et tous, oui tous, nous subirions sa vengeance. Elle répandrait le malheur et la mort sur son passage.

— Alors je vais rester là.

— Oui. Comme moi. Comme Constantin. Le temps qu'il faudra.

Le temps qu'il faudra.

Pour que Constantin devienne un homme.

Pour que l'antique passage vers les Hautes Terres soit retrouvé.

Algonde n'était pas triste. Elle avait fait ce qu'elle devait et souvent regardait les siens grâce à ce merveilleux pouvoir qu'elle avait gardé, entretenant avec Elora une relation privilégiée.

— Le jour où un homme au cœur pur te verra telle que tu es ce jourd'hui et qu'il t'aimera assez pour t'embrasser dans la rivière, ce jour-là, d'elle-même, la malédiction tombera pour toi, lui avait affirmé Présine.

Algonde avait confiance. Ce jour-là viendrait.

Lors elle retrouverait ceux qu'elle aimait.

Elle n'était pas triste, non.

Même si le chant des sorcières souffrait d'un accord brisé, l'histoire n'était pas terminée.

Elle recommencerait.

Avec Mathieu qui la délivrerait.

Avec un enfant roi et sa reine de lumière.

Demain.

FIN

Chers amis, vous mes lectrices et lecteurs fidèles,

Au terme de ce premier cycle de la légende des Hautes Terres, j'aurais pu vous présenter la liste du nombre important d'ouvrages qui ont permis l'écriture du *Chant des sorcières*. Je préfère garder cela pour la véritable fin, celle que vous lirez, je l'espère, au cours de cette année 2009.

Je me contenterai donc ici de remercier ma chère, si chère Régine, qui, grâce à son travail pointilleux de documentaliste, constitue mon socle de vérité historique. Ces lignes lui doivent l'essentiel.

Une bise de tendresse aussi à toute l'équipe de XO. Tout particulièrement à Caroline Lépée qui, comme Régine, affine mes pages par son travail critique et à Bernard Fixot pour sa confiance, inchangée et nourrie sans cesse de son attention paternelle.

Merci à vous mes enfants d'un premier lit Anaël et Maëva, à ceux que l'amour d'un homme m'a donnés, Antoine, Daniel, Sabine, Jade et Noa, à vous enfin, mes adoptés des circonstances qui sont devenus ma chair à défaut de mon sang, Richard, Corinne.

Mais aussi Titou, Céline, Stéphane, Cindy, Évan, Évolène, Claire, Kevin...

À toi ma petite mère.
À toi, Gérard, mon amour, ma vie.

À vous enfin, qui, jour après jour, livre après livre, m'écrivez d'autres pages nourries de chaleur et de lumière.

À défaut donc de bibliographie, et afin de vous faire patienter tous, je vous invite à découvrir un ouvrage dont l'auteur, sans le savoir, rejoint par ses hypothèses audacieuses le mythe des Hautes Terres et la légende des trois sœurs. Il s'agit de *L'Empreinte des dieux* de Graham Hancock, paru aux éditions Pygmalion et France Loisirs.

Quoi que vous en pensiez, ne retenez qu'une chose, à mon sens essentielle : l'espoir de ce monde ne naîtra que de l'humilité des hommes.

C'est dire tout le chemin qu'il nous reste à faire…

Cet ouvrage a été composé et imprimé par

Mesnil-sur-l'Estrée

en mars 2009

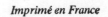
Imprimé en France

Dépôt légal : mars 2009
N° d'édition : 1535/01 – N° d'impression : 94134